March of America Facsimile Series

Number 49

La Vida de Junípero Serra

Francisco Palou

La Vida de
Junípero Serra

by Francisco Palou

ANN ARBOR

UNIVERSITY MICROFILMS, INC.

A Subsidiary of Xerox Corporation

Foreword

Relacion Historica de la Vida y Apostolicas Tareas del Venerable Padre Fray Junípero Serra, y de las Misiones que Fundó en la California Septentrional...Escrita por...Fr. Francisco Palou, printed in Mexico in 1787, is the biograhy of the founder of missions in Upper California. Written by a disciple and fellow missionary, it was ublished three years after Serra died and is the first work dealing with the history of Upper California.

Missions in Lower California were founded by the Jesuits, but on April 2, 1767, Charles III, King of Spain, decreed the expulsion of the Jesuit Order from his dominions. The care of the 18 missions then in existence and the conversion of the Indians were entrusted to the Franciscans. Fathr Junípero Serra, a member of the Franciscon Order, started his missionary work in Lower California and established a chain of missions along the coast up to San Francisco. With the expansion of missionary work the need for dedicated missionaries became more urgent, yet very few friars were eager to leave the comfort of a quiet monastery for the dangers and disappointments of pioneer life. Palou hoped that his *Vida* would encourage many of his brethren to follow the heroic example of Father Serra. The supplementary chapter "The Virtues of Junípero, Servant of God" was intended to prove that Serra "practiced all the virtues of the saints." But it was not until 1910 that action in support of Serra's beatification was begun.

The author, Francisco Palou, was born on the island of Mallorca, and like Junípero Serra, he entered the Franciscan Order at the Monastery of San Francisco de Palma, where Serra resided, became Serra's pupil in philosophy at the Lullian University, and was intimately associated with Serra for forty-four years. Serra had chosen Palou as his regular confessor and retained him even later when they met only occasionally. Palou wrote his *Vida* soon after Serra's death in 1784 "among the heathen surroundings of the Port of San Francisco, in that new mission, the most northerly of New California, where I had no access to books or to the sooiety of learned men." This biography was intended for the archives of the Franciscan province of Mallorca, but when Palou retired to Mexico his associates insisted that it be published at once. The work was furnished with Serra's portrait and a map of California by Diego Troncoso, showing the location of the missions. Some have accused Palou of having fabricated legends to exalt his hero, but documents, recently brought to light, prove that he was telling the truth.

The most recent English translation of Palou's *Vida*, with valuable notes, was published by the Academy of American Franciscan History in 1955. A discussion of the work is contained in *The Last of the Conquistadors, Junípero Serra*, by Omer Englebert (New Vork, 1956), pp. 341-343.

La Vida de Junípero Serra

RELACION HISTORICA

DE LA VIDA

Y APOSTOLICAS TAREAS

DEL VENERABLE PADRE

FRAY JUNIPERO SERRA,

Y de las Misiones que fundó en la California Septentrional, y nuevos establecimientos de Monterey.

ESCRITA

Por el R. P. L. Fr. FRANCISCO PALOU,
Guardian actual del Colegio Apostólico de S.
Fernando de México, y Discípulo del
Venerable Fundador:

DIRIGIDA

A SU SANTA PROVINCIA

DE LA REGULAR OBSERVANCIA
DE Nrô. S. P. S. FRANCISCO
DE LA ISLA DE MALLORCA.

A EXPENSAS

DE DON MIGUEL GONZALEZ CALDERON
SINDICO DE DICHO APOSTOLICO COLEGIO.

Impresa en México, en la Imprenta de Don Felipe de Zúñiga
y Ontiveros, calle del Espíritu Santo, año de 1787.

∹(✠)∹

CARTA DEDICATORIA
A LA OBSERVANTISIMA PROVINCIA DE MALLORCA,
Y PROTESTA DEL AUTOR.

VIVA JESUS, MARIA, Y JOSEPH.

Muy R. Padre Ministro Provincial, y demás Reverendos Padres, y venerados Hermanos.

ESEOSO DE PERPETUAR en la memoria de todos VV. Paternidades y RR. y de los venideros Hijos de esa Santa Provincia, mi tan respetable Madre, las Apostólicas taréas de mi venerado Padre, Mrô. y Lector Fr. JUNIPÉRO SERRA, Hijo esclarecido, tan conocido y estimado de esa su Santa Madre, tomo la pluma para escribir las mas ilustres hazañas de su infatigable zelo: las que con innata

nata

nata propension y debido reconocimiento, vuelven, como en cristalino arroyo á su fuente, ó como caudaloso rio, al glorioso origen de donde manaron sus saludables y presurosas corrientes, para fecundar con el mas saludable riego estos tan remotos y dilatados Paises.

Esa Santa y Religiosísima Provincia supo dar en el siglo anterior último, para primer Fundador del Apostólico instituto en ambas Españas, antigua y nueva, aquel insigne Hijo, Varon extático, Clarin sonóro del Evangelio, cuyos ecos sonaron con admirable harmonía en éllas, nuestro Venerable Padre Fundador Fr. Antonio Linaz: y á mediados del corriente, dió para Alumno del Colegio de San Fernando de México del mismo Apostólico instituto de *Propaganda Fide*, un Padre Junipero Fundador de diez Misiones en esta Península de las Californias, y que dexó proyectadas otras, que por falta de Operarios Evangélicos no pudo poner en planta. Si de estos Juníperos hubiera dado esa Santa Provin-

vin-

vincia una selva, no quedaría ya (en estos tan dilatados, y de Gentilidad poblados Paises) Gentil á vida barbára, sino que todos quedaran civilizados y convertidos á nuestra Santa Fee Católica.

Porque á la verdad fueron de tan sagrado fuego las ansias de este Seráfico y Apostólico Junípero, que ni sus graves y habituales accidentes, ni la incomodidad de los continuos y dilatados viages, ni la espesura y fragosidad de los caminos, ni la falta de su preciso sustento, ni la barbaridad de sus bozales y fieros habitadores, pudieron detener el curso á sus Apostólicas empresas: Hizo á costa de inmensas fatigas que amaneciese la luz de la verdadera Religion á tantas Naciones, quantas Misiones dexó fundadas, que solo en esta nueva y Septentrional California contamos nueve, todas éllas vivas, y en el centro de la Gentilidad, tan apartadas de tierra de Católicos, que los mas cercanos de la primera Mision distaban mas de ciento y cincuenta leguas, y éstas cercadas

todas

todas de Infieles, para que por todos rumbos resonáse la voz del clarin Evangélico de nuestro Venerable Padre; quien logró ver en sus dias, en solas las nueve dichas Misiones, á cinco mil ochocientos y ocho Gentiles convertidos, y bautizados por sí y sus Compañeros, que sin temer á la impiedad de la infernal Jesabel, trabajaron con descanso baxo la sombra de tan frondoso Junípero, ayudandole á sacar á aquellas almas de la esclavitud del Príncipe de las tinieblas.

Y el Venerable Padre con la extraordinaria facultad que nuestro Santísimo Padre el Señor Clemente XIV. le concedió para confirmar, administró por sí mismo este Sacramento (entre Indios Neófitos y Españoles, de los nuevos Pobladores) á cinco mil trescientos y siete; logrando todo este espiritual fruto á costa de continuos viajes por mar y tierra, que si el curioso Lector toma la pluma, hallará, que desde que salió del Apostólico Colegio de San Fernando para estas Californias,

gastó

gastó mas de medio año en navegaciones, y por tierra andubo como dos mil y cincuenta leguas, sobre mayor número que tenia andadas en la Nueva España, y en viages para las Misiones de los Infieles Indios Pames de la Sierra Gorda, como en las que salió á predicar entre Fieles, convirtiendo á innumerables pecadores, dispertándolos con su fervoroso espíritu del pesado sueño de la culpa, y dirigiéndolos por el camino de la virtud.

Todas estas taréas Apostólicas, son gloriosos Trofeos de esa Santa Provincia, á cuyos alumnos los dirijo, puestos en esta Relacion, no tanto para que se gloríen de éllos, quanto para que con tan inmortales monumentos del abrasado espíritu de su esclarecido Hermano, se alienten en adelante los hijos mas fervorosos de élla, á seguir tan gloriosas pisadas, á continuar tan arduas é importantes Conquistas, y á promover espirituales descubrimientos, hasta que no quede Gentil en esta tan inmensa tierra (la mas septentrional de la

Nue-

Nueva España poblada toda de Gentilidad) á quien no alumbren los rayos de nuestra Religion Católica, para que desterradas las tinieblas de aquella, alumbre á todos la luz Evangélica.

Con estos vivos deseos acabó su laboriosa vida y Apostólica carrera mi venerado Padre Lector Fr. Junipero; pues tres dias antes de morir, hablando los dos de lo que tardaba en venir la Mision, que se habia ido (años hacia) á colectar á España, por cuya causa, y la falta de Operarios Evangélicos, no se plantificaba la fundacion proyectada de dos Misiones con los títulos de la Purísima Concepcion, y Santa Barbára, le dixe: que tal vez no se hallarian Religiosos que quisiesen venir: Al oír estas palabras, prorrumpió con un suspiro propio de su corazon fervoroso. ,, ¡O si los ,, Religiosos de nuestra Santa Provincia, ,, que conocieron al difunto Padre Fray ,, Juan Crespí, vieran lo que trabajó, y el ,, mucho fruto que logró, quantos se ani- ,, marian á venir! Con solo que leyeran
,, los

„ los Diarios seria bastante para moverse
„ no pocos, á dexar su Patria, y Provincia,
„ y emprender el camino, para venir á tra-
„ bajar en esta Viña del Señor. „

Estos deseos que oí de boca de mi
amado Padre Lector poco antes de su
exemplar muerte, me acordaron despues
de élla el cumplirselos, embiando á esa
Santa Provincia originales los mismos Diarios, que por los caminos escribió el citado
Padre Crespí; y habiendo hallado entre
los papeles del Padre Lector Junípero, el
que él mismo formó á la subida con la
Expedicion para el descubrimiento de esta
nueva tierra, y dar mano á la espiritual conquista, no omito el remitirlos, considerando que no coadyuvará menos para el intento que los del Padre Crespí; pero juzgando que de la leyenda de él, pueden ori-
ginarse á los curiosos lectores, deseos de saber el fruto que sacó de dichos viages, y
lo que para conseguirlo trabajó este grande Operario de la Viña del Señor, resolví el
cumplirselos, tomando la pluma para es-

*   cribir

cribir la siguiente Relacion, despues de
haber trabajado no poco para vencerme, á
causa de mi ineptitud, y recelo de que no
se diga que es efecto quanto dixere de la
pasion de este amado Discípulo y Compañero casi en todas sus peregrinaciones;
habiéndole merecido (desde el año de
1740 que me tomó por uno de sus Discípulos, hasta el de 784 que nos separó la
muerte) un especialísimo cariño, que
siempre nos profesamos, mas que si fue-
ramos hermanos carnales: este respeto
que no ignora esa Santa Provincia, me
detenia la pluma.

Obligóme á resolverme, el leer el
preámbulo que hace San Gregorio Na-
cianceno para introducirse á la Oracion
fúnebre que, dixo y escribió de su Santa
hermana Gorgonia: (fol. 42.) *Cum sororem
laudo, admiror domestica: quæ non ideo falsa sunt, quia domestica, sed vera, ac ideo laude digna: vera autem, quoniam non solum jus-
ta, sed & manifesté cognita::: solum ea lau-
dabimus, & ea tacebimus, quæ laude, vel silen-
tio*

tio digna erunt. Sanè præ omnibus rebus est absurdissimum, ut propinqui laude priventur debita &c.

Animó mi inutilidad el reflexar que iba á escribir, no para el oido, sino para el ánimo, como aconseja Séneca: (Epist. 100.) *Scribendum animo, non auribus.* Y que se habia de reducir mi trabajo material, á escribir una Relacion de verdad, que en sentir de San Bernardo no es dificultoso, sino facil, porque no debe obscurecerse por el artificio y velo de colores: *Sermo: veræ puritatis, vel puræ veritatis debet esse, est facilis, nec artificioso colorum velamine debet opacari.* (S. Bernardo)

Y finalmente consideré que iba á escribir esta verdadera Relacion á esa Provincia, mi Santa Madre, que como Santa disimulará las faltas de élla, y como Madre procurará, que la habilidad del Cronista la labe de las manchas, para que su lectura no cause astío en lugar de edificacion y ternura. Vencidas pues todas las dificultades que se me proponian para con-

contenerme, y animado de los Compañeros Ministros Misioneros de estas nuevas Misiones súbditos del difunto, y sus Compañeros en esta nueva espiritual Conquista, y atrahido de lo mucho que debo á mi siempre venerado Padre, Maestro y Lector FRAY JUNÍPERO SERRA, y á esa Santa Provincia mi venerada Madre, para que no carezca de estas edificantes noticias de las taréas Apostólicas de dicho venerado Padre, su hijo amado, y de los frutos espirituales, que para la Santa Iglesia por éllas consiguió, aumentandola con tantos hijos, y á nuestro Católico Monarca sus Dominios y Vasallos en este tan distante Pais, y remotísima tierra, las pondré en la siguiente Relacion. Pero antes suplico á VV. Paternidades y RR. y á todos los que leyeren y oyeren leer esta Relacion Histórica, atiendan á la siguiente

PROTESTA.

OBedeciendo como verdadero Hijo de nuestra Madre la Santa Iglesia, á los Decretos de la Santa Inquisicion-General, confirmados por nuestro Santísimo Padre Urbano VIII: Declaro y protesto, que á ninguna de las cosas que en la siguiente Relacion dixere del Venerable Padre Fray Junípero Serra, y demás Misioneros de quienes hablare, no intento ni pretendo que se le dé mas fé que la que merece una Historia absolutamente humana; ni que el elogio de Venerable, ú otro semejante que diere á este grande Operario de la Viña del Señor, ó á otros Misioneros llamándolos Mártyres, porque habiendo dexado la seguridad del Claustro, sin mas fin que dedicarse á la Conversion de los Gentiles, éstos les quitaron cruelmente la vida; no es miintencionel que estos epitetos los levante á mas altura que á una humana honorificencia, segun estilo de prudente discrecion y piedad devota. Asi lo protesto, declaro y firmo en esta Mision de Nuestro Seráfico Padre San Francisco la mas Septentrional de la Nueva California, en su Puerto, á veinte y ocho de Febrero de mil setecientos ochenta y cinco años.

Fr. Francisco Palou.

P. A.

PARECER DEL Sr. Dr. Y Mrô. D. JOSEPH
Serruto, Canónigo Magistral de esta Santa Metropolitana Iglesia &c.

Señor Excmô.

ESTA Relacion Histórica que V. Excâ. comete à mi censura, está dictada por el maduro juicio de! Reverendo Padre Guardian Fray Francisco Palou con ingenuidad, precision y oportunidad, no solo para gloria del Varon Apostólico de que trata, mas para modelo de los que le sigan, y edificacion de los que leyeren; sin que en toda élla se note cosa ofensiva de las Regalias de S. M. y Leyes sobre impresion. Por lo que la juzgo digna de darse á la prensa. Casa y Noviembre veinte y nueve de mil setecientos ochenta y seis.

Joseph Serruto.

PARECER DEL R. P. Dr. y Mrô. D. JUAN
Gregorio de Campos, Prepósito de la Congrega-
cion del Oratorio de San Felipe Neri de esta
Ciudad de México.

SEÑOR PROVISOR.

CUmpliendo con el Decreto de V. S. he reconocido con
igual atencion que complacencia la Relacion Histórica
de la Vida y Apostólicas taréas del Venerable Padre Fray
Junípero Serra, Misionero Apostólico del Colegio *de Propaganda Fide* de esta Capital, escrita por el Reverendo Padre
Fray Francisco Palou, Guardian actual del mismo Apostólico Colegio. Yo tuve la dicha de haber conocido y comunicado al Venerable Padre, y ciertamente que en su semblante y trato se leía la mas exâcta observancia de su Seráfica
Regla, la mas continua mortificacion de su espíritu, la mas
humilde sabiduria, y el ardiente zelo por la conversion de
los Gentiles, y la reformacion de los Christianos. Esto se ve
vivamente estampado en todos los pasos que dió, en todos
los Países que habitó, y en todos los trabajos que padeció,
para llevar la luz del Evangelio á una barbára, numerosa y
remota Gentilidad. Y aunque despues que pagó el comun
tributo, y concluyó con la muerte su Apostólica carrera, pudiera parecer haber dexado de predicar, de propagar el
nombre de Christo, y de convertir Infieles; pero nos desen-
gaña el que á vista de sus trabajos y fatigas en aquellos ásperos, desconocidos y peligrosos caminos, de las diligencias
que practicó para instruirse en aquellos dificiles dialectos,
para acariciar á los Indios, ganandoles primero la voluntad
y despues el entendimiento; de los progresos que hizo el
Christianismo en aquellos Países, y de las bendiciones que
Dios derramaba sobre ellos: á vista de esto, digo, y quandos
lean en particular los sucesos de su predicacion, quantos
fer-

fervorosos Religiosos de las Provincias de España é Indias, y aun Eclesiásticos Seculares, se sentirán movidos á correr en el olor de sus unguentos, á seguir su laboriosa derrota, y emplearse en tan alto ministerio? Y por la boca y lengua de todos estos predica y predicará el Venerable Padre Junípero, aun despues de su circunstanciado, prevenido y singular fallecimiento: y predicará no solo á los Infieles; sino à los mismos Predicadores, los que en los maravillosos sucesos de su Vida hallarán facilitado, defendido y asegurado el método de convertir aquellas almas.

Y quan agradecidos deben estar los Infieles que lo han dexado de ser, y los verdaderos Fieles al Reverendo Padre Palou, que con tanto cuidado y solicitud nos ha dexado este precioso monumento de la Vida de su amado Maestro, para que su pluma sea el órgano por donde resuenen sus Apostólicas voces, sin confundirse ni destemplarse en lo escrito, porque el Autor procede tan observante de las leyes de la Historia, que sigue un estilo sencillo y llano; pero claro y hermoso: unas expresiones puras, un orden natural, una verdad incorrupta: eso no podrá dudarlo el Lector mas indiferente, y aun adverso: por todo lo qual esta obra no solo no contiene cosa alguna contra nuestra Santa Fé y buenas constumbres, sino que es digna de darse á la luz pública, para honorifica memoria de este Siervo de Dios, para desahogo de su amartelado Discípulo, para estímulo de los fervorosos Operarios, para testimonio del zelo de nuestro Monarca por la propagacion de la Fé Católica, y para gloria de Dios. Real Casa del Oratorio de México y Noviembre 23 de 1786.

Dr. y Mrô.D. Juan Gregorio
Campos.

CAR-

CARTA Y PARECER QUE REMITIERON al *Autor los RR. PP. Fr. Francisco Garcia Figueroa ex-Provincial de la Santa Provincia del Santo Evangelio y Padre de la de Santa Elena de la Havana y de la de Yucatan, Lector Jubilado y Calificador del Santo Oficio; y Fray Manuel Camino Lector Jubilado, ex-Definidor de la Santa Provincia del Santo Evangelio, Calificador del Santo Oficio, y ambos de la Recoleccion de S. Cosme.*

R. P. Guardian del Colegio Apostólico de San Fernando Fr. Francisco Palou.

A Gradecemos á V. P. su confianza, y al mismo tiempo la complacencia que nos ha causado la lectura del manuscrito que contiene la Vida y grandes virtudes del Reverendo y Venerable Padre Fray Junípero, Misionero Apostólico é Hijo de ese Santo Colegio: la que su moderacion juiciosa remite á nuestra inspeccion, á fin de que con ingenuidad le digamos, si es digna de que se imprima, asi por su argumento, como por el texido y composicion de él. La Religion Seráfica es una nube copiosísima de gracia, que quando no llueve Santos, gotea por todas partes y en todos tiempos Varones exemplares dignos Hijos de nuestro Seráfico Padre San Francisco, y formados á su espíritu: con lo que vemos cada dia cumplida la promesa que el Señor le hizo, de que nunca faltarían en su Orden Varones perfectos.

Uno de estos, y entre los que nuestra Religion no puede contar por innumerables, es el Reverendo y Venerable Padre Fray Junípero, como lo demuestran sus grandes virtudes. Las que V. P. pretende se publiquen por medio de la Imprenta para edificacion del Público, consuelo de Religiogiosos, y aliento de los Misioneros Apostólicos: los que con especialidad hallarán en este perfecto Misionero, norma, é incitamento poderoso para continuar sus penosas taréas en beneficio de la salvacion de las almas. Y ojalá el que todos conociéramos la excelencia y preciosidad de sus trabajos; porque creciendo con esto la comun edificacion, los mismos Religiosos con el mayor aprecio de lo que practican, se alentàran mas á la imitacion de este nuevo Apostólico modelo que V. P. les propone. Porque á la verdad ¿con qué cosa se puede comparar, ni qué alabanza ó aprecio puede llegar al mérito de unos hombres, que observando dentro de los Claustros de sus Colegios una vida austera, religiosa, ocupada continuamente en las divinas alabanzas, confesonario, y otras muchas ocupaciones santas, toman, como si fuera descanso ó interrupcion de estas, el salir, como rayos encendidos tronando saludablemente, á santificar con sus Misiones toda esta América Septentrional? Pues en efecto convierten los pecadores de Poblaciones enteras, sin que alguno se esconda á su zelo, debiendose tanto á sus diligencias y afanes, que aun la mas dura obstinacion se rinde al trueno y rayo de la voz de las Misiones. De modo, que no parece sino que Dios nuestro Señor en ellas, y por ellos pone el último esfuerzo para su conversion, pues los que antes se habian resistido à la gracia por muchos años, ahora, dando señas nada equívocas de verdadero dolor, son admitidos á la absolucion con mucha confianza y consuelo.

Y si tantas penalidades se padecen en la conversion de los Fieles: ¿quales serán las fatigas de los que se ocupan en la reduccion al Christianismo de unos Indios bárbaros indómitos, de ninguna civilidad, y tan escasa razon? Solamente lo pueden conocer los que experimentan las aflicciones, multitud de incomodidades y peligros que son precisos en negocio tan arduo, y con táles gentes: que á nosotros lo que nos toca es admirar el zelo con que se padecen, quando sabemos de tantos que se han bautizado, y como cada dia se multiplican las Misiones.

Por esto nos ha parecido acertado el trabajo que V. P. se ha tomado de escribir esta Vida; y mas quando el Venenerable Padre Fray Junípero es un exemplar tan reciente y conocido: porque los de esta clase tienen cierta eficaeia y fuerza para mover á la imitacion, ya sea porque los hombres son naturalmente inclinados á la novedad; ó ya porque desvanecen cierta preocupacion poco, ó nada advertida, de que las cosas en su curso ván perdiendo de su fuerza, de modo que los postreros no pueden llegar à la perfeccion de los primeros. Los hechos del Padre Fray Junípero deshacen semejante inteligencia. Y asi, solo nos resta dar á V. P. muchas gracias, como debemos darselas todos, por haberse tomado esta carga, y mas en aquel tiempo en que de justicia pedia el descanso. Ha sudado V. P. mucho, y por muchos años en las taréas Apostólicas: y ya era razon que gozáse de la quietud y retiro de su Celda, ó á lo menos que no añadiera nuevas penalidades á sus quebrantados años; pero el zelo santo no conoce dificultades, años, ni trabajo. La Obra, fuera de que será muy útil, como llevamos dicho, está bien dispuesta y ordenada: por lo que segun nos parece, puede V. P. hacer que se imprima, desechando sus temores. Dios guarde á V. P. muchos años. Convento de Recoleccion de San Cosme y Marzo 12 de 1787.

B. L. M. de V. P. sus afectos Hermanos y
atentos Servidores,

Fr. Francisco Garcia　　*Fr. Manuel Camino.*
　Figueroa.

LICENCIA DEL SUPERIOR GOBIERNO

LA Real Audiencia Gobernadora de esta Nueva España, visto el Parecer que precede del Señor Doctor y Maestro Don Joseph Serruto, Canónigo Magistral de esta Santa Iglesia, concedió su licencia para la impresion de este Libro de la Relacion Histórica de la Vida y Apostólicas taréas del Venerable Padre Fray Junípero Serra, por su Decreto de siete de Diciembre de mil setecientos ochenta y seis.

LICENCIA DEL ORDINARIO.

EL Señor Doctor Don Miguel Primo de Rivera, Prevendado de esta Santa Iglesia Metropolitana, Juez, Provisor y Vicario General de este Arzobispado &c. visto el Parecer del Reverendo Padre Doctor y Maestro Don Juan Gregorio de Campos, Prepósito de la Congregacion del Oratorio de San Felipe Neri de esta Ciudad, concedió su licencia para la impresion de esta Relacion Historica de la Vida y Apostólicas taréas del Venerable Padre Fray Junípero Serra, por su Decreto de veinte y quatro de Noviembre de mil setecientos ochenta y seis.

INDICE

DE LOS CAPITULOS DE ESTA HISTORIA
DE LA CALIFORNIA SEPTENTRIONAL,
Y VIDA DE SU VENERABLE FUNDADOR
FRAY JUNIPERO SERRA.

Cap.

Cap.

Cap.

PRO-

PROLOGO.

LEctor benevolo: al ver este Tomo que contiene la Relacion de la Vida del Venerable Padre Fray Junípero Serra, pensarás (segun está la Crítica en el presente tiempo) que te vás á hallar con el estilo de un Bosuet, ó de un Obispo de Nimes; pero si lees primero, como es natural, la Dedicatoria, conocerás que esta Obra, no la escribí (con el ánimo de darla á la luz pública, sino precisamente como una Carta edificante, ó simple Relacion que hacia á mi Santa Provincia de Mallorca de las Virtudes, y Apostólicos afanes del sobredicho Venerable Padre, para que su Cronista la puliese y perficionase, estampandola en sus Crónicas, con el fin de llamar Operarios para la Viña del Señor.

Pero habiendo llegado la noticia á algunos devotos Señores, que conocieron y trataron al Venerable Padre, me instaron para que se imprimiese, ofreciendome costear la Imprenta, como lo han hecho, excusandome á ello: pero reflexando, que estas noticias corriendo por esta Nueva España podrían mover á algunos Religiosos á alistarse para ir á trabajar en aquellas nuevas Conquistas, y á ganar almas para Dios, condescendí. El motivo de mi resistencia no era otro, que el considerar los defectos que tendrá la Obra, asi por mi insuficiencia, como por haberla escrito entre Barbáros (Gentiles en el Puerto de San Francisco, en su nueva Mision, la mas Septentrional de la Nueva California, careciendo de libros y de hombres doctos con quien consultar: por lo que te suplico los perdones y disimules.

Sin embargo de lo dicho, bien sé que algunos de los que leen cosas nuevas, quieren que el Historiador procure conceptos, y que vaya tropezando siempre en equívocos y reflexíones escabrosas. Este método aunque en las Historias profanas se tolere, y aun se aplauda, en las de los Santos y Siervos de Dios, que se escriben para edificacion, y para animar á su imitacion, lo reputan los mas cuerdos Historiadores por un vicio, que Yo he procurado igualmente evitar.

*

Como

Como el alma de la Historia es la verdad sencilla, puedes tener el consuelo, que casi todo lo que refiero lo he presenciado, y lo que no, me lo han referido otros Padres Misioneros mis Compañeros dignos de fé. Por último tengo presente, que ni Homero entre los Poetas, Demóstenes entre los Oradores, ni Aristóteles ni Solon entre los Sabios, dexaron de errar; porque aunque eran eminentes Sabios, Oradores y Poetas, siempre fueron hombres. Es grande la miseria de nuestra naturaleza; y mientras no dexen de ser hombres los que escriben, siempre habrá hombres que los noten. Acuerdate de tu fragilidad, y tendrás compasion de la mia. VALE.

V. R. DEL V. P. F. JUNIPERO SERRA

hijo de la S.ta Prov.a de N. P. S. Fran.co de la Isla de Mallorca. D.r y Cor.co de Theol. Comis.o del S. Of.o Mis.o

del Ap.co Col.o de S. Fern.do de Mex.co Fund.r y Presid.te de las Mis.es de la Calif.a Septentr.l ≈ Murió

con gr.de fama de sant.d en la Mis.on de S. Carlos del Pu.to del N.vo Monte-Rey a 28. de Ag.to del 184.

de edad de 70. a. 9.m. 4.d.s hab.do gastado la mit.d de su vida en el exerc.o de Mision.o Apost.co

RELACION HISTORICA,

DE LA VIDA Y APOSTÓLICAS TAREAS

DEL V. P. FRAY JUNIPERO SERRA,

De la Regular Observancia de N. S. P. S. Francisco de la Provincia de Mallorca; Doctor, y ex-Catedrático de Prima de Sagrada Teología en la Universidad Lulliana de dicha Isla; Comisario del Santo Oficio en toda la Nueva España, é Islas adyacentes; Predicador Apostólico del Colegio de Misioneros Apostólicos de Propaganda Fide de San Fernando de México; Presidente y Fundador de las Misiones, y nuevos Establecimientos de la Nueva y Septentrional California y Monterey.

CAPITULO I.

Nacimiento, Patria y Padres del V. P. Junipero: Toma el santo hábito, y exercicios que tuvo en la Provincia antes de pretender salir para la América.

L infatigable Operario de la Viña del Señor el V. P. Fr. Junipero Serra dió principio á su laboriosa vida el dia 24 de Noviembre del año de 1713 naciendo á la una de la mañana en la Villa de Petra de la Isla de Mallorca: Fueron sus Padres Antonio Serra, y Margarita Ferrer, humildes Labradores, honrados, devotos, y de exemplares costumbres. Como si tuvieran anticipada noticia de lo mucho que el hijo que les acavaba de nacer se habia de afanar á su tiempo para bautizar Gentiles, se afana-

na-

naron los devotos Padres, para que se bautizase el mismo dia que nació. Pusieronle por nombre Miguel Joseph, los que Conservó en la confirmacion, que recibió el 26 de Mayo de 1715 en la misma Parroquia de dicha Villa en que habia sido bautizado.

Instruyeronlo los devotos Padres desde Niño en los rudimentos de la Fé, y en el Santo temor de Dios, inclinándolo desde luego que empezó á andar, á freqüentar la Iglesia y Convento de San Bernardino, que en dicha Villa tiene aquella Santa Provincia, de cuyos Religiosos era el Padre muy querido; y en quanto llevó al Niño Miguel al Convento, robó á todos el afecto. Aprendió en dicho Convento la Latinidad, de que salió perfectamente instruido, y al mismo tiempo se habilitó en el canto llano, por la costumbre que tenia el Religioso Maestro de Gramática, de llevar los dias festivos á sus Discípulos al Coro á cantar con la Comunidad. De este santo exercicio y devotas conversaciones que oía á sus devotos Padres, nacieron en su corazon muy temprano unos fervorosos deseos de tomar el santo hábito de N. S. P. San Francisco, sintiendo la falta de edad para ello.

Conociendo sus devotos Padres la vocacion del Hijo, en quanto tuvo edad lo llevaron á la Ciudad de Palma, Capital de aquel Reyno, á fin de que se aplicase á los estudios mayores; y para que no olvidase la doctrina y buenas costumbres que desde Niño le habian enseñado, lo encomendaron á un devoto Sacerdote Beneficiado de la Catedral, quien viendo la aplicacion del muchacho en el estudio de la Filosofia, que empezó á cursar en el Convento de N. P. S. Francisco, y la vocacion de ser Religioso, lo enseñó á rezar el Oficio Divino, haciendole rezar en su compañia, dexándole lo demas del tiempo para el estudio.

A poco tiempo de estar en la Ciudad, que se le aumentaron los deseos de ser Religioso, se presentó á nuestro muy R. P. Fr. Antonio Perelló, Ministro Provincial que era segunda vez de dicha Provincia, pidiendole el santo hábito. Dilatósele algun tiempo considerandolo muy muchacho; pero infor-

formado de que ya tenia edad cumplida, no obstante de pequeña estatura, y enfermizo, lo admitió y tomó el hábito en
el Convento de Jesus extramuros de la Ciudad, el dia 14 de
Septiembre de 1730, siendo de edad de 16 años, nueve meses
y veinte y un dias. En el año del Noviciado aprovechó en
el exercicio de las virtudes, aplicándose á imponerse en todo
lo perteneciente á nuestra Seráfica Regla, y preceptos en ella
contenidos, para quando llegase el tiempo de la Profesion
tener perfecto conocimiento de lo mucho que habia de prometer á Dios en la Profesion. Para animarse para ella leía en
los Libros misticos y devotos las mayores cosas que Dios,
y N. S. P. S. Francisco nos prometen, si guardamos lo que en
la Profesion prometemos.

Los Libros que mas leía y que le llevavan la atencion,
eran las Crónicas de Ntrâ. Seráfica Religion regocijandose
en la vida de tantos Santos y Venerables como en ellas se
cuentan, leyendo sus Vidas con tanta atencion y ternura, que
parecia le habian quedado impresas en su memoria, de modo que referia la Vida y exemplares hechos de qualquiera de
ellos, como si los acabase de leer, quedando admirados quantos lo oíamos hablar de este asunto, y de la Seráfica Historia; y quando le llegaba noticia de la Beatificacion de algun
Venerable se llenaba su corazon de gozo, y referia su vida,
como si la acabase de leer en la Crónica.

De este devoto exercicio de la leyenda de las Vidas de
los Santos le nacieron desde Novicio unos vivos deseos de
imitarlos en quanto le fuese posible, causando dicha leyenda
lo mismo que causó en San Ignacio de Loyola: y lo que principalmente consiguió de dicha devota leyenda fué un gran
deseo de imitar á los Santos y Venerables que se habian emplado en la conversion de las almas, principalmente de los
Gentiles y Bárbaros, deseando imitarlos hasta dar la vida y derramar su sangre como ellos lo habian practicado:
asi lo oí de boca de dicho mi venerado Padre, que hablando-
me de su llamamiento para dexar su Patria y venir á las Indias, me dixo con ternura de corazon y lágrimas en los ojos:
,, No

» No ha sido otro el motivo, que revivir en mi corazon aque-
» llos grandes deseos que tuve desde Novicio leyendo las Vi-
» das de los Santos, los que se me habian amortiguado con
» la distraccion de los estudios; pero demos muchas gra-
» cias á Dios que empieza á cumplir mis deseos, y pidamos-
» le sea para mayor gloria suya, y conversion de las almas. »

Cumplido el año de la Aprobacion profesó en dicho Convento de Jesus el dia 15 de Septiembre de 1731. tomando el nombre de Junípero por la devocion que tenia á aquel Santo Compañero de N. S. P. S. Francisco, cuyas santas sencillezes, y gracias de la gracia celebraba y referia con devocion y ternura. Fué tanto el júbilo y alegria que le causó la Profesion, que en toda su vida no lo olvidó; sino que renovaba los Votos y Profesion todos los años, no solo el dia de la Profesion de N. S. P. S. Francisco, sino tambien siempre que asistia á la Profesion de algun Novicio. Y siempre que se acordaba del gozo que tuvo en su Profesion, y que hablaba de ella, prorrumpia en estas palabras. *Venerunt mibi omnia bona pariter cum illa*: Vinieronme por la Profesion todos los bienes: » Yo, decia, en el Noviciado estuve casi siempre
» enfermizo, y tan pequeño de cuerpo, que no alcanzaba al Fa-
» cistol, ni podia ayudar á los Connovicios en los queha-
» ceres precisos del Noviciado, por cuyo motivo solo me em-
» pleaba el Padre Maestro en ayudar las Misas todas las ma-
» ñanas; pero con la Profesion logré la salud y fuerzas, y con-
» seguí el crecer hasta la estatura mediana; todo lo atribuyo
» á la Profesion, de la que doy infinitas gracias á Dios. »

En quanto profesó nuestro Fr. Junípero lo mudó la obediencia al Convento principal de la Ciudad á estudiar los Cursos de Filosofia y Teologia, y de tal manera aprovechó, que antes de ordenarse de Sacerdote, ni tener tiempo para ello, ya lo eligió la Provincia Lector de Filosofia para el mismo Convento, en donde leyó los tres años con grande aplauso, logrando tener mas de sesenta Discípulos entre Religiosos y Seculares, que aunque no todos siguieron el Curso, los mas prosiguieron los tres años, y lo concluyeron muchos de
los.

los Seculares borlados ya en dicha facultad, obteniendo por la Universidad Lulliana el grado de Doctores. Antes del año de concluida la Filosofia, obtuvo el R. P. Lector Junípero el grado de Doctor de Sagrada Teologia por la dicha Universidad, en la que regenteó la Cátedra de Prima del Subtil Maestro, hasta la salida de la Provincia, y en ella se desempeñó con grande fama de docto y profundo á satisfaccion así de la Provincia, como de la Universidad, y en la dicha facultad sacó á muchos de sus Discípulos borlados de Doctores.

Las precisas ocupaciones de la Cátedra literaria, no le impedian para emplearse en la del Espíritu Santo, encomendandole los Sermones Panegíricos de los principales asuntos, y grandes festividades; y siempre fué el desempeño, con aplauso de los hombres mas doctos que lo oían. El último Panegírico que predicó fué encomendado de la Universidad, en la solemnísima Fiesta que el 25 de Enero celebra á su Patron, y Compatrióta el Iluminado Dr. el Beato Raymundo Lulio, á que asiste la Universidad formada, y los hombres mas doctos de la Ciudad; y como S. R. pensaba sería el último (como lo fué en su Patria,) parece que echó el resto de su habilidad para crédito de la Provincia, dexando á todos admirados. Oí en quanto acabó el Sermon á un Jubilado ex-Catedrático de mucha fama, de Cátedra y Púlpito, y nada apasionado al Predicador, esta expresion: *digno es este Sermon de que se imprima con letras de oro.* Pero estaba ya bien lexos de recibir tan honrosas expresiones, pues solo pensaba como salir á emplear sus talentos en la conversion de los Gentiles, para lo que estaba entonces esperando por instantes la Patente, como luego veeremos

No era menor el crédito en que estaba para Sermones Morales. Buscábanlo de las Villas mas principales para que les fuese á predicar la Quaresma, en lo que se ocupaba todos los años dexando sostituto para la Cátedra; y se iba por las Quaresmas á emplear en la conversion de los pecadores, que con su fervoroso zelo, grande habilidad, inventivas, y sonora voz con que Dios lo habia dotado, dispertaba á los pecadores

res del pesado sueño del pecado, y se convertian á Dios á pesar del mortal enemigo; quien claro lo dió á entender en la Villa de Selva.

Predicaba la Quaaresma en dicha Villa el año de 1747, y estando en lo mas fervoroso de uno de los Sermones, se levantó una Muger del auditorio, que estaba obsesa (como despues supo por el Señor Rector ó Cura) y encarandose muy furiosa con el fervoroso Padre, llena de cólera dixo en alta voz que oyó el auditorio: *Grita, grita, que por esto no acabarás la Quaresma.* Estuvo tan lexos de afloxar en el fervor de sus Sermones, ni de dar crédito al dicho del demonio, ó de la muger endemoniada, que antes bien creyó lo contrario; pues ofreciendosele á S. R. el escribirme aquellos dias, me puso esta cláusula " Gracias á Dios gozo de salud, y " espero así acabar la Quaresma, porque el Padre de la " mentira ha publicado que no la acabaré; y como no sabe " decir verdad, espero concluirla sin novedad en la salud; " asi sucedió, y regresado al Convento, preguntándole sobre dicha clausula, me refirió lo que llevo expresado.

CAPITULO II.

Llámalo Dios para Doctor de las Gentes, solicita Patente para Indias, y consiguela. Se embarca para Cadiz, y lo que sucedió en el camino.

EN el tiempo en que el R. P. Lector Fr. Junípero se hallaba en las mayores estimaciones y aplausos, asi en la Religion, como á fuera, y que podia esperar los correspondientes honores á sus méritos, fué hecha sobre él la voz Divina llamandolo para Doctor de las Gentes, tocandole el corazon, para que dexando su Patria, Padres, y su santa Provincia, saliese á emplear sus talentos en la conversion de los Gentiles, que por falta de quien les enseñe el camino del Cielo se condenan. No se hizo sordo á esta voz interior del Señor, que

que encendió en su corazon el fuego vivo de la caridad del
próximo, y le nació de ello unos vivos deseos de derramar
su sangre, si necesario fuera, para lograr la salvacion de los
miserables Gentiles, reviviendo en su corazon aquellos deseos
que sentia quando Novicio, amortiguados por la distraccion
de los estudios. Pero en quanto sintió de nuevo la vocacion,
consultóla con Dios en la oracion, poniendo por intercesores
á su Purísima Madre, y á San Francisco Solano, Apostol de
las Indias, pidiendoles, que si era de Dios dicha vocacion, tocase el corazon á alguno que lo acompañase en la empresa
y tan dilatado viage.

No obstante que S. R. guardaba en lo mas secreto de su
corazon esta vocacion, quiso Dios que de una conversacion
que oyó el R. P. Lector Fr. Rafael Verger, Catedrático que
era entonces de Filosofia, y á la presente Obispo del Nuevo
Reyno de Leon, entendiese que un Religioso de la Provincia
intentaba salir para las Indias á la conversion de los Gentiles.
Luego me lo comunicó (por la estrechez que teniamos) aunque siempre me dixo que no lo sabia cierto, sino que lo infe-
ria de una proposicion enigmática que oyó, y que no nom-
bravan Sugeto; pero que desde que oyó dicha proposicion se
habian entrado en su corazon vivos deseos de practicar lo
propio, y que si no estuviese amarrado con la Cátedra haria
lo mismo: varias ocasiones hablamos los dos del asunto, por
lo que se me pegaron los mismos deseos.

Haciamos ambos la diligencia de indagar si era verdad
lo que habia inferido, y quien fuese el Religioso, y nada pudimos rastrear; no obstante que esto bastaba para desvanecer
la especie, sentiamos ambos mas y mas deseos de venir para
las Indias.

Yo que me hallaba mas libre, para que no se me dificul-
tase por parte de la Provincia, estaba para resolverme y poner la pretension para la licencia. No quise deliberar sin primero consultarlo con mi amado Padre Maestro y Lector Fr.
Junípero Serra. Logrando un dia la ocasion de haber venido
á la Celda de mi habitacion, y que estabamos solos, le co-
mu-

muniqué lo que sentia en mi corazon, suplicandole me diese
su parecer. Al oir mi propuesta se le saltaron las lágrimas, no
de pena, como yo juzgué, sino de gozo, diciendome: » Yo soy
» el que intento esta larga jornada, mi pena era el estar sin
» compañero para un viage tan largo, no obstante que no por
» esta falta desistiria: acabo de hacer dos Novenas á la Purí-
» sima Concepcion de Maria Santísima, y á S. Francisco So-
» lano, pidiendoles tocase en el corazon á alguno para que fue-
» se conmigo, si era la voluntad de Dios; y no menos que aho-
» ra venia resuelto á hablarle, y convidarle para el viage;
» porque desde que me resolví, he sentido en mi corazon tal
» inclinacion á hablarle, que esta me hizo pensar que V. R.
» se animaria. Y supuesto que lo que con tanto secreto he
» guardado en mi corazon, ha llegado á noticia de V. R. por
» el conducto que me dice, sin saber quien era, al mismo tiem-
» po que yo pedia á Dios tocase el corazon á alguno, y sen-
» tia mi total inclinacion á V. R.; sin duda será la voluntad
» de Dios. No obstante encomendémoselo al Señor, y haga
» lo mismo que yo he practicado de las dos Novenas, y guar-
» demos ambos el secreto. » Asi lo practicamos, y concluidas resolvimos seguir la vocacion, y correr las diligencias
para el efecto.

Ingrato fuera si callara lo dicho, pues confieso deber á
las oraciones de mi venerado Padre Lector Junípero el verme entre los Misioneros de *Propaganda Fide*; felicidad tan
grande que en sentir de la Venerable Madre es envidiable
de los Bienaventurados, como lo escribió dicha Sierva de
Dios á los Misioneros de mi Seráfica Religion empleados en
la conversion de los Gentiles de la Custodia del Nuevo México, cuya carta copiaré á lo último si tengo lugar, pues
es bastantemente eficaz para animar á todos á que vengan
al trabajo de la Viña del Señor, y confirma y aprueba el
regimen que acostumbramos en estas Misiones. Y asi
mismo, á su exemplo, deben todos los demas Religiosos
que de dicha Provincia han venido para los Colegios, dicha felicidad, como tambien la Provincia le debe que por el
exem-

exemplo de su esclarecido hijo, haber logrado otro tan fervoroso, que despues de haber convertido muchísimos Gentiles á nuestra Santa Fé, derramó su sangre, y gustoso rindió la vida, para que se lograse la conversion de los demás; siendo este Martirio de tanta gloria y honor para su Santa Madre, como tambien el ver otro hijo suyo gobernando la Mitra del Nuevo Reyno de Leon, honrando no solo á su Provincia, sino á toda la Religion Seráfica; y puede gloriarse, que si se privó de un Junípero, por haberse trasplantado á la América, éste por su fecundidad ha reengendrado y dado á la Iglesia Santa una selva de Juníperos, todos hijos de su apostólico zelo (como veremos á su tiempo) que todo redunda en honor de la Provincia, y del Apostólico Colegio de S. Fernando, Jardin á donde la trasplantó su exemplar vocacion, tan envidiada de aquella, como de toda su Patria admirada, para cuyo seguimiento practicó lo siguiente.

Luego que se vió con Compañero escribió á los Rmôs. Comisarios Generales de la Familia y de Indias, pidiéndoles la licencia para pasar á la América á la conversion de los Gentiles: respondió el Rmô. de Indias dificultándolo, porque solos dos Comisarios habia en España de los Colegios de la Santa Cruz de Querétaro y San Fernando de México, y estos con las Misiones ya completas en la Andalucia en vísperas de embarcarse; pero que nos tendria presentes para la primera ocasion: añadiendo, que podria haber inconveniente, por no ser del continente de España.

No por esto desistió de su intento el fervoroso Padre Junípero, ni se entivió en la vocacion; antes sí repitió Carta á su Rmâ. suplicándole que si por ser de Isla habia de haber dificultad, nos facilitase la licencia para incorporarnos á alguno de los Colegios del continente de España, para obviar todo impedimento. En este estado se hallaba la pretension, quando se acercaba la Quaresma del año de 49, que tenia encomendada el R. P. Júnípero para predicarla en la Parroquia de su Patria la Villa de Petra; y dexandome encomenmendado el asunto que estaba en secreto de los dos, se partió para su destino.

No se olvidó N. Rmô. Padre Comisario General de Indias Fr. Matias Velasco, de nuestra pretension, ni omitió diligencia alguna para darnos el consuelo á que aspirábamos; sino que luego que recibió la primera Carta, la despachó á los Comisarios de los citados Colegios, que se hallaban en Andalucia, encargándoles, que si se les desgraciase alguno nos tuviesen presentes. Llegó tan á buen tiempo la Carta, que de los 33 Religiosos alistados para la Mision de San Fernando, se habian arrepentido cinco, amedrentados de la mar, que jamás habian visto, con cuyo motivo hubo lugar para nosotros. Luego el R. P. Fr. Pedro Perez de Mezquia, de la Provincia de Cantabria, y Comisario de la Mision, nos despachó por el Correo ordinario las dos Patentes; pero éstas no llegaron: y si hemos de creer al dicho de cierto Religioso grave del expresado Convento de Palma, se perdieron desde la porteria hasta la celda de mi habitacion.

Viendo el P. Comisario de la Mision, que con dichas Patentes no pareciamos, nos remitió otras por conducto extraordinario, que no se pudieron perder. Recibilas el dia 30 de Marzo, á tiempo que iba á la bendicion de Palmas; y luego que salimos de refectorio (con la bendicion y licencia de N. M. R. P. Provincial) caminé para la Villa de Petra; y entregando aquella misma noche la Patente al R. P. Junípero, fué para él de mayor gozo y alegria, que si le hubiera llevado Cédula para alguna Mitra. Tratamos luego el dia siguiente de verificar quanto antes nuestro viage, y de que fuese con el mayor secreto; y supuesto que faltaban tan poocs dias de la Quaresma, resolvió concluirla: entretanto yo me regresé á la Ciudad en solicitud de embarcacion, la que no habiendo hallado para Cadiz, y sí un Paquebotillo Inglés, que despues de Pasqua se hacia á la vela para Málaga, ajusté con su Capitan el pasaporte y dí aviso al R. P. Junípero, quien despues de haber predicado el último Sermon en la misma

Parro-

Parroquia en que habia sido bautizado, y despedidose en él
de sus Compatriotas (aunque sin expresar nada de su viage) salió el dia tercero de aquella Pasqua para retirarse al
Convento de la Ciudad, habiendo visitado á sus ancianos
Padres, despedidose y tomado la bendicion de ellos para
volverse, respecto á haber concluido su tarea; á quienes
dexó asimismo ignorantes de su determinacion, quedando
por esto mas oculta.

El 13 de Abril, que fué aquel año la Domínica in Albis,
se despidió de la Comunidad del Convento principal saliendo al refectorio á decir las culpas, pedir perdon á todos
los Religiosos, y la bendicion al Prelado, que entonces
era el mismo que habia sido su Lector de Filosofía, siendo
secular; y viendo ahora la extraordinaria vocacion de su
Discípulo, y el grande exemplo que daba, no solo al Convento, sino á toda la Provincia, se enterneció tanto, que em-
bargada la voz, casi no pudo articular palabra, reduciendose
aquella despedida mas á lágrimas que á voces; con cuyo espectáculo no pudo menos que moverse á ternura aquella graví-
sima Comunidad, y mas quando vió que el R. P. Junípero
fué por último besando los pies de todos los Religiosos, hasta del menor Novicio. Despedidos ya de la Comunidad, ca-
minamos luego para el muelle, y nos embarcamos en dicho
Paquebot.

Era el Capitan de este Barco un Herege protervo, y
tan provocativo, que en los quince dias que duró la navegacion hasta Málaga no nos dexó quietud, pues con trabajo podiamos rezar el Oficio Divino, por querer continuamente ar-
guir ó altercar sobre dogmas, que aunque no sabia mas idioma que el Inglés, y algo del Portugués (en el que medio se
explicaba) formaba en éste sus argumentos, y teniendo la
Biblia en la mano traducida en su lengua nativa, leía algun
texto de la Escritura, que interpretaba á su antojo. Pero como nuestro Fr. Junípero estaba tan instruido y versado en
lo dogmático y sagrada Escritura, lo mismo era percibir su
error, y la mala inteligencia del texto que citaba para sos-
tener-

tenerlo, que luego le mencionaba otro con que plenamente la deshacia. Leía el Capitan en su mugrienta Biblia, y no hallando por donde evadirse, respondia que estaba rompida la oja, y que no tenia aquel verso: citábale otro; y era la misma su respuesta: con lo que aunque bien se le conocia quedar confundido y avergonzado; pero nunca se redujo, y quedó obstinado.

De esto se siguió el irritarse tan demasiado contra nosotros; y principalmente contra mi venerado Fr. Junípero, por ser el que lo confundia, que varias ocasiones nos amenazó con que nos echaria al mar, y se marcharía para Londres. No dudo lo hubiera hecho, á no temer la resulta, pues en una de éllas le dixe, que no tenia miedo, pues veniamos seguros por el Pasaporte que habia firmado; y que si no nos ponia en Málaga, nuestro Rey pediria al de Inglaterra por nosotros, y su cabeza lo pagaría. No obstante este amago, una noche enfurecido de la disputa que sobre dogmas habia tenido con nuestro Padre Lector, llegó á ponerle un puñal á la garganta, con intenciones (al parecer) de quitarle la vida; y si no lo verificó, fué porque Dios tenia reservado á su Siervo para mas dilatado martirio, y para la conversion de tantas almas, como despues veremos.

Tiróse el Capitan en su cama, para desfogar la ira que lo consumia, y por si pasase adelante con sus intentos, cuidò el V. Padre de dispertarme, diciendome como lleno de gozo: que no era tiempo de dormir, pues podria ser que antes de llegar à Málaga consiguiesemos el oro y plata, en cuya solicitud pasamos á las Indias: refirióme lo sucedido y se desahogó diciendo: ,, Me queda el consuelo de que jamás le he ,, movido la conversacion ni disputa, por ser tiempo perdi- ,, do; pero me parece, que en conciencia debo responder por ,, el crédito de nuestra Religion Católica. ,, Pasamos la noche en vela, previniendonos para lo que podia acontecer, animando mi tibieza y pusilanimidad el ardiente zelo de mi venerado Padre Lector; pero se contuvo la ira de aquel perverso Herege. y ni aun en el resto del camino fue tan molesto como antes.   A

A los quince dias de navegacion, y en el que la Santa Iglesia celebra el Patrocinio de Sr. S. Joseph, llegamos á Málaga: Fuimos luego á parar al Convento de nuestro Seráfico Padre San Francisco de la Provincia de Granada; y en este dió un buen exemplo el V. P. Junípero, pues no habiendo pasado ni media hora de la llegada, ya fue á Completas y oracion, siguiendo asi todos los actos de Comunidad los cinco dias que alli nos mantuvimos; y pasados estos nos fuimos (en Xaveque de Paisanos) para Cádiz, á cuyo Puerto llegamos el 7 de Mayo.

CAPITULO III.

Detencion en Cádiz: Embárcase para Veracruz, y lo que practicó en el camino el Venerable Padre Junípero.

HAllàbase en Cádiz la Mision colectada para el Colegio de San Fernando de México esperando ocasion para embarcarse, y luego que llegamos á tierra fuimos dirigidos al Hospicio de la Mision, y recibidos en él con afectuosas expresiones, tanto del R. P. Comisario, como de los demas Religiosos; Refiriónos luego S. R. la casualidad que habia sucedido de los cinco (que como queda dicho) se habian amedrentado, con la qual habian dado lugar á nuestra venida, y añadió que ojalá hubiesemos sido cinco los pretendientes, que otras tantas Patentes habria enviado. Al oir esto el V. P. Junípero le respondió, que pretendientes no faltaban, y que si hubiese tiempo podrian venir. Díxole el P Comisario que tiempo habia suficiente; porque habiendo la Mision de embarcarse en dos trozos, podrian ellos hacerlo en el último, y dándole tres Patentes, las despachó á la Provincia: Con ellas vinieron los P. P. Fr. Rafael Verger, Fr. Juan Crespi, y Fr. Guillermo Vicens, movidos todos del exemplo de N. V. P. Junípero.

El dia 28 de Agosto del año de 1749 se embarcó en
Cádiz

Cádiz el primer trozo de la Mision: compóniase del Presidente (hijo del Colegio de Sancti Spiritus, en la Provincia de Valencia) y de otros veinte Religiosos, entre los quales venia mi venerado Padre. En el dilatado viage de noventa y nueve dias que tardamos en llegar á Veracruz, se ofrecieron bastantes incomodidades y sustos, porque en lo reducido del Buque tuvo que acomodarse (á mas de esta Mision) otra de RR. PP. Domínicos, y muchos pasageros de caracter; y por la escasez de agua que en los quince dias antes de llegar á Puerto-Rico se experimentó de ella, se nos minoró tanto la racion, que la que nos daban en las 24 horas de cada dia, poco pasaba de un quartillo, y ni aun se podia hacer chocolate. Pero padeció Fr. Junípero estos trabajos con tanta paciencia, que jamás se le oyó la menor quexa, ni se le advirtió tristeza alguna; con lo que admirados los Compañeros, solian preguntarle: que si no tenia sed? Pero su respuesta era: *no es cosa de cuidado*; y si alguno se quexaba, de que no podia aguantarla, le respondia con mucha gracia y mayor doctrina: " Yo he hallado algun medio para no tener sed, y es, el co- " mer poco y hablar menos para no gastar la saliva. "

En todo el tiempo de la navegacion jamas se quitó el Santo Christo del pecho, ni aun para dormir: Todos los dias (salvo los en que el temporal no daba lugar) celebraba el Santo Sacrificio de la Misa: Ocupábase de noche en confesar á los que para este efecto lo solicitaban: Venerábanlo todos como á muy perfecto y santo, por el grande exemplo que les daba con su humildad y paciencia.

Llegamos á hacer aguada á la Isla de Puerto-Rico á mediado de Octubre, y desembarcados en ella la tarde de un dia Sábado: fuimos á hospedarnos á una Ermita titulada de la Purísima Concepcion (situada sobre la muralla de la Ciudad) la qual tenia su Capilla con tres altares, y bastante vivienda para toda la Mision. Entrada ya la noche nos convidó el Ermitaño ó Sacristan que cuidaba de la Capilla, si queriamos asistir al rezo de la Corona, al que concurria aquella gente por ser Sábado. Aun no habian acabado

bado de desembarcar todos los Religiosos, con cuyo motivo
estaba ocupado el P. Presidente: Encargóle á nuestro Fr. Junípero, que fuese á dicha Capilla con los que estabamos ya en
tierra, y le dixo: Que podia desde el Púlpito rezar los Gozos
de nuestra Señora, y decir quatro palabras para consuelo de
la gente. Asistimos y cantamos la *Tota pulchra*, y concluida
esta, dixo mi venerado Padre quatro palabras, que fueron estas: " Mañana para consuelo de los moradores de esta Ciu-
" dad se dará principio á la Mision, que durará el tiempo de
" la detencion del Navio: convido á todos para mañana en
" la noche en la Catedral, donde se comenzará. "

No pudo menos que este convite y anuncio de Mision
sorprendernos á todos, y mucho mas al R. P. Presidente, que
ni habia pensado en tal cosa; y preguntandole al R. P. Lector, que por qué lo habia hecho? respondió que asi lo habia
entendido de S. R. " Porque ¿ que palabras (dixo) de ma-
" yor consuelo podria yo referir á estos pobres Isleños,
" que anunciarles tendrian Misiones en el tiempo de nues-
" tra detencion? " Alegróse de esto el P. Presidente, y asi
mismo todos los Misioneros, y mas quando tuvimos noticia
de que la mayor parte de aquella gente no se habia confesa-
do desde que estuvo alli la otra Mision de San Fernando, y
practicó lo mismo hacia nueve años.

El dia siguiente al entrar la noche, habiendonos repar-
tido por la Ciudad á dar el asalto con Pláticas y saetas,
nos juntamos en la Iglesia Catedral: En ella predicó el primer Sermon á un numeroso concurso de gente el R. Padre
que presidia la Mision, y el segundo dia lo hizo el R. Padre
Fr. Junípero. Quince dias se detuvo alli el Navio, y de estos
fueron ocho á pedimento de la Ciudad, para que la Mision
siguiera. En este tiempo empleandonos todos en confesar
de dia, y la mayor parte de la noche, se consiguió que todos los vecinos se confesasen y ganaran el Jubileo, pues segun se dixo, no quedó persona alguna sin confesar, atribuyendo todos este espiritual fruto al fervoroso zelo de nuestro
Venerable Padre.

Con-

Concluida la Mision, salimos de aquel Puerto para el de Veracruz dia 2 de Noviembre, y estando ya á la vista de él (á últimos del mismo mes) se levantó un norte tan furioso, que obligó á poner la proa para la sonda de Campeche, y caminando hácia ella, sobrevino una desecha tempestad, que duró los dias 3 y 4 de Diciembre, y en la noche de este último, dandose todos por perdidos, no tenian mas recurso que disponerse para la muerte; pero nuestro Fr. Junípero se mantuvo en medio de tanta tempestad con tan inalterable paz y quietud de ánimo, como si desde luego se hallara en el dia mas sereno, de suerte, que preguntándole si tenia miedo, respondia, que algo sentia; pero que en haciendo memoria del fin de su venida á las Indias, se le quitaba luego. La misma fue su tranquilidad, quando en la misma noche nos avisaron se habia sublevado la tripulacion del Navio contra el Capitan y Pilotos, pidiendo ir á barar para que algunos se salvasen, pues ya ni el Barco podia aguantar, ni las bombas eran suficientes para agotar la mucha agua que hacia. De estos peligros nos libró Dios por intercesion de la gloriosa Virgen y Martir Santa Bárbara, que en aquel dia celebra anualmente la Iglesia; pues habiendo todos los Religiosos que veniamos de las dos Misiones puesto en una cédula el Santo de su devocion, y uno de los nuestros en la suya á la expresada Santa Bárbara, salió sorteada por Patrona, y clamando todos á una voz: *Viva Santa Bárbara*, cesó en aquel mismo instante la tempestad, y el viento adverso se mudó tan benigno, que dentro de dos dias, y en el sexto de Diciembre, dimos fondo en Veracruz, y el siguiente, víspera de la Purísima Concepcion de Ntrâ. Señora, desembarcamos sin novedad.

CAPI-

CAPITULO IV.

Viage que á pie hizo el V. Padre desde Veracruz hasta México.

Luego que llegaron á tierra nuestra Mision, y la de los RR. PP. Dominicos, se celebró por ambas una solemne fiesta á nuestra gloriosa Protectora Santa Bárbara, en prueba de nuestro reconocimiento, y para cumplir la promesa que en la mayor aflixion se le hizo. En esta funcion predicó nuestro V. Fr. Junípero, haciendo cumplida narracion de las mas leves circuntancias, y casuales accidentes ocurridos en el dilatado viage de noventa y nueve dias, pero con tanta perfeccion y eloqüencia, que dexando asombrados á todos, adquirió sobre la fama de exemplar (que yá tenia) la de muy docto y humilde, pues hasta entonces no se habia conocido ni lo mas mínimo de sus grandes talentos.

Reconocido el temperamento de Vera-Cruz tan achacoso (como yo experimenté prontamente, por haberme visto á la muerte) se trató luego de la salida para México, para cuyo viage, que es de cien Leguas, costea el Rey á los Religiosos el carruage y demás necesario, en atencion á que la navegacion tan dilatada, y repentina mudanza de clima, no dan lugar á hacerlo á pie, sino á caballo, y con alguna comodidad. Pero nuestro exemplar Junípero, deseando hacerlo sin descanso alguno, pidió al R. P. Presidente le permitiese caminar á pie, supuesto que se hallaba con salud y fuerzas para ello; y conociendo éste el fervoso espíritu de aquel, le dió licencia, y juntamente á otro Misionero de la Provincia de Andalucía, que tambien la solicitaba: salieron ambos de este modo, sin mas guia ni viático que el Breviario, y su firme confianza en la Divina Providencia; pero habiendo escogido la mejor Arca, lexos de faltarles nada, en el camino, experimentaron visiblemente la singular asistencia del Todopoderoso.

En una de las jornadas, que fue mas larga de lo que

3. pensa-

pensaban (despues de muy entrada ya la noche) llegaron á la orilla de un Rio, que segun les habían noticiado, tenian que pasar antes de llegar al Pueblo donde habian de parar: reconocieron luego lo crecido que era, y el peligro que amenazaba á quien intentase pasarlo sin conocimiento del único vado que tenia. Estos motivos, lo tenebroso de la noche, y la absoluta falta de quien les enseñase el vado, fueron la rémora que detuvo á nuestros caminantes para entrar en el agua, y esperando del Cielo el socorro de aquella necesidad, se pusieron á rezar la Benedicta á nuestra Señora; concluyeronla, y luego les pareció que miraban (al lado opuesto) un bulto que se movia; pero para cerciorarse Fr. Junípero, de si era cierto, ó no, dixo en voz alta estas palabras: » Ave Maria » Santísima: ¿Hay algun Christiano á la otra vanda del Rio? » Respondieronle que sí, y que qué se ofrecia? Dixeron que deseaban pasar el Rio, y no sabían el vado; y diciendoles que subiesen por la orilla, hasta que les avisase, caminaron un gran trecho, y luego, la guía (que no veian) les dixo: que ya podían pasar: hicieronlo sin peligro alguno, y hallaron al que les hablaba, que era un hombre Español, bien vestido, muy atento, y de pocas palabras, el qual los llevó para su casa, sita á gran distancia del Rio, les dió de cenar, y camas en que dormir; pero quando por la mañana salieron de la casa para la Iglesia á decir Misa, y en todo el camino no pisaron mas que hielo, por el mucho que aquella noche habia caido, desde luego conocieron el beneficio tan grande que Dios les habia hecho de proporcionarles abrigo por medio de aquel bienhechor, pues sin él, hubieran perecido al inclemente rigor del frio.

El haber hallado á este hombre en aquel lugar á una hora tan intempestiva, y en noche tan obscura, no pudo menos que causar admiracion á ambos Padres; pero habiendole preguntado el motivo de hallarse tan apartado de su casa á aquella hora, les respondió que había salido á diligencia, con lo qual no quisieron ser mas curiosos. Todo esto pudo ser casualidad; pero no lo atribuyeron nuestros Peregrinos sino

á

á singular beneficio de Maria Santísima; á quien en reconocimiento dieron las debidas gracias; y habiendolo hecho
asimismo á su bienhechor, y despedidose de él, siguieron su
camino.

Habian andado ya un gran trecho, y hallabanse sumamente fatigados del cansancio, y no menos molestados de
los ardores del Sol, quando un hombre que encontraron á
cavallo, despues de saludarlos, y preguntarles donde iban
á parar, les dixo: ,, VV. RR. vendrán cansados y sedientos,
,, tomen una granada, y los refrescará algo. ,, Dió á cada uno
una granada, y habiendose despedido siguió él su camino, y
los Padres el suyo: Comieron estos aquella pequeña fruta, la
que no solamente los refrescó y apagó la sed que padecian,
sino que les dió fuerzas para seguir su jornada sin demasiada fatiga hasta la Hacienda donde iban á parar, y habiendo
sentido este efecto, hicieron reflexión sobre el sugeto que los
habia regalado, pues por su aspecto y modo de hablar, les
pareció ser el mismo que la noche antecedente les habia
enseñado el vado del Rio, y hospedado en su casa.

Varias veces hizo mencion de estos casos el V. P. Junípero para exhortar á la confianza en la Divina Providencia,
y decía, que aquel bienhechor ó fué el Patriarca Señor San
Joseph, ó algun devoto hombre, á quien este Santo tocó el
corazon para que les hiciera estas obras de caridad.

Otro suceso semejante á los referidos les aconteció en
la siguiente jornada: Habian hecho noche en una Hacienda, y por la mañana despues de haber uno dicho Misa, se
despidieron del dueño ó Administrador, quien por si llegasen tarde á la posada les dió una torta de pan: pusieronse en
camino, y á poco rato encontraron un Pobre, que les pidió
una limosna: dieronle lo único que tenian, que era aquel
pan, confiados en que llegarian temprano al lugar donde habian de parar, y que en caso contrario, no les faltaria la Divina Providencia: asi lo vieron cumplido, pues ha-
biendoseles hecho larga la jornada (por el mucho cansancio y
necesidad que sentian) se sentaron á descansar un rato en el

ca-

camino: Pasó por él un hombre á caballo, quien viendo á los Padres allí, despues de saludarlos y preguntarles donde iban á posar, sacó un pan, y partiendolo dió la mitad de él á cada uno, considerando les faltaba mucho que andar: El se fué á su camino, y nuestros Peregrinos, habiendo recibido su limosna y visto aquel pan, no se atrevian á comerlo, porque (como me contaron) les pareció que era de solo maiz, mal amasado, y crudo, por cuyo motivo les podría hacer daño; pero la flaqueza que padecian, y necesidad de tomar algun sustento para poder andar, les obligó á probarlo, y habiendolo hecho, les pareció un pan sabrosísimo y de gusto extraordinario, como si estubiera amasado con queso: Comieronlo, y se reforzaron para seguir su camino hasta completar la jornada de aquel dia.

Continuaron despues su viage, y con la fatiga de él, se hincharon los pies al V. P. Junípero, de suerte que llegó á una Hacienda sin poderse tener; atribuyeronlo á picadas de zancudos, por la mucha comezon que sentia, y habiendo descansado allí un dia, quando estaba durmiendo aquella noche sin sentirlo se estregó demasiadamente un pie, que á la mañana le amaneció ensangrentado todo, con cuyo motivo se le hizo una llaga (que como despues veremos) le duró toda la vida. No obstante este accidente, despues de haber descansado un dia prosiguieron su camino, y la tarde del último dia de Diciembre del año de 1749. llegaron al Santuario de Nrâ. Srâ. de Guadalupe; allí pasaron la noche y habiendo la mañana siguiente dicho Misa de gracias á la gran Señora, se fueron para el Colegio de San Fernando, que dista una legua escasa.

CAPITULO V.

Llega el V. P. al Colegio de S. Fernando, y lo que practicó en él hasta la salida para las Misiones de Infieles.

ENtró en el Apostólico Colegio de S. Fernando de México su nuevo alumno el V. P. Fr. Junípero Serra el dia primero de Enero del año de 1750, como á las nueve de la la mañana, y tiempo en que la Comunidad se ocupaba en el rezo. Pasó inmediatamente á la Iglesia á tomar primero la bendicion del Señor Sacramentado, y habiendose detenido alli el tiempo que tardaron los Religiosos en rezar, salió lleno de júbilo diciendo al Compañero: " Padre, verdaderamente po- " demos dar por bien empleado el venir de tan lexos con los " trabajos que se han ofrecido, solo por lograr la dicha de " ser miembros de una Comunidad, que con tanta pausa y " devocion paga la deuda del Oficio Divino. " Entraron luego al Colegio, y tómaron la bendicion al R. P. Guardian, quien los recibió con abrazo de amoroso Padre, y lo mismo hicieron los demás Religiosos: Uno de éllos, que fué de los primeros Fundadores del Colegio y muy venerable en él, al abrazar á nuestro P. Lector le dixo estas palabras: " Oh quien nos traxera una selva de Juníperos " Pero el humildísimo Varon le respondió: " No de estos, R. Padre, " pedia nuestro Seráfico Patriarca, sino de otros muy dife- " rentes. "

El dia siguiente de la llegada al Colegio, pidió al R. P. Guardian le señalase Confesor, y le señaló al que entonces era Maestro de Novicios, el V. P. Fr. Bernardo Pumeda, Misionero de mucha fama que habia sido quando se hallaba en España en el Colegio de Sahagun, y á la presente lo era en el Reyno, y gran Maestro en la Mistica especulativa y práctica. Luego que oyó que el R. P. Guardian le nombraba por Director al P. Maestro de Novicios dixo: " La acertó el Pre- " lado, esto es lo que necesito, hacer el Noviciado " y muy gozoso y fervoroso se fué á presentar al P. Maestro, y con toda sumision le dixo lo determinado por el P. Guardian; y que por amor de Dios le suplicaba lo admitiese como al menor de los Novicios, y tuviese á bien dexarlo vivir en una de las Celditas del Noviciado. Respondióle el prudente Maestro: que con mucho gusto lo admitia por hijo espiritual, respecto á disponerlo asi el Prelado; pero que S. R. se habia de sujetar á su doctrina; y asi, que lo que pedia de vivir en el Noviciado era una novedad no practicada en los

Co-

Colegios, que á nadie estaria oculta » por lo que V. R. (pro-
» siguió) vivirá en la Celda que el V. P. Guardian le há
» señalado, como todos los demás, y solo le permitiré que
» pueda asistir á los particulares exercicios del Noviciado. »

Asi lo practicó los cinco meses que estuvo en el Colegio antes de salir á Misiones; y siendo muy puntual al Coro, y á todos los actos de Comunidad, luego que salía de
ellos iba al Noviciado á rezar con el Maestro el Oficio Parvo,
Via-Crucis, Corona, y demás exercicios devotos que practican los Novicios y Coristas, con lo qual edificaba á éstos,
y él aprovechaba para su espíritu.

Hallabase el Colegio quando llegamos muy necesitado
de Operarios para el exercicio de Misiones, tanto de Católicos, como de Gentiles, por tener fundadas cinco, hacia seis
años, en la Siera gorda, y para sostenerlas, habia sido
preciso valerse de Misioneros de los otros Colegios, los quales suplian medio año y se remudaban. Despues de dias de
llegada al Colegio nuestra Mision, estando el R. P. Guandian
una tarde de asueto en la Huerta con otros Padres de los
que habíamos venido de España, siendo uno de ellos el V.
Fr. Junípero, expresó el Prelado el gozo que habia tenido
con nuestra llegada, pues esperaba con esto salir de ahogos,
y dexar de mendigar Operarios de otros Colegios; » por
» que de VV. RR. (dixo) algunos se animarán á ir á traba-
» jar en las Misiones de los Infieles de Sierra gorda. »

Al oir esto nuestro fervoroso Padre (no olvidando los
deseos de este exercicio que lo habian sacado de su Patria
y Santa Provincia) dixo con el Profeta: R. P. Guardian: *Ecce
ego mitte me*; y á su exemplo hicieron lo propio otros muchos, con lo que tuvo sobrantes el Prelado para proveer las
cinco Misiones (dispensandolos por la necesidad, tanto en
el año de Colegio, como en aprobacion, segun lo dispuesto en las Bulas Inocencianas) nombró á ocho de los que habiamos venido de España, y entre ellos al V. P. Junípero,
y á mi de su Compañero, dandonos aviso de ello, para que
nos dispusiesemos, y estubiesemos prontos al primer aviso.
Lue-

Luego que el Siervo de Dios se vió electo para las Misiones de Infieles, aumentó sus espirituales exercicios para estar mejor dispuesto á la voz del Prelado.

CAPITULO VI.

Sale para las Misiones de la Sierra gorda, lo que tra-
bajó y practicó en ellas.

EL glorioso y recomendable fin de la conversion de los Gentiles, y propagacion de nuestra Santa Fé Católica, fué el que obligó al V. P. Fr. Antonio Linaz de Jesus á pasar á España en solicitud de la fundacion del Colegio Apostólico de la Santa Cruz de Querétaro, segun refiere la Cronica de los Colegios (Lib. 1. Cap. 12. fol. 39. y 40.) para que sus Religiosos se empleasen principalmente en reducir á los Infieles que habitan la Sierra gorda, ó Cerro gordo.

Este parage, sumamente áspero, dá principio como treinta leguas distante de la expresada Ciudad de Querétaro, y se estiende á cien leguas de largo, y treinta de ancho, en cuyas breñas vivian los Indios de la Nacion Pame todavia en su gentilidad, no obstante de hallarse cercado todo de Pueblos Christianos. Fundado dicho Colegio, como refiere la citada Crónica, Lib. 4. Cap. 1. fol. 253 y 254, salieron dos de los primeros Misioneros de los Fundadores para dicha Sierra á efecto de la reduccion; y habiendo llegado á élla, y misionado en los Pueblos de Españoles que se hallan en sus inmediaciones, les dixeron, estaba ya ocupada por los RR. Padres Domínicos que habian fundado Misiones; por cuyo motivo no se internaron, sino que por la falda de dicha Sierra caminaron hácia el Oriente, hasta llegar á otra llamada de Famauripa, que divide el Nuevo Reyno de Leon de la Provincia de la Guasteca, y en ella fundaron una Mision, que despues se entregó para la Custodia de Tampico.

Con esta noticia que adquirieron los PP. Misioneros de Querétaro, yá no intentaron mas el exercitarse en la reduc-

cion

cion de los Indios de la Sierra gorda, considerandolos ya convertidos. En esta inteligencia estaban todos hasta el año de 1743, en que habiendo S. M. nombrado para General de dicha Sierra al Coronel D. Joseph Escandon, quiso este visitarla, en cumplimiento de su obligacion; y aunque halló que los RR. Padres Domínicos por un lado, y los de San Agustin por otro tenian fundadas Misiones, vió en el centro un gran manchon de Gentilidad de la Nacion Pame, que vivian entre breñas aquellos Indios, y entre éllos muchos Christianos, que quando chicos, baxando con sus Padres á los Pueblos de Españoles los habian bautizado; pero solo tenian de Christianos el nombre, y vivian como Gentiles mezclados con éllos. Propusoles dicho Señor el vivir en Pueblos como los Christianos en sus propias tierras; que les traería Padres que los enseñasen y bautizasen á los que eran Gentiles; y conviniendo ellos en todo, dió parte al Exmô. Señor Virey, y éste á S. M. quien dió su Real Orden para que se fundasen ocho Misiones, las tres á cargo de el Apostólico Colegio de Pachuca de RR. Padres Descalzos de nuestra Orden, y las cinco restantes á nuestro Apostólico Colegio de San Fernando, dividiendo las unas de las otras el caudaloso Rio llamado de Moctezuma, que es el del desague de México, el qual cruzando por la Sierra, y culebreando por la Guasteca, vacia en el Seno Mexicano.

Dióse principio á esta reduccion el año de 1744, llegando á dicha Sierra Misioneros Sacerdotes de dicho Colegio de San Fernando, cuyo Presidente era el R. P. Fr. Pedro Perez de Mezquia, y con éllos el referido Señor General D. Joseph Escandon; y explorando aquel terreno hallaron cinco sitios proporcionados para las cinco Misiones, á los que luego concurrieron los Indios comarcanos, y se dexó á su voluntad el avecindarse en qualquiera de éllos; y el R. Padre Presidente destinó para cada parage dos Misioneros, los que por medio de los Indios naturales, y algunos de México ladinos que se agregaron como Pobladores, dieron mano á fixar el Estandarte de la Santa Cruz, formar una Capilla

de

de palos techada de zacate, para que sirviese de interina
Iglesia, y á continuacion de ella una casa de lo mismo
para vivienda de los Padres. Los Indios tambien formaron
chozas de las mismas materias para su habitacion, y libertarse de los ardores del Sol; y el referido Señor General dexó
en la principal Mision, en el sitio nombrado Xalpan (de-
dicada al Apóstol Santiago, Patron de las Españas) una
Compañia de Soldados Milicianos con sus correspondientes
Oficiales, Capitan, Teniente, y Alferez, de cuya Compañia se
destacaron y repartieron por las Misiones los Soldados que se
juzgaron necesarios para escolta de los Padres; y concluida
la fundacion de dichas Misiones se dedicaron las otras quatro á la Purísima Concepcion de nuestra Señora, al Príncipe
y Arcangel Señor San Miguel, á nuestro Seráfico Padre Señor San Francisco, y á nuestra Señora de la Luz, y el Señor
General se retiró para la Ciudad de Querétaro, quedando los
Padres dando principio á la formacion de sus Padrones, en
que constasen los Indios que se avecindaban en ellas, cuyo
número ascendió á 3840; Indagaron los que confesaban estar bautizados desde su niñez, y los que no lo estaban: Ins-
truyeron á unos y á otros de quanto correspondia, por medio
de Intérpretes, de que servian los Indios Mexicanos (por hallarse instruidos en el idioma) y luego que los hallaban capaces bautizaban á los Gentiles.

El R. P. Mezquia, Religioso práctico en estas fundaciones (por haber sido uno de los que el V. P. Margil llevó
para las de las Misiones de Texas) comenzó á formar desde luego las instrucciones que debian observarse en las de la
Sierra gorda para el regimen espiritual y temporal de ellas,
siendo el mismo que se ha observado en las demás Misiones
de los Colegios de la Santa Cruz de Querétaro y nuestra Señora de Guadalupe de Zacatecas en sus espirituales Conquistas, y es en la forma siguiente.

REGIMEN ESPIRITUAL.

QUE primeramente procurasen los Padres Misioneros que cada dia al salir el Sol se congregasen en la Iglesia al son de campana todos los Indios é Indias grandes, asi Gentiles, como Neofitos, sin faltar alguno: Que uno de los Padres rezase con ellos las oraciones y texto de la Doctrina Chistiana, y les explicasen en castellano los Misterios mas principales, practicando lo mismo por la mañana (luego que los grandes saliesen) y por la tarde antes de ponerse el Sol, con los Niños y Niñas que tuviesen de cinco años para arriba de edad, sin permitir que ninguno faltase á este santo exercicio: Que los Catecúmenos, y los que se hubiesen de casar, ó cumplir con el precepto anual de la Confesion, asistiesen á él tambien á mañana y tarde, para que fuesen instruidos antes de recibir los referidos santos Sacramentos, y que lo mismo se executase con los que olvidaran la Doctrina, sin embargo del diario exercicio.

Que los dias de fiesta zelasen con grande vigilancia, que ninguno faltase á la Misa del Pueblo, ni á la Plática que en ella se debía hacer, explicando el Evangelio, ó los Misterios de nuestra Santa Fé, y que procurasen acomodarse con prudencia y discrecion á la rudeza y necesidad de los Indios, y que acabada la Misa, uno de los Misioneros los llamase á todos por el Padron, segun sus nombres, y que llegasen uno á uno á besarle la mano, con lo que se reconoceria si faltaba alguno.

Que á los mas capaces y hábiles exhortasen á la freqüencia de los Santos Sacramentos (á mas del cumplimiento de la Iglesia) principalmente en las grandes festividades, y á oir Misa aun en los dias que no son de precepto, dexándolos siempre en su libertad: Que en sus enfermedades procurasen visitarlos á menudo, y que fuesen curados y asistidos segun lo permite la tierra, y con mayor cuidado, que recibiesen los santos Sacramentos de que fuesen capaces, y de asistirles para auxiliarlos en su muerte, y que el Pueblo asistiese

tiese

tiese al entierro. Asimismo, que pusiesen esmero en com-
ponerlos en sus enemistades y litigios, enseñándoles á vivir
unidos en la paz y caridad christiana, sin permitir escán-
dalos ó malos exemplos en la Mision.

GOBIERNO TEMPORAL.

PARA conseguir el deseado fin del fruto espiritual, dispuso el citado R. P. Mezquia, que se procurase el bien
temporal de aquellos Indios Pámes, pues faltando éste no podrian hacer pie en el Pueblo ó Mision, ni asistir á la Misa y
cotidiano rezo, porque les seria preciso ir dispersos vaguean-
do en solicitud de comida y vestuario. Para evitar esto, encargó su Padre que los Paternidad Misioneros solicitasen por
medio del Síndico, á cuenta del Sínodo anual que les daba
S. M. para su manutencion (agregando á él la limosna de
las Misas que se les encomendasen) herramientas y demás
útiles necesarios para poner en corriente alguna siembra,
como tambien algunas Bacas, Bueyes, y demas ganado, para
que del fruto de éllo se mantuviesen de comunidad, como
se practicó al principio de la Iglesia. Asi se executó, dando
principio, y con el tiempo se fué aumentando, y se lograron algunas cosechas que se repartian á los Indios, para
ayudar á su existencia en la Mision.

El clima de dicha Sierra es muy caliente y húmedo, y
por consiguiente contrario á la salud; por lo qual enfermaron
en breve tiempo muchos de los Misioneros, de los que en
pocos dias murieron quatro, y otros se retiraron imposibilitados á la Enfermeria del Colegio, quedando solos dos de los
Fundadores en la Mision. Como este se hallaba entonces
tan exhausto de Misioneros, fué preciso pedir socorro á los
otros Colegios de Querétaro y Zacatecas; pero como quiera
que iban á suplir por el tiempo de seis meses, y cumplidos
estos los remudaban otros, no tenian tiempo para aprender
la lengua, y esto era de grande atraso para la Conquista espiritual.

CAPI-

CAPITULO VII.
Prosigue el mismo asunto que el pasado.

ESTE era el actual estado de las referidas Misiones quando la nuestra llegó de España, y habiendo sido nombrados el V. P. Junípero, y yo de su Compañero para una de éllas, salimos del Colegio de San Fernando á principios de Junio del año de 1750; y aunque de la Mision nombrada Santiago de Xalpan, á donde ibamos, vinieron Indios ladinos con un Soldado de escolta con bestias de silla y carga, en atencion á lo dilatado del camino, lo escabroso de la mitad de . la Sierra, y la falta de agua, con todo quiso mi venerado Padre Lector Fr. Junípero hacer á pie su viage, lo qual á mas de serle muy penoso, le agravó el accidente de la llaga é inchazon del pie; pero gracias á Dios, habiendo llegado el 16 de dicho mes de Junio, tuvimos gran consuelo al ver la alegria con que nos recibieron los Indios de dicha Mision, que pasaban de mil entre chicos y grandes; pero todos ellos se hallaban tan á los principios, por la falta de inteligencia de nuestro idioma, que ninguno cumplia con el anual precepto de la Iglesia de confesar y comulgar.

Enterado nuestro V. Padre del pie en que se hallaban todavia las expresadas Misiones, de las que (por nuestro Colegio) quedaba elegido de Presidente, se impuso en las instrucciones dadas para su gobierno espiritual y temporal, las que procuró observar y aumentar en quanto le pareció conveniente, y que le dictaba su fervoroso zelo.

Y viendo que se hallaban con tanto atraso, por la causa expresada, se aplicó desde luego á aprender aquella lengua, para la qual fué su Maestro un Indio Mexicano, que se habia criado entre estos Pámes. Conseguido tan importantísimo medio para el adelantamiento espiritual, traduxo en el idioma Páme las oraciones y texto de la Doctrina, de los Misterios mas principales, y asi se empezó á rezar con los Indios, y alternando por dias, en que se hacia tambien en

Cas-

Castellano, con lo qual en breve tiempo se impusieron en los
Misterios de nuestra Santa Fé, y empezaron á confesar en
su lengua, y á comulgar, cumpliendo anualmente con los
preceptos de la Santa Iglesia; y el Siervo de Dios los movia
con sus fervorosas pláticas á que confesasen y comulgasen
en las principales festividades, dándoles exemplo, como otro
San Francisco de Sales, confesandose publicamente en el
Presbiterio, quando ya estaba en la Iglesia toda la gente para
la Misa mayor los dias festivos. Con esto logró su deseado
fin, de suerte, que ya eran muchos los que confesaban por
devocion, pues hubo dia que pasaron de ciento las Comu-
niones, otros de quarenta &c, y cada año en el tiempo del
precepto, casi todos lo verificaban, en solos los nueve años
que estuvo en las citadas Misiones; en cuyo tiempo bautizó
el V. Padre un crecido número de Gentiles, el qual no
asiento por no haber tenido la curiosidad de notarlo; pero
baste decir que no quedó un solo Gentil en todo aquel distrito, sino todos sus habitadores bautizados, por mi venerado Padre y sus Compañeros, y civilizados viviendo en
Pueblo baxo de Campaña.

Para radicarlos en la Fé, que habian recibido, é instruirlos en la Religion Católica, los impuso en todas las festividades del Señor, y de la Santísima Virgen nuestra Señora,
como asimismo de las de los Santos, para lo qual les ponia
quantos medios é inventivas le hacia idear su Apostólico
zelo, siendo su exercicio casi continuo en las virtudes de
caridad y de Religion. En todas las festividades de Jesuchristo y de Maria Santisima, se celebraba Misa cantada, y
en ella predicaba el V. Padre, explicando el Misterio y la
fiesta del dia, y en las mas principales precedia la Novena,
á que asistia todo el Pueblo. En la de la Natividad del Señor era esta con Misa cantada al amanecer, y el último
dia acabada la Misa, cantaba la Calenda, y hacia una Plática, convidando á todos para que asistiesen á los Maytines
cantados y á la Misa del Gallo: Concluida esta representaban en un devoto Coloquio el Nacimiento del Niño Jesus
unos

unos Indios de corta edad, á quienes el devoto Padre instruyó una parte en lengua Castellana, y otra en la Páme, en
aquel gran Misterio, que representaban con mucha viveza,
con lo qual logró á mas de imponerlos, aficionarlos á él.

En el tiempo Santo de Quaresma echó el resto de su
devocion, para imprimirla en los corazones de los Neófitos.
Empezaba desde el dia de Ceniza con esta Santa Ceremonia de la Iglesia, á la que asistia todo el Puelo, y les explicaba la significacion de ella, acabando su Sermon con la
exhortacion de que no olvidasen que eran mortales. Todos
los Domingos de Quaresma no se contentaba con la Plática
Doctrinal de la Misa mayor, sino que á la tarde, despues de
rezada la Corona de Maria Santísima, y cantado el Alabado, les predicaba un Sermon Moral. Los Viernes hacia lo
propio por la tarde, despues de haber andado en Procesion
el Via-Crucis desde la Iglesia hasta la Capilla del Calvario,
que mandó hacer en una alta loma fuera del Pueblo, y á
vista de la citada Iglesia; en cuyo santo exercicio cargaba
el V. Fr. Junípero una Cruz tan grande y pesada, que yo,
siendo mas robusto y mozo, no podia con ella; y en regre-
sandose á la Iglesia, concluía la funcion con una tierna Plática de la Pasion del Señor, á cuya devocion los persuadia. La
Semana Santa la celebraba con todas las ceremonias de nuestra Madre la Iglesia: El Domingo se hacia la Procesion de
Ramos, y asi en este dia, como en los siguientes se cantaba
la Pasion, (haciendo uno dos Papeles, porque no eramos
mas de dos) y tambien los Maytines del Triduo: El Jueves
se colocaba el Depósito en el Monumento, y tanto en este
dia como el Viernes y Sabado se practicaban todas las demas ceremonias y formalidades de costumbre. A mas de ésto añadia varias Procesiones que acababa con algun Sermon
ó Plática El Jueves, despues de haber labado los pies á
doce Indios de los mas viejos, y comido con ellos, predicaba el Sermon de Mandato, y á la noche hacia la Procesion con una Imagen de Christo Crucificado con acompa-
ñamiento de todo el Pueblo. El Viernes por la mañana pre-
di-

dicaba de la Pasion, y á la tarde se representaba con la mayor viveza el descendimiento de la Cruz, con una Imagen de perfecta estatura, que para el efecto se mandó hacer de goznes; y predicando de este asunto con la mayor devocion y ternura, se colocaba al Señor en una Urna, y se hacia la Procesion del Santo Entierro. Poniase despues en un Altar que para este efecto se hallaba preparado, y á la noche se hacia otra Procesion de nuestra Señora de la Soledad, que se concluia con una Plática de este asunto. El Sabado se hacian todas las ceremonias pertenecientes á este dia, se bendecia la Fuente, y bautizaban los Neófitos que habia instruidos y dispuestos para ello. El Domingo muy de mañana salia la Procesion de Jesus resucitado, la qual se hacia con una devota Imagen del Señor, y otra de la Santísima Virgen, y vueltos á la Iglesia se cantaba Misa, y predicaba el V. Padre de este Soberano Misterio.

Con tan devotos exercicios, no pudo menos que imprimirse una tierna y grande devocion en aquellos Neófitos, y con ella se disponian á celebrar anualmente la Semana Santa, y corriendo la voz por los Pueblos de las cercanias que habitaban Españoles, venian estos á practicar lo mismo, atrahidos de lo que oían decir de la devocion de aquellos Indios; y luego que lo experimentaron, se acostumbraron á concurrir todos los años, mudandose á la Mision, hasta que pasaba la Pasqua.

No fue menor el esmero con que el Siervo de Dios procuró atraher á aquellos sus hijos á la devocion del Santísimo Sacramento. Instruyólos á que preparasen y adornasen con enramadas el camino por donde habia de transitar la Procesion del Corpus: formabanse quatro Capillas con sus respectivas Mesas, para que en ellas posase el Señor Sacramentado, y despues de cantada en cada una la correspondiente Antífona, Verso y Oracion, se paraba un Indio (de corta edad) que recitaba una Loa al Divino Sacramento (de las quales, dos eran en Castellano, y las otras dos en el idioma Páme, nacional de ellos) que enternecian y causaban devocion

cion á todos; y restituidos á la Iglesia, se cantaba la Misa, y se predicaba el Sermon de este Sacrosanto Misterio.

Con igual cuidado se dedicó á introducirlos en la devocion de Maria Srâ. nuestra, y con particularidad á su Purísima Concepcion inmaculada, previniendose á celebrarla con la Novena, á que asistia todo el Pueblo; y en el dia de esta gran festividad se cantaba la Misa, y predicaba el Sermon, y despues se entonaban los Gozos de la Purísima Concepcion. Todos los Domingos por la tarde se rezaba la Corona á la Madre de Misericordia, concluyendola con el Alabado ó con los Gozos que se cantaban. Y para mas aficionarlos el V. Padre pidió de México una Imagen de bulto de la dulcísima Señora, que puesta en sus andas, la sacaban en Procesion por el Pueblo todos los Sabados en la noche, alumbrando con faroles, y cantando la Corona. Luego que entraba en la Iglesia se cantaba la *Tota pulchra es Maria*, que traduxo este su amante Siervo en Castellano, y que aprendieron y entonaban con mucha solemnidad los Indios, causando á todos gran ternura, principalmente aquel verso: *Tú eres la honra de nuestro Pueblo*, con lo qual les quedó una ardiente devocion á la clementísima Madre.

Asimismo procuró imprimir en sus tiernos corazones la devocion al Señor San Miguel Arcangel, al Santísimo Patriarca Señor San Joseph, á N. S. P. S. Francisco, y otros Santos, de suerte que quedó aquel Pueblo tan instruido y devoto, como si fuera de Españoles los mas Católicos, debiendose todo al ardiente zelo de nuestro V. Fr. Junípero: Y á vista de las laboriosas tareas de este exemplar Prelado, se emulaban santamente sus súbditos, Ministros de las otras quatro Misiones, procurando imitarlo en quanto podian; por cuyos medios quedaron los cinco Pueblos como si fueran de Christianos muy antiguos.

Para conseguir este espiritual fruto (principal objeto de la Conquista) puso el Siervo de Dios en execucion las instrucciones dadas para el gobierno temporal, luego que llegó á su Mision de Santiago Xalpan, poniendo todos los medios po-

posibles, para que los Indios tuviesen que comer y vestir, para que hiciesen pie en la Mision, y no se ausentasèn de ella por la solicitud de su preciso sustento, para cuyo efecto agenció por medio de Síndico el aumento de Bueyes, Bacas, Bestias, y Ganado menor de pelo y lana, Maiz, y Frixol, para poner en corriente alguna siembra, en lo qual se gastó no solo el sobrante de los 300 pesos de Sínodo que daba S. M. á cada Ministro para su manutencion, sino tambien la limosna que se podia conseguir por Misas, y la que ofrecian algunos bienhechores; con lo que en breve tiempo se empezó á lograr alguna cosecha, que cada año se iba aumentando, y diariamente se repartia despues de haber rezado la Doctrina; y quando estas á expensas de exquisitas diligencias y bendiciones del Cielo fueron creciendo, y eran tan abundantes que sobraba para la mantencion de todos, se instruyó á los Indios, vendiesen (por direccion de los Padres Misioneros) las semillas sobrantes; con cuyo valor, se compraron mas yuntas de Bueyes, se aumentó la herramienta y demás necesario para las labores. De México, se llevaban fresadas, Sayal, y otras ropas para que se vistiesen, señalando siempre á los Labradores con alguna cosa particular, asi por compensarles su especial trabajo, como para que de su vista los otros se inclinasen á este exercicio, que es el mas pesado, y no menos útil.

A esta importantísima diligencia procuró aplicar tambien á las mugeres é Indios pequeños, señalandoles las correspondientes tareas, con consideracion á las fuerzas y capacidad de cada uno, para por este medio apartarlos á todos de la ociosidad en que se habian criado, y envejecido. Asistia siempre uno de los Padres personalmente á las labores (especialmente en los primeros años) asi para animarlos, como para instruirlos, hasta que se consiguió Persona de confianza que los capitanease, y en breve tiempo uno de los mismos Indios ya suplia, por estar inteligente; con lo que se lograron abundantes cosechas, el aumento de los bienes de comunidad, y que los Naturales se civilizasen mas cada

dia,

dia, aficionandose á hacer sus particulares siembras de Maiz, Chile, Frixol, Calabaza &c. para lo qual señalandoseles pedazos de tierra, se les daba una yunta de Bueyes, de las de Comunidad, y semillas para sembrar; cuyos frutos (como que no necesitaban de éllos para comer, pues les sobraba con la racion) vendian, y con su producto se ayudaban á vestir, ó compraban algun Caballo, Yegua, ó Mula, todo á direccion del Padre que los instruía, para que no fuesen engañados.

Luego que el V. Fr. Junípero vió á sus hijos los Indios en estado de trabajar con mayor aficion que á los principios, trató de que hiciesen una Iglesia de mam postería con bastante capacidad para encerrar tanta gente: Propuso su devoto pensamiento á todos aquellos Indios, quienes con mucho gusto convinieron en ello, ofreciendose á acarrear la piedra (que estaba á mano) toda la arena, hacer la cal, y mezcla, y servir de Peones para administrarlo á los Albañiles. Dióse principio á esta obra, trabajando todo el tiempo que no era de aguas, ni necesario para las labores del campo, y en el tiempo de siete años quedó concluida una Iglesia de 53 varas de largo, y once de ancho, con correspondiente crucero y cimborrio, y á continuacion de élla la correspondiente Sacristia (tambien de bóbeda) como asimismo una Capilla que se dedicó al Santo Sepulcro, adornándola con Imágenes y Pasos de la Pasion del Señor, para mas afinionarlos á las devotas funciones de la Semana Santa. La Iglesia tambien se adornó con Retablos, Altares, y Colaterales dorados; y en el Coro se puso Organo, buscando Maestro que lo enseñase á tocar á los Indios en las Misas cantadas.

Con el exercicio de estos trabajos quedaron habilitados de varios oficios, como de Albañiles, Carpinteros, Herreros, Pintores, Doradores &c. Y no olvidandose el fervoroso zelo del R. P. Junípero de apartar del ocio á las mugeres, las empleaba en las correspondientes tareas á su sexô, como hilar, texer, hacer medias, calcetas, coser &c. Tambien

los

los industrió á que fuesen á comerciar á Zimapán, Huasteca, y otros lugares, con las semillas que les sobraban, mecates, y petates (esto es, cuerdas de ixtle, ó pita, y esteras de palma fina) que hacian, con cuyo producto se compraba algodon, que hilaban y texian las mugeres, formando mantas para vestirse, Asimismo traian del Real de Zimapán fresadas y bayetas para el mismo efecto; con cuya diligencia, lo que sobraba del Sínodo, y de la limosna de Misas, se empleaba en pagar los jornales á los Albañiles; y de tal manera proveyó Dios nuestro Señor, que quando se finalizó la obra de la Iglesia, lexos de deber nada la Mision, se hallaba en poder del Síndico mas limosna que quando se principió, y las troxes de maiz proveidas con cinco mil fanegas.

A imitacion del V. P. Junípero practicaron lo mismo los Ministros de las otras quatro Misiones, construyendo sus Iglesias por el mismo órden que la de Santiago Xalpan, con correspondencia de ámbito á la gente que se juntaba, las que adornaron de lienzos colaterales, vasos sagrados, y demas necesarios, logrando en sus terrenos igual abundancia de cosechas, aumento de ganados y bestias, y que quedasen instruidos y civilizados los que antes se congregaron bárbaros y bozales.

CAPITULO VIII.

Prosigue el mismo asunto de los dos Capítulos antecedentes.

QUando en este floreciente estado se hallaban las referidas Misiones, llamó el R. Padre Guardian del Colegio de San Fernando á nuestro V. Fr. Junípero, para que se alistase á la Conquista espiritual de los Indios Apaches en en el Rio de San Sabá, y luego que el obediente súbdito recibió la Carta (mirandose retratada en su rostro la alegria y regocijo) salió de aquella Mision en que habia trabajado

nueve

nueve años, y dexando á los Indios con la instruccion que se ha dicho, se llevó consigo, como despojo del victorioso triunfo que habia conseguido contra el Infierno, al principal ídolo que adoraban como Dios aquellos infelices. Este era una Cara perfecta de muger, fabricada de *Tecale*, que tenian en lo mas alto de una encumbrada Sierra, en una casa como Adoratorio ó Capilla, á la que se subia por una escalera de piedra labrada, por cuyos lados, y en el plan de arriba, habia algunos sepulcros de Indios principales de aquella Nacion Páme, que antes de morir habian pedido los enterrasen en aquel sitio.

El nombre que daban al referido ídolo en su lengua nativa era el de Cachum, esto es, Madre del Sol, que veneraban por su Dios. Cuidaba de él un Indio viejo que hacia el oficio de Ministro del Demonio, y á él ocurrian para que pidiese á la Madre del Sol remedio para las necesidades en que se hallaban, ya de agua para sus siembras, ó de salud en sus enfermedades, como tambien para salir bien en sus viages, guerras que se les ofrecian, y conseguir muger para casarse, que para obtenerla se presentaban delante del dicho viejo con un pliego de papel en blanco, por no saber leer ni escribir, el qual servia como de representacion, y luego que lo recibia el fingido Sacerdote se tenian yá por casados. De estos papeles se hallaron chiquihuites, ó canastos llenos, juntos con muchisimos idolillos, que se dieron al fuego, menos el citado idolo principal. A este lo tenia el mencionado viejo (que cuidaba de él) con mucha veneracion y aseo, y tan tapado y oculto, que á muy pocos lo enseñaba ó dexaba vér; y solo lo hacia á los Bárbaros que venian como en romeria de largas distancias, á tributarle sus votos y obsequios, y pedirle remedio para sus necesidades.

Luego que entraron á la conquista los Misioneros, y se congregaron en las cinco Miciones, como queda referido, tuvo gran cuidado el Indio de ocultar y esconder su ídolo en una cueva, entre las peñas de aquella elevada Sierra. Y habiendo embiado el Capitan de los

Sol-

Soldados al Sargento con un Destacamento, para quemar todas las casas de los Indios que estaban esparcidos por aquellas Sierras, á fin de que subsistiesen en el nuevo poblado, y llegando á aquel lugar donde estaba la casa que servia de Adoratorio, ó Iglesia para dicho idolo, le pegaron fuego, ignorando el destino que tenia; y aunque por tres, ó quatro ocasiones lo hicieron (segun me refirió el mismo Sargento) nunca quiso arder, no obstante que era de materias tan combustibles, como de palos y zacate; y admirados de esto dixo el referido á sus Soldados: » Peguen fuego en nom-» bre de Dios, y de su Santísima Madre: » y repitiendo la diligencia, prendió luego la casa, consumiendose en un instante, y repararon que salia un grande humo muy fétido y espeso, que los dexó asombrados y temerosos sin saber lo que alli habia; pero despues que ya el V. Padre Junípero sabia el idioma, se averiguó todo lo que vá referido, declarandolo los mismos Indios ya convertidos, los quales le entregaron el citado ídolo Cachum, que llevó á nuestro Colegio de San Fernando, y entregandolo al R. P. Guardian, mandó éste se pusiera en el caxon del Archivo perteneciente á los documentos y papeles de dichas Misiones, para memoria de la espiritual Conquista.

No obstante la salida del V. Padre, prosiguieron con igual zelo y eficacia sus apostólicas empresas los Ministros que quedaron en las Misiones, y los que de nuevo entraron en ellas, para conseguir sus mayores creces, asi en lo espiritual, como temporal, y hallandolas tan adelantadas, como reducidos los Indios, fué tanto su aumento, que en corto tiempo ya aquellos cinco Pueblos eran la admiracion de los que los transitaban, y la emulacion de los Señores Curas Clérigos de las inmediaciones. En esta atencion dispuso nuestro Colegio de San Fernando entregarlos al Ordinario, para que los proveyese de Curas Seculares, conforme á lo prevenido en las Bulas Apostólicas del Señor Inocencio XI, para lo qual hizo las debidas representaciones al Exmô. Señor Virey Marqués de Croix, y al Illmô. Señor Arzobispo D. Francisco Anto-

Antonio Lorenzana; y conviniendo en ello ambos Señores, se hizo la entrega de las referidas Misiones en el año de 1770 á los 26 de fundadas, quedando admirados y edificados de lo muy adelantadas que en tan corto tiempo se hallaban, segun les costó por los documentos formados por los Jueces Eclesiástico y Real que fueron comisionados á recibirlas por dichos Señores Virey y Arzobispo; quienes se dignaron dar las gracias á nuestro Colegio, por lo que habia trabajado en servicio de ambas Magestades, como se dexa vér en las dos siguientes copias de sus Cartas originales.

Carta del Exmô. Señor Virey Marqués de Croix.

„ L A instancia de V. R. y Discretos de 10 de Julio proxi-
„ mo pasado, en que solicitaban se pongan Sacerdotes
„ Seculares en las cinco Misiones que han estado á cargo de
„ ese Apostólico Colegio en la Sierra gorda, mandé pasar al
„ Señor Fiscal, y con arreglo á su Respuesta, he resuelto en
„ Decreto de 10 del corriente acceder á la pretension de
„ VV. RR. dandoles las mas expresivas y debidas gracias
„ por el zelo con que sus Religiosos Misioneros han sabido
„ lograr sus Apostólicos afanes; y avisar al Illmô. Señor
„ Arzobispo, nombre un Eclesiástico, que se haga cargo de
„ las referidas Misiones para proveerlas de Curas Seculares,
„ como tambien comisionar á D. Vicente Posadas, vecino de
„ Rio verde, al recibo de las enunciadas cinco Misiones,
„ con órden de que dé documento jurídico á los Padres que
„ se hallan en ellas de todo lo que entregaren en cada una;
„ y que no solo no les pongan embarazo en que saquen sus
„ libros y todas las cosas de su uso, sino que tambien los
„ habilite de lo necesario, á fin que puedan con la comodi-
„ dad posible restituirse á ese Colegio despues que se haya
„ practicado el repartimiento de tierras á los Indios en la
„ forma que VV. RR. me han propuesto: de que les aviso,
„ á efecto que se hallen completamente instruidos, y que se
veri-

„ verifique el puntual cumplimiento. Dios guarde á VV. RR
„ muchos años. México 15 de Agosto de 1770 = El Marqués
„ de Croix = A los RR. PP. Guardian y Discretos del Apos-
„ tólico Colegio de San Fernando. „

Carta del Illmô. Señor Arzobispo D. Francisco Antonio Lorenzana.

„ MUY Señor mio: El Cura y Juez Eclesiástico de Cade-
„ reita me ha dado cuenta con las Diligencias que de
„ mi orden practicó para poner á cargo del Clero Secular las
„ cinco Misiones de Xalpan, Landa, Tilaco, Tancoyol y
„ Concá en la Sierra-gorda; y resultando de éllas el infatiga-
„ ble zelo con que han trabajado alli los hijos de ese Apos-
„ tólico Colegio, siendo el puntual cumplimiento de su Insti-
„ tuto igual al dexarlas que al tomarlas, no puedo menos de
„ manifestar á V. Rmâ. mi gratitud, y la obligacion en que
„ me constituyo de apetecer ocasiones en que servirle. =
„ Ntrô. Señor guarde á V. Rmâ. muchos años. México y Di-
„ ciembre 22 de 1770 = B. L. M. de V. Rmâ. su mas afecto
„ Servidor = Francisco Arzobispo de México = R. P. Guar-
„ dian y Discretos del Colegio de San Fernando.

La gloria que al Colegio de San Fernando resulta por la entrega de las citadas cinco Misiones, que en el corto término de 26 años puso en tan buen estado asi espiritual como temporal: el honor que ha conseguido el Apostólico Institu- to, y lo mucho que para ello trabajó el V. Padre Junípero en los núeve años seguidos que alli estubo, segun queda ex- presado, me han estimulado á referir la entrega de ellas, y las expresiones afectuosas que hicieron al Colegio los dichos Exmô. é Illmô. Señores quando las recibieron, y se hallaron informados por los Comisionados, de la buena instruccion con que se hallaban aquellos Indios Neófitos, y de la opulencia en que se miraban las citadas Misiones, de las que habiendo sido Presidente el V. Padre, y trabajado tanto desde los prin- cipios hasta ponerlas en corriente, lo sacó la obediencia pa- ra las de San Sabá, antes que se verificase su entrega.

CAPI-

CAPITULO IX.

Pasa á México llamado del Prelado para las Misiones de San Sabá, las que no tuvieron efecto por lo que se dirá.

Muchos años tuvo el Colegio de la Santa Cruz de Querétaro puesta su pretension para fundar Misiones en la belicosa Nacion de los Indios Apaches, hasta el año de 1758. en que se consiguió, encomendando S. M. esta Conquista al referido Colegio de la Santa Cruz, y al de San Fernando de México, y conviniendo ambos (como tan hermanados) á que de pronto se fundasen dos Misiones, una por parte de cada uno, y á la sombra del Presidio de cien hombres, que se iba á establecer en las Vegas del Rio San Sabá, que dista de México; hácia el Norte como quatrocientas leguas, salieron de nuestro Colegio los dos Misioneros asignados por el V. Discretorio (de los que voluntariamente se ofrecieron) que fueron los PP. Fr. Joseph Santi Estevan de la Recoleccion de la Provincia de Burgos y Convento de Agreda, y Fr. Juan Andrés de la Recoleccion de la Concepcion.

Llegaron á las Misiones del Rio de San Antonio Bejar, pertenecientes al Colegio de Querétaro, y distantes como sesenta leguas de San Sabá: demoraronse allí, y se enfermó é imposibilitó de seguir el segundo de los Misioneros, con cuyo motivo, habiendo llegado esta noticia al Colegio, fué luego nombrado el P. Fr. Miguel Molina, (de la Recoleccion de Valencia) quien luego caminó hasta las Misiones de San Antonio, y diciendole allí, que ya su Compañero se habia marchado con el Padre Fr. Alonso Terreros del Colegio de Querétaro, siguió su viage hasta el Rio de San Sabá.

Llegó á este parage, y halló á los citados dos Padres, que habian dado principio á la Mision de la Santa Cruz, á las orillas de dicho Rio, y á tres leguas cortas del Presidio, en donde tenian yá su Capilla, y algunos quartos para vivien-

vienda; pero aun no se les habian acercado los Gentiles: A
los quince dias de llegado el Padre Molina, fueron tantos los
que de un golpe se les presentaron, que les pareció no serian
menos de mil, todos de Guerra, embijados y armados de flechas, lanzas, y armas de fuego, por las que inferian ser de
la Nacion Cumanche, que tienen, ó tenian comercio con los
Franceses del nuevo Orleans, de quienes las conseguian á
trueque de Pieles.

Los recibieron los Padres con demostraciones de cariño;
pero los Gentiles, disimulando sus malos intentos dixeron, que
venian por la paz de los Españoles, pidiendo que uno de los
Padres fuese con ellos, para que no les hiciesen daño. Excu-
sabanse diciendoles que no era necesario, que les darian Papel, y serian bien recibidos: no quisieron, sino que instaron
fuese un Padre con ellos. En vista de esto determinó el Padre
Terreros el ir, aunque ya creyó iba á recibir la muerte, pues
al despedirse de sus Compañeros les dixo lo encomendasen á
Dios, y se encomendasen tambien ʼʼ por que en breve esta-
ʼʼ remos en la otra vida ʼʼ Al oir esto el Padre Santi Estevan,
se retiró á un quartito con el Santo Christo de pecho, y quedó
afuera el Padre Molina, agazajando á los Indios, y despidiendose del Padre Fr. Alonso: luego que este se apartó como treinta pasos de las casas, acompañandolo toda la chusma (ó fingiendo hacerlo) le dispararon una arma de fuego,
con cuya herida cayó el V. Padre Terreros, y sobre él todos los Indios para acabarlo de matar, y quitarle el santo
hábito.

Viendo esto el Padre Molina, y que no podia socorrer á
su Compañero, pues antes de llegar al sitio donde estaba,
ya habrian hecho con él lo mismo los Gentiles, se retiró á la
casa, y con él un Soldado que habia quedado, con la pena
de que su Compañero el Padre Santi Estevan estaba en otro
quarto, sin poderse juntar; y entrando en él los Indios le cortaron la cabeza, cuyos golpes oyó desde el otro quarto el
Padre Molina; y como desde alli disparaba el Soldado, no se
atrevieron á arrimarse á aquel sitio, y pegaron fuego á la

6.   casa.

casa. Viendola el Padre arder, se quitó del cuello una Cera de Agnus, y echandola á la llama, se apagó de repente el fuego, como si le hubiera echado un rio. Luego que los Gentiles advirtieron ésto, pensaron en arrimarse á la puerta del quarto; pero en quanto lo hicieron cayeron ó muertos ó heridos por el Soldado, que se portó con militar esfuerzo: Los Indios disparaban tambien, por cuyo motivo le tocó al Padre una bala, que se le quedó dentro del brazo, y vivió cargándola muchos años. Al valeroso Soldado le hicieron pedazos las piernas á balazos; pero asi herido mató muchos, y defendió al Padre hasta la noche, que se retiraron los enemigos.

Viendose tan gravemente herido, y yá sin fuerzas para defender al Padre, ni poderse tener en pie para escapar, y dandose por cierto en breve tiempo muerto, se dispuso y aconsejó al Padre probase fortuna de irse para avisar al Presidio, y lo mismo encargó á su muger, y que llevase un hijito que tenian, diciendoles: ” Si quedan, ciertamente mueren; y ” si salen, tal vez se librarán. ”

Recelaba salir el Padre al ver que los Indios los habian cercado con lumbradas para divisarlos si lo hacian, y aunque consideraba le darian muerte luego que lo vieran, no obstante, confiado en Dios, y en Maria Santísima, (cuyos Dolores celebraba en aquel dia la Santa Iglesia) salió por una ventana, y pudo, sin ser visto, pasar por entre dos lumbradas. Tiróse rio abaxo, y fuera del camino, para no ser encontrado, y despues de tres dias llegó al Presidio, desangrado y sin fuerzas por la falta de sustento, pues no habia comido mas que yervas crudas del campo, caminando solo de noche. Reforzóse en el Presidio, y el Capitan de él despachó luego Tropa; pero quando llegó ésta ya los Indios se habian marchado y quemado quanto habia, y el valeroso Soldado perecido, quien (segun me refirió despues el mismo Padre Molina, junto con lo que llevo expresado) no baxaron de quarenta los Gentiles que hirió y mató.

Dióse luego cuenta de todo lo acaecido á México, y el Colegio, lexos de resfriarse, nombró otros dos Ministros que pa-

pasaran á fundar la Mision. Uno de ellos fué el V. Padre Junípero, que se hallaba en la suya de Sierra gorda; y aun teniendo individual noticia de la referida tragedia, no tan solo no se escusó (como licitamente podia) sino que antes bien dió muchas gracias á Dios de que el Prelado lo hubiese elegido sin explorar ántes su voluntad; y luego que recibió la Carta del Padre Guardian, se puso en camino para el Colegio.

Pensaba el Prelado sería breve la salida; pero supo despues, que el Exmô. Señor Virey habia despachado Orden á las Provincias internas para que se hiciese una Expedicion con mucha Tropa, á efecto de castigar á los Indios y contenerlos con el escarmiento; pero no habiendose logrado esta como se deseaba, y sucedido prontamente la muerte del citado Señor Virey, fueron motivos porque se suspendió aquella reduccion, siendo de mucho sentimiento para el zeloso Padre Junípero. Pero no perderia el mérito delante de Dios de haberse voluntariamente ofrecido á tan ardua empresa, con el evidente peligro de morir en manos de aquellos Bárbaros y crueles Gentiles.

CAPITULO X.

Ocupaciones y exercicios que tuvo en el Colegio y Misiones que salió á predicar.

NO habiendo tenido efecto la fundacion de las Misiones de San Sabá por los motivos expresados en el antecedente Capítulo, ya no volvió el R. Padre Guardian á hablar nada á nuestro Venerable Junípero sobre que se volviese á las de Sierra-gorda de donde habia salido, bien fuera para que estuviese á mano, por si de repente se tratase en el Superior Gobierno de la reduccion de los Apaches (por aviso de la Corte) ó porque esperaria el Prelado á que el Venerable Padre se lo insinuase; pero el humilde, y obediente Siervo de Dios, no quiso jamás mostrar mas inclinacion que

á

á la voz del Superior, resignado ciegamente (para no errar) á la voluntad del Señor expresada en la del Prelado. Quedóse en el Colegio hasta el año de 1767, en que lo destinó la obediencia para estas Misiones de Californias, y estuvo sin el exercicio de predicar á los Infieles poco mas de siete años, en cuyo tiempo trabajó mucho en la conversion de los pecadores en las Misiones que predicó asi en el distrito del Arzobispado de México, como en los de otros quatro Obispados.

En la Capital de México predicó dos años en las Misiones que cada trienio hace nuestro Colegio de San Fernando con mucho fruto, y no fué poco el que el V. Padre logró con sus fervorosos Sermones. En uno de ellos (á imitacion de su devoto San Francisco Solano, sacó una cadena, y dexandose caer el hábito hasta descubrir las espaldas, despues de haber exhortado á penitencia, empezó á azotarse tan cruelmente, que todo el auditorio se deshacia en lágrimas; y levantandose de él un hombre, fué á toda prisa al Púlpito, quitó la cadena al Penitente Padre, baxó con ella, hasta ponerse en lo alto del Presbiterio, y tomando exemplo del V. Predicador, se desnudó de la cintura para arriba, y empezó á hacer pública penitencia, diciendo con lágrimas y sollozos: » Yo soy el pecador ingrato á Dios, que debo ha- » cer penitencia por mis muchos pecados, y no el Padre que » es un Santo. » Fueron tan crueles y sin compasion los golpes, que á vista de toda la gente cayó, juzgándolo todos por muerto. Habiendolo oleado allí, y sacramentado, murió poco despues. De esta alma podemos creer con piadosa fé, que estará gozando de Dios.

Fuera de la Capital predicó el V. Padre en el Arzobispado, haciendo fervorosas Misiones, en el Real de Zimapan y sus contornos, en muchos Pueblos de la Provincia del Mezquital, en la de la Huasteca, en su Capital, Villa de Valles, Aquismon, y otros muchos lugares, en cuya Mision gastó nueve meses, los siete en actual exercicio de predicar y confesar, y los dos restantes en ida y buelta, por

lo

lo muy apartado que está de México, en cuya Mision logró
mucho fruto, por hacer quarenta años que no habia habido
otra.

En el Obispado de la Puebla de los Angeles hizo Misiones en la Costa del Mar del Norte, ó Seno Mexicano, en Ta-
buco, Tuxpan, Tamiagua, y otros muchos Pueblos, distantes de México mas de ochenta leguas.

En el Obispado de Antequera, ó Oaxaca, misionó en
muchos Pueblos á peticion del Illmô. Señor Obispo Don
Buenaventura Blanco, dando principio cien leguas distante
de México, á la raya del Obispado de Campeche, hácia
Tabasco, en aquellas Poblaciones de la Costa donde nunca
se habia oido Mision. Y para acercarse á la Capital de
Oaxaca, para donde lo llamaba su Illmâ., hubo de navegar el Venerable Padre ocho dias por el gran Rio llamado de
los Miges, donde tuvo que padecer, tanto él, como sus Compañeros, muchos trabajos por los excesivos calores, molestia
de zancudos, y peligro de Caymanes, sin poder salir de la
canoa á tierra por los Tigres, Leones, Vívoras y demás animales ponzoñosos de que están abundantes aquellos lugares,
y por este motivo despoblados de gente que los habite.

Despues de ocho dias de tan peligrosa y molesta navegacion, hubieron de caminar por tierra (de iguales circunstancias) hasta llegar á la Villa-alta, distante de México mas
de cien leguas. En ella hizo Mision el V. Padre y de alli pasó á la Ciudad de Antequera, en donde lo esperaba el Illmô.
Señor Obispo. Llegaron á este parage por la Quinquagésima,
y anunciando luego la Mision, duró todo el tiempo de Quaresma, logrando á expensas de sus apostólicos afanes innumerables conversiones, con gran consuelo de aquel zelosísimo Prelado; quien hizo que nuestro V. Fr. Junípero pre-
dicara (á puerta cerrada) á toda la Clerecía mientras sus
Compañeros misionaban al Pueblo. De esta predicacion se
logró abundante fruto, y mas con la facultad que les concedió á los Padres aquel Illmô. Pastor, para casar á los que lo
necesitaban, y que viviendo amancebados pasaban por casados,

dos, de que fueron muchos los que habia asi en la Capital, como en los demas Pueblos en que hicieron Mision; la que habiendo durado seis meses, y concluidose este término, se retiraron los Padres al Colegio, á donde llegaron á los ocho meses despues de haber salido de él, por la larga distancia que hay; cuyo viage hizo á pie el V. Padre no obstante la llaga é hinchazon de él.

En el Obispado de Valladolid misionó en Rio-verde (distante de México mas de cien leguas) en la Cabecera de la Custodia de Santa Catalina de Rio-verde, y Pueblos de sus contornos, y últimamente en el Obispado de Guadalaxara, quando venia con sus Compañeros el V. Padre para estas Californias, habiendose detenido en el Puerto de San Blas por falta de embarcacion. Predicaron en el Pueblo de Tepic, Xalisco, Ciudad de Compostela, Mazatan, San Joseph, Guaynamotas, y otros circunvecinos de aquella Jurisdiccion, donde logró innumerables conversiones de pecadores, no perdonando fatigas para conseguirlo.

Mucho es el trabajo que trahe consigo el exercicio de misionar entre Fieles, empleandose medio año continuo en la predicacion y confesiones desde el primero hasta el último Sermon, sin mas descanso que el tiempo de caminar á pie desde el Colegio, y de una Poblacion á otra, hasta restituirse á él; y si se numeran las leguas que por este fin andubo el V. Fr. Junípero, no serán menos de dos mil. Estas tareas se le aumentaron con la Patente ó Título que desde el año de 1752 tenia de Comisario del Santo Oficio, con que lo honró el Santo Tribunal de la Fé para toda la N. E. é Islas adyacentes, por cuya causa hubo de trabajar en muchas partes, y caminar gran número de leguas, desempeñando quantas diligencias practicó á satisfaccion de los Señores Inquisidores, que lo atendian y miraban como á Ministro, no solo docto, sino por muy zelador de la Fé y Religion Católica.

En los intervalos de una salida á otra (que segun disponen las Bulas Apostólicas, concluidos seis meses de predicar entre Católicos, se restituyan los Padres al Convento para

para recobrar espirituales y corporales fuerzas) se volvia el Siervo de Dios á su Colegio, donde observó con la mayor puntualidad la asistencia al Coro, asi de dia, como de noche; y no contentandose con las seis horas, ó cerca de éllas, que se emplean en el rezo del Oficio Divino y oracion mental, no faltaba á los demás exercicios voluntarios de la Corona, Via Crucis y Via Dolorosa &c.

Fué muy puntual en los annuos exercicios de la Orden, observando á la letra la práctica que nos dexó N. V. P. Fr. Antonio Linaz. Todo un trienio lo tuvo la obediencia empleado de Maestro de Novicios; pero esto no le impidió salir á predicar en Pueblos Christianos, pues en sus ausencias otro suplia en el Magisterio; y si, como queda dicho en el Capitulo III de ésta Historia, asistia el V. Padre voluntariamente á todos los exercicios del Noviciado; ¿ que dilatado campo se ofrece á la imaginacion para considerar lo mucho que luciria su fervor quando se hallaba ya de Maestro?

Otro trienio lo tuvo el Colegio de Discreto (aunque tampoco imposibilitado por este cargo de salir á misionar). En estos tres años, el tiempo que estaba en el Colegio, servia de Vicario de Coro por encargo del R. Padre Guardian, para lo poco que alli se ofrece cantar, y esto lo practicaba con mucho gusto y humildad, sintiendo (como decia) el no saber solfa para servir de algo. Muchos dias era el Lector de mesa, levantándose á la mitad de la comida para remudar al Corista ó Novicio que estaba leyendo. Otras ocasiones remudaba á los Servidores, como si fuese Novicio ó Corista el V. Padre, yendo á servir la mesa. El tiempo que le quedaba desocupado despues del Coro lo empleaba en el Confesonario, donde oía de penitencia á quantos pobres ocurrian á sus pies. Lo mismo hacia en los Conventos de Religiosas, asi de la Orden, como del Ordinario, donde lo pedian al Prelado algunas almas afligidas y de conciencias escrupulosas, para su consuelo; y al paso que para sí era rígido, se mostraba con los demás muy benigno, explayándoles el corazon.

Fué

Fué totalmente desasido del siglo, y Seculares, de tal manera, que en una Ciudad tan populosa como es México, tan afecta á los Misioneros por lo que trabajan en su bien espiritual, con tantos confesados que de todas clases tenia, y tantos que se valian del V. Padre para salir de sus dudas misticas ó morales, no tenia persona á quien visitar; y quando los que lo necesitaban y buscaban en el Colegio para su consuelo, no lo hallaban, entonces era quando sabian que habia salido á hacer Mision.

CAPITULO XI.

Casos particulares que le sucedieron en las Misiones entre Fieles.

QUando hizo Mision· en la Provincia de la Huasteca, faltaron muchos vecinos del primer Pueblo donde predicó, y quedaron sin oir la palabra de Dios, por algunos pretestos, que careciendo de justicia, abundarian de negligencia; y habiendo salido para otro Pueblo los Padres á continuar su predicacion, entró una epidemia en el referido, de que murieron como sesenta vecinos, y los demás sanaron; pero reparó el Señor Cura Párroco de aquella Iglesia, que solo habian muerto los que faltaron á la Mision, como lo notició por escrito al R. Padre Junípero, que era Presidente de élla. Divulgóse la voz de la enfermedad; y como quiera que siguió inmediatamente de concluida la Mision primera, quedaron amedrentados los demas Pueblos, saliendo de mala gana á oir las otras, y sintiendo las admitiesen los Señores Curas. Pero sabiendo que solo habian muerto los que no asistieron á los Sermones; concurrian despues muy puntuales, no solo los vecinos de los Pueblos, sino tambien los de las Haciendas y Ranchos que distaban muchas leguas de la Cabecera; y hubo alguno que dixera no habia visto Iglesia ni Sacerdote, ni oido Misa ni Mision en

diez

diez y ocho años, pues habia quarenta que no entraba otra en aquella tierra; con lo que ya cesó la enfermedad que padecian. En todos estos Pueblos lograron mucho fruto para Dios, quien prontamente empezó á premiar los trabajos de su Siervo Fr. Junípero y demás Compañeros.

Concluidas sus apostólicas tareas, se retiraban para el Colegio, y en una jornada, á tiempo que ya se ponia el Sol, ignoraban donde irian á parar aquella noche, dando por cierto que lo harian en el campo: Esto consideraban, quando vieron á poca distancia, y cerca del camino real una casa, donde entrando á pedir posada, hallaron un hombre venerable con su Esposa, y un niño, quienes muy gustosos los hospedaron, y dieron de cenar con especial aseo y cariño. Despedidos los Padres por la mañana, y dando las gracias á sus Bienhechores, siguieron su jornada, donde á poco trecho encontraron con unos Arrieros, que les preguntaron donde habian parado aquella noche? Y diciendoles que en la casa inmediata al camino: » Que casa? (dixeron los Arrieros) en » todo el camino que andubieron ayer, ni hay casa, ni Ran- » cho, ni en muchas leguas. » Quedaron los Padres admirados, mirandose unos á los otros, y los Arrieros ratificandose en lo dicho de que no habia tal casa en el camino: Los Misioneros atribuyeron á la Divina providencia el haberlos favorecido con aquel hospicio, y que sin duda serian los que lo habitaban Jesus, Maria y Joseph, reflexando no solo en el aseo y limpieza de la casa (aunque pobre) y el cariño afectuoso con que los habian hospedado y regalado; sino en el consuelo interior y extraordinario que alli habian sentido sus corazones. Dieron á Dios nuestro Señor las debidas gracias por el especial beneficio que habian recibido, y avivaron mas y mas su fé de que no les faltaria la Divina providencia; como asi lo vieron cumplido en los treinta y dos dias que les duró el viage desde la Huastaca hasta el Colegio.

En uno de los dichos Pueblos en que hizo Mision el V. Padre experimentó en sí aquella promesa que hizo Jesuchristo á los Apóstoles, y refiere el Evangelista San Marcos (cap.

7. 16.

16. ℣. 18.) *Si mortiferum quid biberint, non eis nocebit.* Celebrando Misa el Siervo de Dios, le pareció que al tiempo de consumir el Sanguis le habia caido en el estómago un gran peso como si fuese plomo, en términos que lo inmutó todo, y en parte lo trabó: no obstante puso el vino para la purificion; pero lo mismo fue tomarlo que quedar totalmente trabado, y si no ha estado tan pronto uno de los que asistian á la Misa, hubiera caido en tierra el V. Padre: llevaronlo luego á la Sacristia, y desnudándole los ornamentos lo pusieron en cama, creyendo todos (luego que supieron el caso) que le habian puesto veneno en la vasija del vino, para quitarle la vida.

Luego que lo supo un Caballero Asturiano vecino del mismo Pueblo, muy afecto á los Religiosos, como Hermano que era de toda la Religion por Patente de nuestro Rmô. P. General, ocurrió al Convento con una bebida eficaz contra veneno, diciendole que la bebiese, pues era muy propia para el intento. Miróla el V. Padre que la traian en un vaso de cristal, y sonriendose dió á entender, no la queria tomar: quedando corrido el Hermano, le dixo, si queria azeite para deponer el estómago, y haciendo la seña de que sí, lo tomó, y entonces ya pudo articular algunas palabras, siendo las primeras las citadas de San Marcos. No le causó basca alguna el azeite, ni vomitó; pero sí lo sanó, bien fuese por virtud del medicamento (como defienden algunos que la tiene, embotando los ácidos corrosivos del veneno) ó por la fé del V. Paciente. Lo cierto es, que aquella misma mañana fué á la Iglesia á confesar, como si tal cosa le hubiera sucedido; y á haberle tocado el turno, habria predicado aquel dia, como lo hizo el siguiente.

Viendo el Hermano sano ya al R. Padre, fué á visitarlo, y despues de darle los parabienes, le dixo en tono de quexa: » ¿ Es posible, mi Padre Junípero, que me hiciese el desaire » de no querer tomar mi medicina, que era eficacísima con » tra veneno? » »'A la verdad, Señor Hermano, (respondió) » que no fué por hacerle el desaire, ni por dudar que tu

viese

„ viese virtud, ni menos por tener asco de élla, pues en otras
„ circunstancias la habria tomado; pero yo acababa de to-
„ mar el pan de Angeles, que pór la consagracion dexó de
„ ser pan, y se convirtió en el Cuerpo de mi Señor Jesu-
„ Christo: ¿como quería Vm. que yo, tras de un bocado
„ tan Divino, tomase una bebida tan asquerosa, que habia
„ sido pan, y ya no lo era? Luego conocí de lo que se compo-
„ nia, aunque venia en un vaso tan limpio „. Confesó el Caballero la verdad, como tambien, que él, por sus propias manos, no fiando á otro, habia desleido la triaca (que asi llamaba al único ingrediente de que estaba compuesta aquella
inmunda bebida) quedando muy edificado de la fé y religion del V. Padre.

En aquella gran Mision, que con otros cinco Compañeros predicó en el Obispado de Oaxaca, entre el mucho fruto
que logró en élla, fué muy singular la conversion de una
muger en la Ciudad de Antequera, Capital de aquel Obispado. Vivia esta en mal estado con un hombre rico y poderoso, desde edad de catorce años, en que habiendose éste
aficionado ciegamente de élla, y no pudiéndola lograr para Esposa (por ser casado en España) la tomó por concu-
bina: Llevóla á su casa, viviendo con ella como si fuera
su propia muger, como por tal la tenian todos los moradores de aquella Ciudad. En este infeliz estado vivieron catorce
años: Llegó á oidos de la muger la voz de la Mision que
se predicaba por los contornos de aquel lugar, y de los muchos que se convertian á Dios, como tambien de que los Padres habian de entrar á predicar allí. Estas voces fueron
los golpes fuertes con que Dios tocó al corazon de aquella
pecadora, la que no haciendose sorda, trató luego de separarse de tan perniciosa amistad, y volverse á la de Dios.
Dióle parte al cómplice de sus delitos; pero éste la disua-
dió, diciendola que no pensase en ello por entonces, amena-
zandola con que si tal hacia, haria él un disparate, que la
mataria, ó que él se quitaria la vida.

Llegó la Mision á la Ciudad quando menos la esperaban

ban sus vecinos, pues informado el Illmô. Señor Obispo de que los Padres intentaban entrar la noche de la Dominica de Quinquagésima, con el fin de evitar las muchas ofensas, que por lo comun, se hacen á Dios en los dias del Carnaval (alegrandose mucho aquel zelosísimo Prelado, que habia pedido la Mision) les respondió: que le parecia muy bien, y que no lo divulgaría (como se lo suplicaban) para cogerlos á todos descuidados.

Entraron con gran silencio los seis Misioneros, y repartidos de dos en dos por las calles de la Ciudad, enarbolando el Santo Christo, dieron el asalto, disparando abundantes saetas que glosaban con fervorosas Pláticas. Conmovióse sobre manera toda la gente, de suerte, que desamparando las casas, y agolpandose en las calles, siguieron todos á los Padres hasta la Catedral, y convidados para el dia siguiente al Sermon de anuncio y publicacion de la Mision, se retiraron á sus habitaciones compungidos y llorosos.

Una de las saetas que pronunció uno de los Misioneros, hirió el corazon de aquella pecadora de tal suerte, que le pareció se lo habia traspasado, segun el dolor grande que sentia de sus pecados, y deseos de convertirse á Dios verdaderamente. Dispusose para confesar, y exâminada, se fué á los pies del V. Padre Fr. Junípero: Dióle cuenta de la vida que habia tenido, y propósito con que se hallaba de dexar tan peligrosa amistad y compañia. Animóla el fervoroso Padre despues de confesada generalmente, encargandole buscase casa donde vivir. Asi lo executó; pero aquel hombre (ciego con su pasion) hacia quantas diligencias consideraba oportunas para atraerla á su antigua amistad; pero ella constante en el propósito, freqüentaba los Santos Sacramentos; y despreciando los alhagos, promesas y amenazas de que se ahorcaria, se mantuvo en su arepentimiento con magnánima constancia. Comunicábale todo al V. Confesor, y diciendole que no se consideraba segura en la casa que vivia, precavió este peligro el Siervo de Dios, buscándola otra de una devota Señora de las principales de la Ciudad, que la recibió con especial gusto.   Aun

Aun de aquella habitacion quería sacarla; pero no siendole posible, una noche, desesperado, cogió un dogal, y yendose con él á la citada casa, en una reja de hierro se ahorcó, entregando su alma á los Demonios; en cuyo mismo instante se sintió en la Ciudad un gran temblor, ó terremoto, que asustó á todos. A la mañana siguiente se dexó ver el miserable ahorcado, causando general horror y espanto, y singularmente á la convertida muger, que viendo aquel espectáculo (á imitacion de Santa Margarita de Cortona) se quitó luego el cabello, y vestida de ásperos cilicios, y de un saco en forma de túnica, anduvo por la Ciudad de Antequera, pidiendo, á gritos, perdon de sus pecados, y escandalosa vida que habia tenido; quedando todos edificados y compungidos de ver tan rara conversion y penitencia; y no menos temerosos de la Divina Justicia, con escarmiento de aquel infeliz; por cuya causa se lograron innumerables conversiones, y por consiguiente mucho fruto de la citada Mision.

Otros casos podria referir; pero la dilatada narracion de la última tarea de la vida del V. Padre Junípero (donde este Apostólico Varon echó el resto de sus afanes) me llama con instancia, y no me permite dilacion.

CAPITULO XII.

Pasa á la California con quince Misioneros para trabajar en ella.

HAbiendose extinguido en la N. E. la Sagrada Compañia de Jesus el dia 25 de Junio del año de 1767, fueron encomendadas por el Exmô. Señor Virey Marqués de Croix (de acuerdo con el Illmô. Señor Visitador general del Reyno D. Joseph de Galvez) al Colegio de San Fernando de México, las Misiones que los Padres expulsos administraban en la California. Vióse precisado el Colegio á

admi-

admitirlas, (no obstante lo falto que se halla de Religiosos) para hacer á Dios y al Rey este sacrificio, y á embiar al propio tiempo á España por competente número de Misioneros.

Diez y seis eran los Padres Jesuitas que habia en la California, y otros tantos habian de pasar á remudarlos; pero teniendo ideado el Superior Gobierno poner en las quatro Misiones mas adelantadas Sacerdotes Seculares, pidieron los citados Señores doce Religiosos al R. Padre Guardian del Colegio. Propúsolo éste en Comunidad, convidando á todos los que se hallasen con espíritu para tan árdua empresa; y prontamente tuvo el número necesario de Misioneros, que se ofrecieron voluntariamente.

En este tiempo estaba nuestro V. Fr. Junípero haciendo Mision en la Provincia del Mesquital y como treinta. leguas distante de México. Eligiólo el Prelado para Presidente de aquellos Misioneros; pero en atencion á no dar tiempo para consultar su voluntad la precision de salir, y estando tan conocido su espíritu y puntual obediencia (pues la menor insinuacion reputaba por precepto formal y expreso) le hubo de escribir para que se regresara al Colegio. Asi lo practicó llegando á él el dia 12 de Julio, y llegando á tomar la bendicion del R. P. Guardian, este dixo al V. Padre lo llamaba para que fuese con los demás Religiosos, asignados por el Discretorio, á la California. Admitió el Siervo de Dios el ser uno de los elegidos, y con mayor consuelo que los demas, por no haber concurrido ni siquiera con el *Ecce ego mitte me*, sino por sola eleccion del Prelado, sin indagar su voluntad.

Tenia ya el Exmô. Señor Virey, prevenido todo equipage necesario para el viage (por tierra) de doscientas leguas, hasta el Puerto de San Blas, para que fuesen con alguna comodidad los Padres, á efecto de evitar se enfermasen en el camino tan dilatado, de tierra caliente y destemplada, y luego pasó aviso S. Exâ. al R. P. Guardian para que estubiesen prontos para el dia catorce de Julio del citado año

de

de 1767. Despedímonos de la Comunidad, y al tomar la
bendicion del Prelado nos dixo éste, convertidos en mares de
lágrimas sus ojos:» Vayan, Padres y queridos Hermanos, con
» la bendicion de Dios y de N. S. P. S. Francisco á trabajar
» en aquella mística labor de la California que nos ha fiado
» nuestro Católico Monarca: Vayan, vayan con el consuelo
» de que llevan para su Prelado al Padre Lector Junípero, á
» quien por esta Patente nombro de Presidente de todos
» VV. RR. y de aquellas Misiones; y no tengo que decir mas
» sino que le obededezcan como á mí mismo, y me enco-
» mienden á Dios. » Aqui suspendió la voz por embargarsela
las impetuosas aguas que destilaban sus ojos; y entregando
la Patente al V. Padre, éste la recibió con toda sumision, sin
poder articular palabra por las muchas lágrimas que derramaba; y siendo el llanto de todos general y copioso, considerando sería aquella despedida para la eternidad, besa-
mos la mano al R. P. Guardian, y salimos dicho dia (en que
se celebra á San Buenaventura) acompañandonos el resto
de la Comunidad hasta fuera de la Porteria, cuyo compás
hallamos lleno de gente para vernos marchar.

Duró la caminata hasta el Pueblo de Tepic treinta y
nueve dias, con los pocos que tuvimos de descanso en las
Ciudades de Querétaro y Guadalaxara: En esta supimos por
el Illmô. Señor Obispo, de que no tenia Clérigos para la California, y que no estaba ninguna de las Misiones en disposicion de ser administrada por otros Sacerdotes que los
Misioneros, y que asi lo habia escrito ya al Exmô. Señor
Virey. En vista de esto, dió cuenta de éllo nuestro V. Padre
Presidente al R. Padre Guardian, suplicándole se esforzase á
embiar mas Religiosos. Asi lo practicó hasta completar el
número de diez y seis, que todos nos juntamos en el Hospicio de la Santa Cruz de Zacate, que en el citado Pueblo de
Tepic tiene la Provincia de Xalisco de la Regular Observancia de N. S. P. San Francisco.

Habiendo llegado alli el V. P. Presidente el dia 21 de
Agosto, supo por el Coronel Comandante de la Tropa que

esta-

estaba aquartelada, con el destino de ir parte de ella á la California y Sonora, de que aun estaba despacio la salida, por lo muy atrasados que se hallaban los dos Paquebotes, que con el fin de transportarnos á todos para la California y Sonora se estaban construyendo; nos vimos precisados á detenernos en el citado Pueblo, manteniendonos el Rey de su cuenta.

El fervoroso zelo del V. Padre Junípero no le permitió el que tantos Religiosos como alli estabamos ociosos por detenidos, perdiesemos el tiempo que se podia emplear en la conversion de muchas almas; y asi luego que descansamos de aquel largo viage, dispuso el que hiciesemos Mision en las cercanias del Puerto de San Blas, repartiendo á todos por los Pueblos expresados en el Capitulo antecedente, quedandose S. R. en el expresado Pueblo de Tepic, con otros Compañeros haciendo Mision allí, en cuyo exercicio nos ocupamos hasta principios de Marzo del año de 1768, en que nos embarcamos, como se versá en el siguiente Capítulo.

CAPITULO XIII.

Embarcanse todos los Misioneros, y lo que praĉió el V. Padre llegado á la California.

Llegó el deseado dia de embarcarnos en el Paquebot nombrado la Concepcion, que habia anclado en el Puerto de San Blas por el mes de Febrero, trayendo de la California los diez y seis Padres Jesuitas, y en el mismo, salimos el dia 12 de Marzo de dicho año, habiendo anochecido ya, igual número de Misioneros del Colegio de San Fernando, de cuyo Seráfico y Apostólico Esquadron era Caudillo el V. P. Fr. Junípero Serra; y sin haber tenido novedad alguna, dió fondo en la Rada de Loreto la noche del 1 de Abril, que aquel año era Viernes Santo, y el siguiente Sabado de Gloria desembarcamos todos. Antes de repartirnos,

y

y caminar cada uno para su Mision que le fué señalada por
el V. Padre Presidente, dispuso éste que primero celebráse-
mos todos juntos los tres dias de Pasqua con Misa cantada á
nuestra Señora de Loreto, Patrona de aquella Península, en
accion de gracias del viage de mar, y para implorar su patrocinio para el de tierra (que para los mas fué de cien leguas, y para otros de mas) el qual emprendimos el dia
6 de Abril; y habiendo llegado á su Mision cada uno, procuró imponerse en el gobierno y régimen observado en ella,
conforme al encargo que traíamos del Exmô. Señor Virey,
para no innovar en nada hasta que llegase el Illmô. Señor
D. Joseph de Galvez.

Embarcóse este Señor en el Puerto de San Blas el dia
24 de Mayo; y fué tan dilatada su navegacion, que no llegó
á la Península hasta el 6 de Julio, que desembarcó en la Ensenada de Cerralvo en el Sur de la California; y puso su Real
en el nombrado de Santa Anna, cien leguas distante del Presidio de Loreto, trayendo no solo el encargo de visitar la
Península de Californias, sino tambien Real Orden de despachar una Expedicion marítima á fin de poblar el Puerto de
Monterey, ó á lo menos el de San Diego.

Informado el citado Señor, despues de llegado á la
California, del estado de las Misiones, y de la altura en que
se hallaba la mas Septentrional, le pareció conveniente para conseguir el fin de S. M. el hacer á mas de la Expedicion
de mar, otra por tierra, que saliendo de la última Mision,
fuese en busca del Puerto de San Diego; y juntándose con la
marítima se verificase el establecimiento allí.

Comunicó el Illmô. Señor su alto y acertado pensamiento con nuestro V. Padre (escribiendole desde el Real de
Santa Anna) quien le respondió le parecia lo mas oportuno,
y que se ofrecia á ir en Persona con qualquiera de las dos
Expediciones, como tambien el número de Misioneros que
fuese necesario para aquella empresa; y suponiendo que ad-
mitiria esta propuesta el Señor Visitador general, se puso
luego en camino para visitar las Misiones mas inmediatas

á Loreto, y convidar.á los Padres para aquella funcion, y lo mismo hizo por escrito á los que se hallaban retirados; y con motivo de esta Visita anduvo mas de cien leguas.

Al regreso de este viage ya halló la respuesta del Señor Don. Joseph de Galvez, en que agradeciendole el ofrecimiento, que nacido de su ardentísimo zelo, habia hecho, le decia tomase el trabajo de baxar al Real de Santa Anna, ó Puerto de la Paz, donde lo hallaria; y que lo deseaba mucho para tratar el asunto de las Expediciones. Emprendió luego aquel viage, que es de doscientas leguas en ida y buelta; y si unimos á estas las otras ciento que anduvo en la visita de las tres Misiones del Sur, hacen trescientas leguas, que por entonces caminó el V. Padre. Trató luego con el citado Señor acerca de las Expediciones, y quedaron convenidos en que por mar, con los dos Paquebotes, irian tres Misioneros, y uno con el Paquebot que saldria despues; y que por tierra fuesen dos, uno con el primer trozo, y el V. P. Presidente con el segundo, y el Señor Gobernador Comandante de la Expedicion.

Resolvieron se fundasen tres Misiones, una en el Puerto de San Diego, otra en el de Monterey con el título de San Cárlos, y la restante con el de San Buenaventura, en la mediania de ambos Puertos. Estando ya de acuerdo en esto, dieron mano á disponer los ornamentos, vasos sagrados, y demás necesario para Iglesia y Sacristia, como asimismo lo perteneciente á casa y campo, para que encaxonado todo fuese por mar, y por tierra lo demás que se previniese en Loreto. En vista de estas disposiciones tan del agrado del V. Padre, y tan ajustadas á sus deseos, nombró luego los Padres que se habian de embarcar, y les avisó para que fuesen (como lo hicieron) al Puerto de la Paz, y Cabo de S. Lucas, y el Illmô. Señor Visitador general por su parte dió mano á disponer todo lo neceserio, trabajando personalmente, como si fuese un Peon.

Luego que llegaron de San Blas los Barcos, haciendo de Capitana el S. Carlos, que dió fondo en el citado Puerto de la
Paz.

Paz y San Antonio, aliás el Principe que (no dándole lugar los vientos por contrarios alli) dió fondo en el Cabo de San Lucas, quiso el Illmô. Señor reconocer si estaban en disposicion de hacer el viage, mandó descargar la Capitana, y viendole la quilla, determinó darle una recorrida y nueva carena; pero faltando la brea para hacerlo, no se dedignó la christiana piedad del expresado Señor no solo idear de que sacarla, sino que por sus mismas manos trabajó para conseguirla, como lo logró de los Pitayos, quando á todos parecia imposible. Con esto, quedando á su satisfaccion los citados Buques, los mandó cargar de todos los víveres y demás que habia traido de San Blas, como asimismo de quanto se custodiaba en los Almacenes, que en el Puerto de la Paz, ó de Cortés, habia mandado edificar.

Tambien por sí mismo ayudó este Señor al V. Padre Junípero, y Padre Parron, á encaxonar los ornamentos, vasos sagrados, y demás utensilios de Iglesia y Sacristia para las tres Misiones que de pronto se habian de fundar, gloriandose, en una Carta que el referido Señor al mismo tiempo me escribió, en que me expresaba que era mejor Sacristan que el Padre Junípero, pues compuso los ornamentos y demás para la Mision (que llamaba suya) de San Buenaventura, con mas prontitud que el Siervo de Dios los de la suya de San Cárlos, y que le hubo de ayudar. Asimismo, con el fin de que estas se fundasen con el mismo órden y gobierno que las de Sierra-gorda, tan del agrado del propio Illmô. Señor, éste mandó encaxonar, y embarcar todos los utensilios de casa y campo, con la necesaria herramienta para labores de tierra y siembra de toda especie de semillas, asi de la antigua, como de la Nueva España, sin olvidarse por estas atenciones de las mas mínimas, como hortaliza, flores y lino, por ser aquella tierra, en su concepto, para todo fértil, por estar en la misma altura que España (y no le engañó su pensamiento, como diré adelante). Igualmente determinó para dicho efecto, que de la Mision antigua, situada mas hácia el Norte, conduxese la Expedicion de tierra doscientas reses

ses de Bacas, Toros y Bueyes para poblar aquella nueva tierra de este ganado mayor, para cultivarlas todas, y para que á su tiempo no faltase que comer; el que se há aumentado mucho, y procreado admirablemente. En quanto estuvo todo dispuesto, señaló el mismo Señor el dia que hubiese de salir la Comandanta, mandando que toda la gente se dispusiese por medio de los Santos Sacramentos de Penitencia y Eucaristía.

De esta manera se practicó, celebrando el R. P. Presidente la bendicion de Barco y Vanderas, y dándoles á todos su bendicion despues de la Misa de rogativa al Smô. Patriarca Señor San Joseph, á quien se nombró por Patrono de las Expediciones de mar y tierra, habiendo de antemano por Carta Cordillera encargado á los Ministros, que todos los meses el dia diez y nueve se cantase en todas las Misiones una Misa al Santísimo Patriarca (concluyendose con la Letania de los Stôs.) de rogativa, para conseguir el mas feliz exito de dichas Expediciones. Despues de la Misa de rogacion que va referida, hizo el Señor Visitador general á toda la gente una gran exhortacion ó plática para animarla; y todos enternecidos se embarcaron el dia 9 de Enero de 1769 en la citada Capitana San Carlos, acompañandolos para su consuelo el Padre Fr. Fernando Parron.

La gente que conducia fué el Capitan Comandante de la Expedicion marítima D. Vicente Vila: Una Compañia de Soldados Voluntarios de Cataluña de veinte y cinco hombres con su Teniente D. Pedro Faxes: El Ingeniero Don Miguel Constanzó, como tambien D. Pedro Prat, Cirujano de la Real Armada, y toda la Tripulacion necesaria con los correspondientes Oficiales de Marina. Hízose á la vela el citado dia nueve, y en quanto se apartó del Puerto, salió el R. P. Fr. Junípero por tierra para su Mision y Presidio de Loreto, para disponer todo lo necesario para la otra Expedicion; y de paso (como que era camino) paró en mi Mision de San Francisco Xavier, y refiriendome todo lo dicho, rebosaba á su rostro la alegria, júbilo y contento de su corazon.

El

El segundo Barco destinado para la Expedicion era el San Antonio, aliás el Principe, el qual, como se ha dicho, no permitiendole los vientos arribar al Puerto de la Paz, fué á dar fondo en el Cabo de San Lucas. Luego que el Señor Visitador tuvo esta noticia, despachó Orden al Capitan para que alli se mantuviese, que S. Illmâ. pasaria por allí, como lo verificó; pues el mismo dia que salió el San Carlos, se embarcó en el Paquebot nombrado la Concepcion, y me escribió la noticia de la salida del citado Navio, y que ya que no podia ir á la Expedicion para fixar por su mano el Estandarte de la Santa Cruz en el Puerto de Monterey, no queria omitir el acompañarla hasta el Cabo de San Lucas, y que alli desembarcaria (viendola pasar,) y daria mano á disponer que sin pérdida de tiempo saliese el San Antonio. Asi lo practicó el expresado Señor, acompañando á la Capitana hasta el citado Cabo de San Lucas, donde tuvo el gusto de verla salir con viento en popa el dia 11 de Enero de dicho año de 1769.

Luego que desembarcó S. S. Illmâ. en el mismo Cabo, comenzó á abreviar la salida del San Antonio; pero antes de todo practicó con este Barco lo mismo que con el San Carlos, mandándolo descargar y recorrer; y en quanto estuvo á su satisfaccion, dispuso se equipase, asi con lo que habia traido de San Blas, como con la prevencion de granos, carnes, pescado &c. que tenia este Señor con su eficacia acopiada para este fin. Embarcado todo, prevenida la gente, dispuesta con el Santo Sacramento de la Penitencia, y cantada la Misa de rogativa al Señor San Joseph, comulgó en élla; y concluida les hizo el Señor D. Joseph de Galvez su plática exhortatoria para la paz y union, compeliéndoles al cumplimiento de su obligacion, y obediencia á los Gefes y Oficiales, y á que respetasen á los Padres Misioneros Fr. Juan Vizcayno, y Fr. Francisco Gomez, que con ellos iban para su consuelo; y concluida la funcion, se embarcaron el dia 15 de Febrero; y siendo este dia de la traslacion de San Antonio de Padua (Patrono de dicho Barco) confiaron en su

pa-

patrocinio que con toda felicidad los trasladaria al Puerto de San Diego ó Montcrey. Con esta confianza salieron, previniendo dicho Señor al Capitan del citado Paquebot, que era D. Juan Perez, Mallorquin, insigne Piloto de la Carrera de Filipinas, que procurase no perder instante de tiempo, en inteligencia de que el Comandante, Capitan del San Carlos, llevaba la orden de ir en derechura al Puerto de San Diego, y esperar solos veinte dias; y que si dentro de este término no llegase, dexando señal, cruzase para Monterey, y que lo mismo habia él de practicar en caso de no encontrar dicha Capitana en San Diego, ni á la Expedicion de tierra, cuyo Capitan llevaba la misma orden.

Concluido el despacho de estos dos Barcos, dió principio el Señor Visitador general á disponer el tercero, nombrado el Señor San Joseph, que habiendo venido de San Blas, se hallaba fondeado en el Cabo de San Lucas. Dió la orden de que descargandose y registrandose, se hiciese la misma diligencia que con los otros dos; y habiendose executado, lo embió para el puerto de la Paz, encargando al Capitan lo esperase allí, pues antes de salir para San Diego, tenia que ir á Loreto. En quanto salió dicho Paquebot para el Puerto de la Paz, fué el Illmô. Señor por tierra, dando vuelta á todo el Cabo por la playa, hasta llegar á la Mision de todos Santos, y de allí al Real de Santa Anna. Concluidas las Diligencias de la Visita, pasó al mencionado Puerto de la Paz, y se embarcó en una Balandra, para ir de comboy con el Paquebot Señor San Joseph, donde tambien se habian embarcado los dos Padres Misioneros que vinieron del Colegio de San Fernando en lugar de los otros dos que iban con la Expedicion.

Salieron de la Paz á mediados de Abril, y en breve tiempo llegaron con toda felicidad á Loreto, y se detuvieron en dicha Rada hasta el 1 de Mayo, ocupandose S. S. Illmâ. en dar las providencias y disposiciones necesarias para el buen régimen de la Tropa y Presidio, y para las Misiones de Indios, dexando fundado un Colegio de muchos de éllos para

la

la Marina. Concluida su Visita, se embarcó en la misma Balandra dicho dia 1 de Mayo para pasar á la Ensenada de Santa Bárbara del Rio Mayo de la Costa de Sonora, llevando en su compañia el Paquebot Señor San Joseph á fin de que recibiese parte de la carga que tenia el expresado Señor encargada, quien habiendo llegado felizmente, caminó al Real de los Alamos, para dar principio á la Visita de aquellas Provincias, y el dicho Paquebot recibida la carga, volvió á Loreto por la restante que estaba preparada. En este Barco se habia de embarcar para San Diego el P. Predicador Fr. Joseph Murguia, y por hallarse gravemente enfermo y sacramentado éste, salió de Loreto sin ningun Religioso el dia 16 de Junio del mismo año; y no habiendose vuelto á saber mas de él, ni parecido fragmento alguno, se juzga padecería naufragio en alta mar. He adelantado estos pasages, para concluir la narracion de las Expediciones marítimas, y pasar con mas desembarazo á hacer relacion de las de tierra.

CAPITULO XIV.

Funciones de la Expedicion de tierra, salida de Loreto del V. Padre, y su llegada á la Gentilidad, donde dió principio á la Mision primera.

CON la misma eficacia que el Illmô. Señor Visitador general deseaba dar cumplimiento á la Real Orden de S. M. para poblar el Puerto de Monterey, empleó quantos medios consideró oportunos para la consecucion de tan noble intento. Ya dixe como á mas de la Expedicion marítima que mandaba S. M. se hiciese, añadió el mismo Señor Illmô. (y á la presente Exmô.) D. Joseph de Galvez, otra Expedicion por tierra, en atencion á que segun estaba informado, no podia estar muy lejos el Puerto de San Diego de la Frontera de la California descubierta; y sin olvidarse de la de mar, ni de la Visita de la Península, dió sus disposiciones para.

para la citada Expedicion, á efecto de que juntandose ambas en dicho Puerto, y quedando éste poblado, se pasase á hacer lo mismo con el de Monterey.

Luego que S. S. Illmâ. determinó hacer la segunda Expedicion, no menos árdua que peligrosa, con respecto á la de mar, por la mucha Gentilidad de diversas y depravadas Naciones, como era natural se encontrase en el camino, dispuso á imitacion del Patriarca Jacob, el dividirla en dos trozos, para que si se desgraciase el uno, se salvase el otro. Nombró por principal Comandante á D. Gaspar de Portalá Capitan de Dragones, y Gobernador de la California, y d: su segundo á D. Fernando Rivera y Moncada, Capitan de la Compañia de Cuera del Presidio de Loreto, para ir mandando el primer trozo, y de Explorador de aquella tierra hasta entonces no conocida de los Españoles, y al Señor Gobernador para ir en la segunda parte de la Expedicion.

Hecho este nombramiento, le dió las instrucciones correspondientes, y al Señor Capitan la orden para que de toda la Compañia de Cuera escogiese el número de Soldados que juzgase conveniente y á proposito, y en caso necesario reclutase otras, y el número de Arrieros para las cargas y equipage de la Expedicion, como tambien que fuese caminando para la Frontera, y entrando en todas las Misiones, donde debia pedir todas las bestias mulares y caballares que no hiciesen alli falta; como asimismo quantas cargas se pudiesen de carne hecha cecina, granos, harina, pinole y vizcocho, dexando en cada Mision recibo de quanto sacase, para satisfacerlo todo; y que con toda la provision subiese para la Frontera de Santa Maria de los Angeles, llevando tambien doscientas reses; y que de todo le diese noticia, como asimismo del tiempo en que podria salir el primer trozo de la Expedicion.

Con todas estas órdenes (que cumplió|puntualmente) salió el Señor Capitan del Real de Santa Anna, por el mes de Septiembre de 1768; y habiendo llegado al sitio de nuestra Señora de los Angeles, que es la Frontera de la Gentili-
dad

dad (donde encontró parte de la carga que habian subido ya por Lanchas hasta la Bahia de San Luis) registró el terreno, y no hallandolo capaz para que en él se mantuviesen ni aun las bestias, por la absoluta falta de pastos, reconoció las cercanias, internandose hácia la Gentilidad, y quiso Dios que á las diez y ocho leguas de haber caminado para San Diego, halló un parage acomodado á su intento; y haciendo conducir allí toda la carga, ganados y bestias, dió parte al Señor Visitador general (que se hallaba entonces en el Sur de la California trabajando en el despacho de la Expedicion marítima) avisandole que en todo Marzo esperaba estar dispuesto para poder continuar su viage.

Con esta noticia el V. P. Fr. Junípero, que tenia nombrado para ir con dicha Expedicion al P. Predicador Fr. Juan Crespi, Misionero de la Mision de la Purísima Concepcion, le escribió se pusiese en camino para no hacer falta. Salió el citado Padre de aquella Mision á 26 de Febrero de 1769, y llegó á la Frontera, en donde estaba formado el Real (en el parage que aquellos Gentiles nombraban Vellicatá) el Miercoles Santo dia 22 de Marzo, encontrando ya alli al Señor Capitan, y á toda la gente pronta para la salida, y ya confesada por el Misionero de San Borja, que con este fin habia subido, para que el siguiente dia Jueves Santo cumpliesen todos (como lo hicieron) con el precepto de nuestra Madre la Iglesia, y el Viernes Santo, 24 de Marzo, saliese la Expedicion.

Esta se componia de los siguientes sugetos: el Señor Capitan Comandante, el Padre Fr. Juan Crespi, un Pilotin (que iba para observar y formar el Diario) veinte y cinco Soldados de Cuera, tres Arrieros, y una quadrilla de Indios Neófitos Californios para Gastadores, ayudantes de Arrieros y demás quehaceres que se ofreciesen, armados todos de arco y flechas: y habiendo gastado en el camino cincuenta y dos dias sin novedad alguna, llegaron el 14 de Mayo al Puerto de San Diego, donde hallaron fondeados los dos Barcos, como diré adelante.

Para la segunda parte de la Expedicion quedaron en el dicho parage de Vellicatá las bestias mulares y caballares, toda la carga perteneciente á ella, el ganado bacuno, parte de la Tropa y Arrieros que habian de marchar, y la restante habia de acompañar al Señor Gobernador y V. Padre Presidente, quien suplicó á este Señor se adelantase, supuesto que tenia que recoger otras cargas en el camino; que le dexase dos Soldados, y un mozo, que él saldria despues, y lo alcanzaria antes de llegar á la Frontera. Convenido en esto el citado Señor Gobernador, salió de Loreto con la Tropa el dia 9 de Marzo, y habiendo llegado á mi Mision, me comunicó (aunque de paso) lo malo que estaba del pie y pierna el V. Padre Junípero, pues en el viage que habia hecho hácia el Sur se habia empeorado mucho, como asimismo que creía se le habia acancerado el pie, y dudaba que con este accidente pudiese hacer tan penoso y dilatado viage. ,, Y no obs-
,, tante de haberle hecho presente, el atraso que podia seguir-
,, se á la Expedicion si en el camino se imposibilitaba, no he
,, podido conseguir el que se quede, y que V. P. vaya. Su
,, respuesta ha sido siempre que le he hablado del asunto:
,, que espera en Dios le dará fuerzas para seguir hasta San
,, Diego y Monterey; que vaya yo por delante, que me al-
,, canzará á la raya de la Gentilidad: Yo lo miro casi impo-
,, sible; y asi se lo escribo al Señor Visitador ,, . Dixome que verificase yo lo mismo (como lo hice) y se fue caminando con la Tropa, hasta acercarse á los Gentiles; y en la Mision de San Ignacio se le agregó el Padre Fr. Miguel de la Campa, Ministro que era de élla, y estaba nombrado para subir á la Conquista.

El dia 28 de Marzo, tercera fiesta de la Pasqua de Resureccion, salió nuestro V. Padre de su Mision y Presidio de Loreto, despues de haber celebrado con la devocion que acostumbraba la Semana Santa, y de dexar confesados todos los vecinos de la Mision y Presidio, y comulgados en cumplimiento del precepto de nuestra Santa Madre Iglesia, pues por estas atenciones no pudo ir con el Señor Gobernador;

pero

pero habiendolas concluido en el último dia de la Pasqua, cantó la Misa, predicó al Pueblo, despidiendose de todos hasta la eternidad, y partió de Loreto (como llevo dicho) sin mas compañia que la de dos Soldados y un Mozo. Asi llegó á mi Mision; pero viendole la llaga é hinchazon del pie y pierna, no pude contener las lágrimas al considerar lo mucho que tenia que padecer en los ásperos y penosisimos caminos que eran conocidos hasta la Frontera, y los que se ignoraban, y descubrirían despues, sin mas Médico ni Cirujano que el divino, y sin mas resguardo el accidentado pie que la sandalia, sin usar jamas en quantos caminos andubo en la N. E. como en ambas Californias, zapatos, medias ni botas; disimulando y excusandose con decir, que le iba mejor con tener el pie y piernas desnudas.

Detúvose conmigo en la Mision el V. Padre tres dias, y asi por gozar de su amable compañia por el amor recíproco que nos profesabamos desde el año de 1740, en que me asignó la obediencia por uno de sus Discípulos de Filosofia, como tambien para tratar los puntos pertenecientes á la presidencia, por estar yo nombrado en la Patente de nuestro Colegio de Presidente por muerte ó ausencia del V. Fr. Junípero; antes de hablar acerca de estos asuntos, le hice presente el estado en que se hallaba del pie y pierna, y que naturalmente era imposible pudiese hacer tan dilatado viage; pudiendose originar de esto que se desgraciase la Expedicion, ó por lo menos que se demorara; y que no ignoraba yó, me adelantaba en los deseos, de ir á la Conquista; pero no en las fuerzas y salud que lograba; y que en atencion á esto tuviese á bien el quedarse, y que yo fuese.

Pero habiendo oido mi proposicion, me respondió luego en estos términos: » No hablemos de eso: yo tengo puesta toda mi confianza en Dios, de cuya bondad espero me » conceda llegar, no solo á San Diego, para fixar y clavar en » aquel Puerto el Estandarte de la Santa Cruz; sino tambien » al de Monterey. » Me resigné, viendo que el fervoroso Prelado me excedia, y no poco, en la fé y confianza en Dios,

por

por cuyo amor sacrificaba su vida en las aras de sus apostólicos afanes. Pasamos despues á tratar de los demas asuntos, y concluidos salió de la Mision á continuar su viage, aumentandoseme el dolor de la despedida, al ver que para subir y baxar de la mula en que iba, era necesario que dos hombres, levantándolo en peso, lo acomodasen en la silla. Y fué su última despedida el decirme ,, A Dios hasta Mon-,, terey, donde espero nos juntaremos, para trabajar en ,, aquella Viña del Señor. ,, Mucho me alegré de esto; pero mi despedida fué ,, hasta la eternidad; ,, y habiendo sido reprehendido amorosamente de mi poca fé, me dixo, que le habia penetrado el corazon.

Fué subiendo de una Mision á otra, visitando á los Padres, consolándolos á todos, y pidiendoles lo encomendasen á Dios. Hallabase este su Siervo distante de mi Mision cincuenta leguas, en la de Nrâ. Srâ. de Guadalupe, quando recibí la respuesta del Señor Visitador general á la Carta que le habia escrito, dándole noticia del estado del V. Padre, quien no habia modo de quedarse, y que me parecia no podria seguir la Expedicion; á la que me respondió (como que ya le habia tratado en el Real de Santa Anna, y en el Puerto de la Paz, y conocido su grande espiritu) con esta expresion ,, Me alegro ,, mucho vaya caminando con la Expedicion el R. P. Junípe-,, ro, y alabo su fé y gran confianza que tiene en que ha de ,, mejorar, y que le ha de conceder Dios, el llegar á S. Diego: ,, *Esta misma confianza tengo yo* ,, Y ciertamente, como despues veremos, no le salió falsa. Con esta respuesta perdí yo la esperanza de ir con la Expedicion; pero conformandome con la voluntad de Dios, proseguí pidiendo á su Magestad por la salud de mi venerado Padre, y feliz exíto de las Expediciones.

Con mucho trabajo, no menor fatiga, y ningun alivio del penoso accidente, pudo alcanzar en el parage de nuestra Señora de los Angeles (Frontera de la Gentilidad) al Señor Gobernador y Padre Predicador Fr. Miguel de la Campa; y habiendo descansado alli tres dias, siguieron juntos con la Tropa entre la Gentilidad, hasta llegar al parage de Vellicacatá, donde estaba parado el Real con todas las cargas, y entraron en él dia 13 de Mayo.

CAPITULO XV.

Funda el V. Padre la primera Mision, que dedicó á San Fernando, y sale con la Expedicion para el Puerto de San Diego.

COn motivo de la detencion de la Gente y Tropa de las Expediciones en el parage nombrado de aquellos naturales Vellicatá, hubo lugar para que se explorase aquel terreno y todas sus cercanias, como tambien para que los Soldados hiciesen algunas casitas para resguardarse la temporada que duró la mansion; y asimismo una Capillita en que les dixo Misa el Padre Predicador Fr. Fermin Lazuen, quando fué por la Quaresma á confesar á la gente del primer trozo de la Expedicion que queda ya citada; y habiendo llegado á aquel sitio el Señor Gobernador, y los Padres Presidente y Fr. Miguel de la Campa el dia 13 de Mayo (como dixe en el Capítulo antecedente) Vigilia de Pentecostés; les pareció que estaba acomodado para fundar alli una Mision, y mas por haberles dicho lo mismo los Soldados, que habiendo estado en aquel parage algunos meses con el ganado y caballada, habian registrado algunas leguas de su circuito. En esta atencion, y que era muy conveniente para la comunicacion desde San Diego á la antigua California, y que la Mision mas inmediata á Vellicatá, era la de San Francisco de Borja, distante como sesenta leguas de tierra despoblada, esteril y falta de aguas, determinaron hacer el establecimiento en el citado sitio.

Convenidos en esto, y no pudiendo demorarse, por la precision de marchar para San Diego, se dispuso que el siguiente dia (14 de Mayo) tan festivo, como que era el del Espíritu Santo, se tomase posesion del terreno en nombre

de

de nuestro Católico Manarca, y que se diese principio á la Mision. Luego que vieron estas resoluciones los Soldados, Mozos y Arrieros, dieron mano á limpiar la pieza que havia de servir de Iglesia interina, y á adornarla segun la posibilidad que habia: colgaron las campanas, y formaron una grande Cruz.

El dia siguiente, 14 de Mayo (como queda dicho) y primero de Pasqua del Espíritu Santo, se dió principio á la fundacion. Revistióse el V. Padre de Alba y Capa pluvial; bendijo Agua, y con ella el sitio y Capilla, é inmediatamente la Santa Cruz, la que habiendo sido adorada de tódos, fué enarbolada y fixada en el frente de la Capilla. Nombró por Patrono de ella y de la Mision (al que lo es de nuestro Colegio) el Santo Rey de Castilla y Leon Señor San Fernando, y por Ministro de ella al Padre Predicador Fr. Miguel de la Campa Coz; y habiendo cantado la Misa primera, hizo una fervorosa Plática de la venida del Espíritu Santo, y establecimiento de la Mision. Concluido el Santo Sacrificio (que se celebró sin mas luces que las de un cerillo, y otro pequeño cabo de vela, por no haber llegado las cargas en que venia la cera) cantó el *Veni Creator Spiritus*, supliendo la falta de Organo, y demás instrumentos músicos, los continuos tiros de la Tropa, que disparó durante la funcion; y el humo de la pólvora, al del incienso que no tenian.

Por la urgencia con que debia salir la Expedicion, no logró el V. P. Fundador el gusto de ver en esta Mision primera Bautismo alguno, como lo tuvo por primicia en las otras diez que estableció; pero delante de Dios no perderia el mérito de los muchos Gentiles que á su Magestad se convirtieron; pues pasado el tiempo de quatro años, y quando se entregó aquella Mision á los RR. PP. Dominicos, habia en ella 296 Christianos nuevos de todas edades, segun consta del Padron que entregué á los mismos Padres, y firmado por ellos se remitió al Exmô. Señor Virey. Habiendose mantenido allí nuestro V. Fr. Junípero tres dias, quiso el Señor enseñarle una Quadrilla de Gentiles que en breve tiempo recibieron

ron el Sagrado Bautismo, causandole grande regocijo, como manifiesta en la siguiente expresion de su Diario, que no omito insertar, ya que no puede ir todo por lo muy volumosa que se haria esta Relacion.

„ Dia 15 de Mayo, segundo dia de Pasqua, y de fun„ dada la Mision, despues de las dos Misas, que el Padre „ Campa, y yo celebramos, tuve un gran consuelo, porque „ acabadas las dos Misas, estandome recogido dentro del „ xacalito de mi morada, me avisaron que venian, y ya cer„ ca, Gentiles. Alabé al Señor, besé la tierra, dando á su Ma„ gestad gracias, de que despues de tantos años de desearlos, „ me concedia yá verme entre éllos en su tierra. Salí pron„ tamente, y me hallé con doce de éllos, todos varones, y „ grandes, á excepcion de dos, que eran muchachos, el uno „ como de diez años, y el otro de diez y seis: ví lo que „ apenas acababa de creer, quando lo leia, ó me lo contaban, „ que es el andar enteramente desnudos, como Adan en „ el Paraiso, antes del pecado. Asi iban, y así se nos pre„ sentaron; y los tratamos largo rato, sin que en todo él, „ con vernos á todos vestidos, se les conociese la mas míni„ ma señal de rubor á estar de aquella manera desnudos. A „ todos, uno por uno, puse ambas manos sobre sus cabezas, „ en señal de cariño; les llené ambas manos de higos pasa„ dos, que luego comenzaron á comer; y recibimos, con mues„ tras de apreciarles mucho, el regalo que nos presentaron, „ que fue una red de mescales tlatemados, y quatro pesca„ dos, mas que medianos, y hermosos; aunque como los po„ bres no tuvieron la advertencia de destriparlos, y mucho „ menos de salarlos, dixo el Cocinero que ya no servian. El P. „ Campa tambien les regaló sus pasas: el Señor Gobernador „ les dió Tabaco en oja: todos los Soldados los agasajaron y „ les dieron de comer; y yo con el Intérprete les hice sa„ ber que ya en aquel propio lugar se quedaba Padre de pie, „ el que alli veían, y se llamaba Padre Miguel: que viniesen „ ellos y demás gentes de sus conocidos á visitarlo, y que „ echasen la voz de que no habia que tener miedo ni recelos

que

„ que el Padre sería muy su amigo; y que aquellos Señores
„ Soldados que allí quedaban junto con el Padre todos les ha-
„ rian mucho bien, y ningun perjuicio: Que ellos no hurtasen
„ de las reses que iban por el campo; sino que en teniendo
„ necesidad viniesen á pedir al Padre, y les daria siempre
„ que pudiese. Estas razones y otras semejantes, parece que
„ atendieron muy bien, y dieron muestras de asentirlas to-
„ dos, de suerte que me pareció que no habian de tardar en
„ dexarse coger en la red apostólica, y evangélica. „ Asi fué,
como despues veremos: y el Señor Gobernador le dixo al
que hacia de Capitan, que si hasta entonces no mas tenia este título, por el decir, ó querer de sus gentes, que desde
este dia lo hacia Capitan, y con su poder, en nombre del
Rey nuestro Señor.

Viendo el citado Señor que tan prontamente ocurrian
Gentiles á aquella primera Mision, puso luego en execucion
la orden que tenia del Señor Visitador general para entregar al Padre de aquella Doctrina la quinta parte del ganado bacuno, cuya porcion recibió el Padre Campa en nombre de sus futuros hijos, señalando aquellas reses para dis-
tinguirlas de las demas que quedaron alli pertenecientes á
las Misiones de Monterey, por parecerle asi conveniente al
Señor Gobernador, pues ignoraba el éxito de las Expediciones. Dexó asimismo al citado Padre quarenta fanegas
de Maiz, un tercio de Harina, y otro de pan vizcochado,
chocolate, higos y pasas, para tener con que regalar á los
Gentiles para atraerlos; le dexó de resguardo una escolta de
Soldados con su Cabo; y el mismo dia 15 por la tarde salió la
Expedicion, aunque anduvo solas tres leguas.

En los tres dias que se mantuvo en Vellicatá no sintió
nuestro V. Padre novedad alguna en el pie; desde luego que
la alegria y divertimiento con la citada fundacion le harian
olvidar los dolores; pero no fué asi, pues luego en la primera
jornada de tres leguas, se le inflamó de tal suerte el pie y
pierna, que parecia estar acancerado; y entonces eran con
tanta vehemencia, que no lo dexaban sosegar; pero no obstante

tante, sin decir nada anduvo otra jornada, tambien de tres leguas, hasta llegar al parage nombrado San Juan de Dios. Alli se sintió ya tan agravado del accidente, que no pudiendo mantenerse en pie, ni estar sentado, hubo de postrarse en la cama, padeciendo los dolores con tanta fuerza, que le imposibilitaban el dormir.

Viendolo de esta suerte el Señor Gobernador, le dixo: » Padre Presidente, ya vé V. R. como se halla incapaz de » seguir con la Expedicion: estamos distantes de donde sali- » mos solo seis leguas; si V. R. quiere, lo llevarán á la pri- » mera Mision, para que alli se restablezca, y nosotros se- » guiremos nuestro viage. » Pero nuestro V. Padre, que ja- mas desmayó en su esperanza, le respondió de esta manera: » No hable Vm. de esto, porque yo confio en Dios, me ha » de dar fuerzas para llegar á San Diego, como me las ha » dado para venir hasta aqui; y en caso de no convenir, me » conformo con su santísima voluntad. Mas que me muera » en el camino, no vuelvo atrás, abien que me enterrarán, » y quedaré gustoso entre los Gentiles, si es la voluntad de » Dios ».

Considerando el citado Señor Gobernador la firme re- solucion del V. Padre, y que ni á caballo ni á pie podia se- guir, mandó hacer un tapestle en forma de parigüela ó fé- retro de difuntos (formado de varas) para que acostado alli, lo llevasen cargado los Indios Neófitos de la California, que iban con la Expedicion para Gastadores y demás oficios que se ofreciesen. Al oir esto el V. Padre se contristó mu- cho, considerando (como prudente y humilde) el trabajo tan grande que se originaba á aquellos pobres en cargarlo. Con esta pena, recogido en su interior, pidió á Dios, le diese alguna mejoria, para evitar la molestia que se seguia á los Indios, si lo conducian de este modo; y avivando su fé y confianza en Dios, llamó aquella tarde al Arriero Juan Anto- nio Coronel, y le dixo: » Hijo, ¿ no sabrás hacerme un reme- » dio para la llaga de mi pie y pierna? » Pero él le respondió: » » Padre, ¿ qué remedio tengo yo de saber? ¿ que acaso soy

Ci-

„ Cirujano? Yo soy Arriero, y solo hé curado las matadu-
„ ras de las bestias „ „ Pues hijo: haz cuenta que yo soy
„ una bestia, y que esta llaga es una matadura, de que ha
„ resultado la hinchazon de la pierna, y los dolores tan gran-
„ des que siento, que no me dexan parar ni dormir; y hazme
„ el mismo medicamento que aplicarias á una bestia. „ Sonriendose el Arriero, y todos los que lo oyeron, le respondió:
„ Lo haré, Padre, por darle gusto „ Y trayendo un poco de
sebo, lo machacó entre dos piedras, mezclándole las yerbas
del campo que halló á mano; y habiendolo frito, le untó el
pie y pierna, dexandole puesto en la llaga un emplastro de
ambas materias. Obró Dios de tal suerte, que (como me escribió su Siervo desde San Diego) se quedó dormido aquella
noche hasta el amanecer, que dispertó tan aliviado de sus
dolores y llaga, que se levantó á rezar Maitines y Prima,
como lo tenia de costumbre; y concluido el rezo dixo Misa,
como si no hubiera padecido tal accidente. Quedaron admirados asi el Señor Gobernador como los demas de la Tropa
al vér en el V. Padre tan repentina salud y alientos, que para seguir la Expedicion tenia, sin que por su causa hubiese
la mas mínima demora.

Continuó la Expedicion su camino, siguiendo el rastro
de los Exploradores, que era el mismo que habia andado tres
años antes el Padre Wenceslao Link (segun dixeron los
Soldados que lo acompañaron en la Expedicion al Rio Colorado) hasta un lugar que el citado Padre nombró la Cieneguilla, distante de la nueva Mision de San Fernando en
Vellicatá veinte y cinco leguas al rumbo del Norte. Del
citado sitio seguia el rastro de dicha Expedicion, hacia el
mismo viento, buscando el desemboque del Rio Colorado, á
donde no pudo llegar, porque (como dice en su Diario que
formó y remitió al Exmô. Señor Virey) á pocos dias de haber salido de la Cieneguilla, encontraron con una grande
Sierra, toda de piedra, donde por imposibilitadas las bestias,
no pudieron seguir, y se vieron obligados á retroceder hasta
la Mision frontera nombrada San Borja, de donde habia salido la citada Expedicion.   De

De todo esto eran sabedores los de la nuestra, asi por las noticias que daban algunos Soldados que iban en élla, y habian acompañado al Dicho Padre Jesuita, como por las que ministraba el diario de éste, que tenia nuestro V. Fr. Junípero. Y como quiera que nuestras Expediciones no se encaminaban al Rio Colorado, sino al Puerto de San Diego, dexaron el rumbo del Norte desde la Cieneguilla, y tomaron el del Noroeste, declinandose á la Costa del Mar grande, ó Pacífico; con lo qual lograron hallar el deseado Puerto de San Diego, á donde arribaron el dia 1. de Julio, habiendo gastado en el viage desde la Mision de San Fernando quarenta y seis dias.

Quando los individuos de esta Expedicion divisaron aquel Puerto, desde luego parece se llenó á todos el corazon de alegria, segun las demostraciones que hizo la Tropa en continuos tiros, á los quales correspondió la del primer trozo que habia llegado alli, el mismo dia que en Vellicatá se celebró la fundacion de la primera Doctrina nombrada S. Fernando. Asimismo acompañaron la salva los dos Barcos que estaban ya fondeados en el mismo Puerto, la qual duró hasta que apeandose todos, pararon á significarse su recíproco cariño con estrechos abrazos, y finos parabienes, de verse todas las Expediciones juntas, y ya en su anhelado destino.

Las funciones que en aquel Puerto practicaron despues de su llegada á él, asi el Señor Gobernador (principal Gefe y Comandante) con el R. P. Presidente, se verán en el siguiente Capitulo; el qual ocupará la Carta que á su llegada me escribió mi venerado P. Lector Fr. Junípero, en que me dá noticia de su viage, y del de los demás, con las providencias y determinaciones de los Señores Comandantes de mar y tierra.

CA-

CAPITULO XVI.

Copia de Carta del V. Padre, y lo que determinó en San Diego sobre la Expedicion.

" Viva Jesus, Maria y Joseph. = R. P. Lector, y Presi-
" dente Fr. Francisco Paloú = Carísimo mio y mi Se-
" ñor: Celebraré que V. R. se halle con salud, y trabajando
" con mucho consuelo y felicidad en el establecimiento de
" esa nueva Mision de Loreto y de las otras, y que quanto
" antes venga el refuerzo de nuevos Ministros, para que todo
" quede establecido en buen orden, para consuelo de todos.
" Yo, gracias á Dios, llegué antes de ayer, dia 1. de este mes á
" este Puerto de S. Diego, verdaderamente bello, y con razon
" famoso. Aqui alcancé á quantos habian salido primero que
" yo, asi por mar, como por tierra, menos los muertos. Aqui
" están los Compañeros Padres Crespi, Vizcaino, Parron,
" Gomez, y yo, todos buenos, gracias á Dios. Aqui estan los
" dos Barcos, y el S. Carlos sin Marineros, porque todos se
" han muerto del mal de loanda, y solo le há quedado uno y
" un Cocinero. En San Antonio, aliás el Principe, cuyo Ca-
" pitan es D. Juan Perez, Paisano de la rivera de Palma,
" aunque salió un mes y medio despues, llegó acá veinte dias
" antes que el otro. Estando ya proximo á salir para Monte-
" rey, llegó San Carlos; y para socorrerle con su gente, esta
" se le infestó tambien, y se murieron ocho; y en fin, lo que
" han resuelto, es que dicho San Antonio se vuelva desde
" aqui á San Blas, y que traiga Marineros para él y para San
" Carlos, y despues irán los dos: Veremos el Paquebot San
" Joseph como llega, y si viene bien, el postrero será el
" primero que vaya.

" Han sido la ocasion del atraso de San Carlos dos co-
" sas. La primera, que por el mal barrilage, de donde inopi-
" nadamente hallaron que se salia el agua, y de quatro bar-
" riles, no podian llenar uno; hubieron derepente de arribar

" á

„ á tierra á hacerla, y la cogieron de mala parte y calidad, y
„ por ella empezó á enfermar la gente. La segunda fué, que
„ por el error en que estaban todos, asi S. Illmâ. como los de-
„ más, de que este Puerto estaba en altura de 33 á 34 grados de
„ Polo, pues de los Autores, unos dicen lo uno, y otros lo se-
„ gundo, dió orden apretada al Capitan Vila, (y lo mismo
„ al otro) que se enmarasen mar á dentro, hasta la altura de
„ 34 grados, y despues recalasen en busca de dicho Puerto;
„ y como este, *in rei veritate*, no está en mas altura que la
„ de 32 grados y 34 minutos, segun la observacion que han
„ hecho estos Señores, por tanto pasaron mucho mas arri-
„ ba de este Puerto, y quando lo buscaron no lo hallaban:
„ por eso se les hizo mas larga la navegacion; y como la
„ gente ya enferma, se llegó mas al frio, y proseguian con
„ la agua mala, vinieron á postrarse de manera, que si no
„ encuentran tan breve con el Puerto, perecen todos, por
„ que ya no podian echar la Lancha al mar para hacer agua,
„ ni otra maniobra. El P. Fr. Fernando trabajó mucho con
„ los enfermos, y aunque llegó flaco, no tuvo especial nove-
„ dad, y ya está bueno; pero ya que salió con bien, no quie-
„ ro que se vuelva á embarcar, y se queda gustoso acá.

„ En esta ocasion escribo largo á S. Illmâ. al Colegio, y
„ á nuestro Padre Comisario general; y por eso estoy algo
„ cansado, y si no fuera porque el Capitan Perez, viendome
„ atareado, hace la entretenida, creo se habria ido, sin po-
„ der escribir de provecho. Por lo que toca á la caminata
„ del Padre Fr. Juan Crespi, con el Capitan, me dice, que
„ escribe á V. R. por este mismo Barco, y asi no tengo
„ que decir. En quanto á mí, la caminata ha sido verdade-
„ ramante feliz, y sin especial quebranto ni novedad en la
„ salud. Salí de la Frontera malísimo de pie y pierna;
„ pero obró Dios, (esta expresion alude al medicamento del
„ Arriero) y cada dia me fui aliviando, y siguiendo mis jor-
„ nadas, como si tal mal tuviera. Al presente el pie queda
„ todo limpio como el otro; pero desde los tobillos hasta me-
„ dia pierna está como antes estaba el pie, hecho una llaga;

pero

» pero sin hinchazon, ni mas dolor, que la comezon que dá
» á ratos; en fin, no es cosa de cuidado.

   » No he padecido hambre ni necesidad, ni la han pa-
» decido los Indios Neófitos que venian con nosotros, y asi
» han llegado todos sanos y gordos. He hecho mi Diario,
» del que remitiré en primera ocasion un tanto á V. R. Las
» Misiones en el tramo que hemos visto, seran todas muy
» buenas, porque hay buena tierra, y buenos aguages, y ya
» no hay por acá, ni en mucho trecho atras, piedras ni espi-
» nas: cerros sí hay continuos y altísimos; pero de pura tier-
» ra: los caminos tienen de bueno y de malo, y mas de este
» segundo; pero no cosa mayor: desde medio camino, ó an-
» tes, empiezan á estar todos los Arroyos y Valles hechos
» unas Alamedas. Parras las hay buenas y gordas, y en algu-
» nas partes cargadísimas de ubas. En varios Arroyos del
» camino, y en el parage en que nos hallamos, á mas de las
» Parras, hay varias rosas de Castilla. En fin es buena, y
» muy distinta tierra de la de esa antigua California.

   » De los dias que van de 21 de Mayo, en que salimos de
» San Juan de Dios, segun escribí á V. R. hasta 1. de Julio
» que llegamos acá, quitados como ocho dias, que entrevera-
» damente hemos dado de descanso á los animales, uno aqui,
» y otro acullá, todos los dias hemos caminado; pero la ma-
» yor jornada ha sido de seis horas, y de estas solo ha habi-
» do dos, y las demás de quatro, ó quatro y media, de tres de
» dos, y de una y media, como cada dia expresa el Diario, y
» eso á paso de requa; de lo que se infiere, que abilitados y
» enderezados los caminos, podrán ahorrar muchas leguas de
» rodeos escusados; no está esto muy lexos, y creo despues de
» dicha diligencia, podrá ser materia de unos doce dias para
» los Padres, que los Soldados ahora mismo dicen, que irán
» á la ligera hasta la Frontera de Vellicatá en mucho
» menos.

   » Gentilidad la hay inmensa, y todos los de esta contra-
» Costa (del Mar del Sur) por donde hemos venido, desde
» la Ensenada de todos Santos, que asi la llaman los Mapas y
                        » Der-

„ Derroteros) viven muy regalados con varias semillas, y con
„ la pesca que hacen en sus balsas de tule, en forma de Ca-
„ noas, con lo que entran muy adentro del mar y son afa-
„ bilísimos, y todos los hombres chicos, y grandes, todos
„ desnudos, y mugeres y niñas honestamente cubiertas, hasta
„ las de pecho, se nos venían así en los caminos, como en los
„ parages, nos trataban con tanta confianza, y paz, como si
„ toda la vida nos hubieran conocido; y queriéndoles dar co-
„ sa de comida, solían decir, que de aquello no, que lo que
„ querían era ropa; y solo con cosa de este género, eran los
„ cambalaches que hacían de su pescado con los Soldados y
„ Arrieros: Por todo el camino se ven Liebres, Conexos, tal
„ qual Venado, y muchísimos Verrendos.

„ La Expedicion de tierra, me dice el Señor Goberna-
„ dor, la quiere proseguir juntamente con el Capitán de aqui
„ á tres dias, ó quatro, y aqui nos dexará (dice) ocho Sol-
„ dados de Cuera de Escolta, y algunos Catalanes enfermos,
„ para que si mejoran, sirvan. La Mision no se ha fundado;
„ pero voy luego que salgan á dar mano á ello. Amigo, aqui
„ me hallaba, quando me vino el Paisano Capitan diciendo-
„ me, que ya no puede esperar mas, sin quedar mal, y asi,
„ concluyo con decir, que estos Padres se encomiendan
„ mucho á V. R.; que quedamos buenos, y contentos; que
„ me encomiendo al Padre Martinez, y demás Compañeros,
„ á quienes tenia ánimo de escribir; pero no puedo, y lo ha-
„ ré en primera ocasion. Esta la incluyo al Padre Ramos,
„ que el Paisano me dice que va á dar al Sur, para que la lea,
„ y la remita á V. R. cuya vida y salud guarde Dios muchos
„ años. De este Puerto y destinada nueva Mision de San
„ Diego en la California Septentrional, y Julio 3 de 1769. =
„ B. L. M. de V. R. su afectisimo Hermano y Siervo = Fr.
„ Junípero Serra. „

Habiendo llegado al Puerto de San Diego el Paquebot
S. Antonio, aliás el Principe, el dia 11 de Abril, y el S. Carlos veinte dias despues, se juntó esta Expedicion marítima
con la de tierra, cuyo primer trozo, mandado del Señor Capitan,

pitan, entró allí á 14 de Mayo; y el segundo del cargo del Señor Gobernador á 1. de Julio. En este lugar hicieron Junta ambos Señores Comandantes, para conferir, y determinar lo que debia executarse, respecto á la poca gente de Mar que existia viva y libre de aquel contagio en la Capitana, asi de Tripulacion, como de la Tropa que de la California habia venido; pues por esta razon no podian cumplirse ya las instrucciones que traían del Señor Visitador general. En atencion á todo esto resolvió la expresada Junta que el Paquebot San Antonio, á cargo de su Capitan D. Juan Perez, con la Tripulacion capaz de hacer viage, se regresase sin dilacion alguna al Puerto de San Blas, asi para dar cuenta á la Capitana general, como para conducir la Tripulacion que ambos Barcos necesitaban. Asi lo executó saliendo el dia 9 de Julio, y despues de dias llegó á San Blas con muy poca gente, por habersele muerto en el camino nueve hombres, cuyos cadáveres hubo de echar al agua.

Asimismo se determinó que en el Hospital, en el Puerto de San Diego, quedasen todos los enfermos, asi Soldados, como Marineros, con algunos de los que estaban sanos, para que los cuidasen, y el Cirujano Francés D. Pedro Prat: Que la Capitana San Carlos quedase fondeada, y en ella el Capitan Comandante D. Vicente Vila, el Pilotin con unos quatro ó cinco Marineros y convalecientes, y un muchacho, quedando de acuerdo que luego que llegase el tercer Paquebot San Joseph, se quedase fondeado con sola la gente muy precisa, para que pasando la restante á la Capitana, quedase esta habilitada, y caminase para Monterey, donde la esperaria la Expedicion de tierra, que habia de salir luego que se hiciese á la vela el Príncipe.

Dispúsose todo lo necesario de víveres y demas que se juzgó conveniente para un viage desconocido, y á juicio de todos dilatado. Los bastimentos y cargas de utensilios pertenecientes á Iglesia, casa y campo que habian conducido las Expediciones se dexaron en San Diego, quedando para su custodia ocho Soldados de Cuera.

En

En vista de lo determinado por la Junta de los citados Señores Comandantes, nombró nuestro V. P. Presidente, de los cinco Padres que se hallaban en San Diego, á Fr. Juan Crespi, y Fr. Francisco Gomez, para que fuesen con la Expedicion de tierra destinada á Monterey; y el V. Padre con los otros dos Fr. Juan Vizcaino, y Fr. Fernando Parron, se quedaron en San Diego, entretanto llegaba el Paquebot San Joseph, por tener determinado entonces el Siervo de Dios embarcarse en el primer Barco que subiese á Monterey.

Luego que se verificó la salida del Príncipe el dia 9 (como queda dicho) se determinó el dia en que habia de marchar la Expedicion de tierra, y fué señalado por el Señor Comandante el dia 14, en que se celebra al Seráfico Doctor S. Buenaventura; y nombró para el viage á las sesenta y seis Personas siguientes: El Señor Gobernador D. Gaspar de Portalá, primer Comandante, con un Criado; los dos Padres ya referidos, y dos Indios Neófitos de la antigua California para su servicio; D. Fernando Rivera y Moncada, Capitan y segundo Comandante, con un Sargento y veinte y seis Soldados de su Compañia de cuera: D. Pedro Faxes, Teniente de la Compañia Franca de Cataluña, con los siete de sus Soldados que le habian quedado aptos para el viage, por habersele muerto muchos, y quedado los demás en San Diego enfermos; Don Miguel Constanzó, Ingeniero, siete Arrieros, y quince Indios Californios Neófitos para Gastadores, y ayudantes de Arrieros en los atajos de Mulas que conducian todos los bastimentos que se consideraron suficientes, á efecto de que no se experimentase hambre ni necesidad, segun los repetidos encargos del Señor Visitador general.

Hechas todas estas disposiciones, y despues de haber celebrado el Santo Sacrificio de la Misa todos los Padres al Santísimo Patriarca Señor San Joseph, como Patrono de las Expediciones, y al Serafico Dr. San Buenaventura (en cuyo dia se hallaban) salió la Expedicion de San Diego, tomando el rumbo al Noroeste, y á la vista del Mar Pacífico, cuya Costa tira al mismo viento. Fue la salida á las quatro de la

tar-

tarde, y hubieron de parar despues de haber andado dos leguas y media. El curioso que quisiere saber de este viage, lo remito al Diario que por extenso formó el P. Fr. Juan Crespi en el mismo camino; tomando el trabajo, en las paradas, de escribir lo que habian andado cada dia, con las particularidades ocurridas; y no lo inserto en esta Relacion, por evitar tanta difusion, considerando esta tarea agena del V. Padre Junípero; y paso á referir lo que este practicó en San Diego, interin la Expedicion salia á explorar el Puerto de Monterey.

CAPITULO XVII.

Funda la segunda Mision de San Diego, y lo que sucedió en ella.

Aquel fervoroso zelo en que continuamente ardia y se abrasaba el corazon de nuestro V. P. Fr. Junípero, no le permitia olvidar el principal objeto de su venida; y él fue quien le obligó (á los dos dias de salida la Expedicion) á dar principio á la Doctrina de San Diego en el Puerto de este nombre, con que se conocia desde el año de 1603, y lo habia señalado el General Don Sebastian Vizcaino. Hizo la funcion del establecimiento con la Misa cantada y demas ceremonias de costumbre que quedan expresadas en el tratado de la fundacion de la de San Fernando, el dia 16 de Julio, en que los Españoles celebramos el Triunfo de la Santísima Cruz, esperanzado, en que asi como en virtud de esta sagrada Señal lograron los Españoles en el propio dia, el año de 1212, aquella célebre Victoria de los Bárbaros Mahometanos, lograrian tambien, levantando el Estandarte de la Santa Cruz, ahuyentar á todo el infernal Exército, y sujetar al suave yugo de nuestra Santa Fé la barbaridad de los Gentiles que habitaban esta nueva California; y mas implorando el Patrocinio de Maria Santísima, á quien en el mismo dia celebra la universal Iglesia, baxo el título del Monte Carmelo. Con esta
fé

fé y zelo de la salvacion de las almas, levantó el V. P. Junípero el Estandarte de la Santa Cruz, fixándola en el sitio que
le pareció mas propio para la formacion del Pueblo, y á la
vista de aquel Puerto. Quedaron de Ministros, nuestro V.
Padre y Fr. Fernando Parron; y con la poca gente que existia sana, en los ratos que no era preciso asistir á los enfermos, se fueron construyendo unas humildes Barracas; y habiendose dedicado una para Iglesia interina, se procuraron
atraher alli con dádivas y afectuosas expresiones, á los Gentiles que se dexaban ver; pero como quiera que estos no
entendian nuestro idioma, no atendian á otra cosa que á recibir lo que se les daba, como no fuese comida, porque esta
de manera alguna quisieron probarla, de suerte, que si á algun muchacho se le ponia un pedazo de dulce en la boca,
lo arrojaba luego como si fuese veneno. Desde luego atribuyeron la enfermedad de los nuestros á las comidas que
ellos jamas habian visto: Esta fué, sin duda, singular providencia del altísimo; porque si como apreciaban la ropa, se
hubieran aficionado de los comestibles, hubieran acabado,
por hambre, con aquellos Españoles.

Siendo tan grande su aversion á nuestras comidas, no
era menor el deseo con que ansiaban por la ropa, hasta pasar al hurto de quantas cosas podian de esta clase; llegando
á tanto extremo, que ni en el Barco estaban seguras sus velas; pues habiendose arrimado una noche á él, con sus balsas de tule, los hallaron cortando un pedazo de una, y en
otra ocasion un calabrote, para llevarselo. Esto dió motivo á
poner á bordo la Centinela de dos Soldados (de los ocho de
Cuera que habian quedado) y con este temor hubieron de
contenerse; pero á la Mision se minoró la Escolta, y mas en
los dias festivos, que era menester fuesen con el Padre que
iba á celebrar Misa en el Barco, otros dos Soldados de resguardo, por si se verificaba algun insulto de los Gentiles.

Todo esto observaron ellos atentamente, ignorando la
fuerza de las armas de fuego, y confiando en la multitud de
gente que tenian, y en sus flechas y macanas de madera,

en

en forma de sables, que cortan como el acero, y otras como porras ó mazos, con que hacen mucho estrago, empezaron á robar sin temor alguno; y viendo que no se les permitia, quisieron probar fortuna, quitando la vida á todos los nuestros, y quedando ellos con los expolios. Asi lo intentaron hacer en los dias 12 y 13 de Agosto; pero habiendo hallado resistencia, hubieron de retirarse.

El dia 15 del mismo mes, en que se celebra la gran festividad de la gloriosa Asuncion de nuestra Reyna y Señora á los Cielos) luego que salieron con el P. Fr. Fernando, que iba á decir Misa á bordo, dos de los Soldados, quedando solos quatro en la Mision, y habiendo acabado de celebrar el santo Sacrificio el V. P. Presidente, y el Padre Vizcaino, en que comulgaron algunos, cayó un gran número de Gentiles, armados todos á guerra, y empezaron á robar quanto encontraban, quitando á los pobres enfermos hasta las sábanas con que se cubrian. Gritó luego al arma el Cabo; y viendo los contrarios la accion de vestirse los Soldados las cueras y adargas (armas defensivas con que se burlan de las flechas) y que al mismo tiempo tomaban los fusiles, se apartaron, empezando á disparar sus flechas, y los quatro Soldados, Carpintero y Herrero á hacer fuego con valor; pero principalmente el Herrero, que sin duda la Sagrada Comunion, que acababa de recibir, le infundió extraordinario aliente; y no obstante de no tener cuera para resguardo, iba por entremedio de las casas ó Barracas, gritando: ,, Viva la Fé ,, de Jesu Christo, y mueran esos perros enemigos de élla; ,, y haciendo fuego al mismo tiempo contra los Gentiles.

El V. P. Presidente con su Compañero se hallaba dentro de la Barraca, encomendando á Dios á todos, para que no resultase alguna muerte, asi de los Gentiles, para que no se perdiesen aquellas almas sin Bautismo, como de los nuestros. Quiso el Padre Vizcaino mirar si se retiraban los Indios, y con este fin alzó un poco la manta de ixtle ó pita, que servia de puerta á aquella habitacion; pero no bien lo hubo hecho, quando una flecha le hirió la mano (que aunque despues

pues sanó, le quedó siempre malo un dedo) y con esto, dexando caer la cortina, no trató mas que de encomendarse á
Dios, como lo hacia su Siervo Fr. Junípero.

Continuando la guerra, y los funestos alaridos de los
Gentiles, se entró á toda prisa en la Barraca de los Padres
el Mozo que los cuidaba, llamado Joseph Maria, y postran-
dose á los pies de nuestro Venerable, le dixo: ,, Padre, absuel-
,, vame, que me han muerto los Indios. ,, Absolvióle el Padre é inmediatamente quedó muerto, pues le habian traspasado la garganta; y ocultando los Ministros esta muerte, la
ignoraron los Gentiles. De estos cayeron varios; y viendo
los otros la fuerza de las armas de fuego, y el valor de los
Christianos, se retiraron luego con sus heridos, sin dexar alguno tirado, para precaver que los nuestros supiesen (como
no lo consiguieron) si habia muerto alguno en el combate.
De los Christianos quedaron heridos, á mas del Padre Vizcaino, un Soldado de Cuera, un Indio Californio, y el valeroso Herrero; pero ninguno de cuidado, pues en breve tiempo sanaron todos, y la muerte del citado Mozo quedó en
silencio.

De los Gentiles, aunque ocultaron los difuntos, se supo
los que quedaron heridos; pues á pocos dias vinieron de paz,
pidiendo los curasen, como lo hizo de caridad el buen Cirujano, y los puso buenos. Esta caridad que observaron en los
nuestros, obligó á los Indios á cobrarles algun afecto; y la
triste experiencia de su desgraciada empresa, les infundió
temor y respeto, con que se portaron yá de distinto modo
que antes, freqüentando visitar la Mision; pero sin ningun
aparato de armas.

Entre los que mas se acercaban, habia un Indio de edad
de quince años, que raro dia dexaba de ocurrir, y ya comia
sin el menor rezelo, quanto le daban los Padres. Procuró
nuestro Fr. Junípero regalarlo, y que aprendiese algo de
nuestro idioma, para ver si por este medio conseguia algun
Bautismo de los Párvulos. Pasados algunos dias, y entendiendo ya algo el Indio, le dixo el V. Padre, que viese si le traía
algun

algun chiquito, con consentimiento de sus Padres, que lo haria Christiano como nosotros, echandole una poca de agua en la cabeza, con que quedaria hijo de Dios, y del Padre, y pariente de los Soldados (que ellos llamaban *Cuerés*) y le regalaria ropa para que anduviese vestido como los Españoles. Con estas expresiones, y otras que su fervoroso zelo le hacia idear, parece que el Indio lo entendió, y comunicándolo á los demás, vino dentro de pocos dias con un Gentil (y otros muchos que lo acompañaban) que traía en brazos un niño, y daba á entender por las señas que hacia, que era su voluntad se lo bautizasen. Llenandose de gozo nuestro V. Padre, dió luego una poca de ropa para cubrir al niño, convidó al Cabo para Padrino, y á los Soldados para que solemnizasen el primer Bautismo, que presenciaron tambien los Indios. Luego que el V. Padre concluyó las ceremonias, y estando para echarle el agua, arrebataron los Gentiles al niño, y se marcharon con él á la Rancheria, dexando al V. Padre con la concha en la mano. Aqui fué menester toda su prudencia para no inmutarse con tan grosera accion, y su respeto para contener á los Soldados no vengasen el desacato; pues considerando la barbaridad é ignorancia de aquellos miserables, fué preciso el disimular.

Fué tanto el sentimiento de nuestro V. Padre por habersele frustrado bautizar á aquel niño, que por muchos dias le duró, y se miraba en su semblante el dolor y pena que padecia, atribuyendo S. R. á sus pecados el hecho de los Gentiles; y aun despues de pasados años, quando contaba este caso, necesitaba enjugarse los ojos de las lágrimas que vertia, concluyendo con estas palabras: ,, Demos gracias á Dios, ,, que ya tantos se han logrado sin la menor repugnancia. ,, Asi fué, pues logró ver en aquella Mision de San Diego el número de 1046. bautizados, entre párbulos y adultos, que todos deben esta dicha al apostólico afan de nuestro Venerable Presidente; y entre ellos fueron muchos de los mismos que intentaron quitarle la vida á los principios.

Muy contraria fué la suerte que tuvo un infeliz de los

prin-

principales motores de este alboroto, que lexos de imitar á los demás en el arrepentimiento, permaneció obstinado en sus gentílicos errores, y fué tambien de los primeros que se sublevaron el año de 75, de que hablaré en su lugar y de los que ocurrieron á la cruel muerte y martirio del V. P. Fr. Luis Jayme. Estando por este último hecho preso con otros muchos en el Quartel del Presidio, baxó por el mes de Agosto de 1776 el V. P. Fr. Junípero, llegó alli el Siervo de Dios, y quiso visitar á los encarcelados, asi para darles algun consuelo, cómo para exhortarlos á que se convirtiesen á nuestra Santa Fé. El Sargento enseñó á nuestro V. Presidente el miserable Gentil (que con los demás estaba en cepo) y era el mismo que intentó en el año de 1769 quitarle la vida á S. R. y demás al principio de la fundacion. Aqui desahogó el ardor de su zelo nuestro V. Padre en continuas exhortaciones, y amorosas pláticas, á aquel infeliz, persuadiendole á que se hiciese Christiano, seguro de que en tal caso, Dios nuestro Señor y el Rey le perdonarian sus delitos; pero no pudo sacarle palabra, quando compungidos los demás pidieron al Siervo de Dios intercediese por ellos, que querian ser Christianos, como se logró despues. Este desventurado Gentil, siendo homicida de sí mismo, amaneció muerto el dia 15 de Agosto de 1776, (que hacia siete años puntualmente de la primera invasion) siendo de admirar que al lado de los Compañeros se echó una soga al cuello, con que se quitó la vida, y no hubo quien lo advirtiese, ni la Centinela, ni los presos que estaban inmediatos. Quedaron todos confundidos, asi con aquel desastrado fin del infeliz, como por haber sucedido en el mismo dia de la Asuncion de nuestra Señora, en que se cumplian los siete años que habia intentado matar al V. P. Fr. Junípero y demas que lo acompañaban; con lo que se hubieran frustrado las espirituales Conquistas, como despues veremos.

CAPI-

CAPITULO XVIII.

*Regrésase la Expedicion á San Diego, sin haber halla-
do el Puerto de Monterey, y los efectos que causó esta
impensada novedad.*

EL dia 24 de Enero de 1770 llegó de vuelta á San Diego la Expedicion de tierra, que habia salido el dia 14
de Julio del año anterior, habiendo gastado séis meses y diez
dias, y pasado muchos trabajos (como refiere en su Diario
mi amado Padre Condíscipulo Fr. Juan Crespi) trayendo
la triste noticia de no haber hallado el Puerto de Monterey,
en que estubo fondeá la Expedicion marítima del Almi-
rante D. Sebastian Vizcaino el año de 1603, siendo Virey
de la N. E. el Conde de Monterey, y que habian llegado al
Puerto de N. P. S. Francisco, quarenta leguas mas arriba al
Noroeste.

Escribióme esta noticia el P. Fr. Juan Crespi, que fué
con la Expedicion, añadiendome, que se recelaban se habia cegado el Puerto, pues hallaron unos grandes méganos ó cerros de arena. Luego que leí esta noticia atribuí á
disposicion divina el que no hallando la Expedicion el Puerto de Monterey en el parage que lo señalaba el antiguo Derrotero, siguiese hasta llegar al Puerto de N. P. S. Francisco, por lo que voy á referir.

Quando el V. P. Fr. Junípero trató con el Illmô. Señor
Visitador general sobre las tres Misiones primeras que le en-
cargó fundar en esta nueva California, viendo los nombres y
Patronos que les asignaba, le dixo „Señor, ¿ y para N. P. S.
„Francisco no hay una Mision? " A lo que respondió: *Si San
Francisco quiere Mision, que haga se halle su Puerto, y se le
pondrá.* Subió la Expedicion llega al Puerto de Monterey:
paró y plantó en él una Cruz, sin que lo conociese ninguno
de quantos iban, siendo asi que leían todas sus señas en la
Historia: suben quarenta leguas mas arriba, se encuentran

con

con el Puerto de San Francisco N. Padre, y lo conocen luego todos por la concordancia de las señas que llevaban. En
vista de esto, ¿ que hemos de decir, sino que N. S. Padre quería Mision en su Puerto. ?

Asi lo juzgaria el Illmô. Señor Visitador general, pues
en quanto recibió la noticia (que ya S. Illmâ. se hallaba én
México) negoció con el Exmô. Señor Virey que se fundase
la Mision en el citado Puerto; y lo tomó con tanto empeño,
que viniendo diez Ministros para cinco Misiones en el Paquebot San Antonio, encargó al Capitan, que si arrivaba primero al Puerto de San Francisco que al de Monterey, y dos
de los Misioneros se animaban á quedarse alli para dar mano sin péidida de tiempo á la fundacion, los desembarcase
con todos los abios pertenecientes á aquella Doctrina; que
les dexase un competente número de Marineros armados
para resguardo; y que diese cuenta al Comandante de tierra,
quien proporcionaria luego mandar Tropa que remudase
á los Marineros. No se efectuó por entonces, pues fué primero el Paquebot á Monterey, y se pasaron seis años para el
establecimiento de la Mision de N. P. S. Francisco, por lo
que diré adelante.

La misma noticia que me escribió el P. Crespi, de no
haber hallado el Puerto de Monterey, me dieron otros individuos de la Expedicion, y el Comandante de élla D. Gaspar de Portalá, añadiendome éste, que habiendo mandado
registrar los víveres existentes, segun el cómputo que se habia hecho, administrados con toda economia, alcanzarian
apenas hasta mediados de Marzo, reservando lo muy preciso
para la retirada hasta la Frontera y nueva Mision de San
Fernando, encargandome al propio tiempo que lo hiciese yo,
á los Padres de las Misiones del Norte que tuviesen en aquel
sitio algun repuesto, pues tenia determinado, que si para el
dia de Señor San Joseph no llegaba á aquel Puerto alguno
de los Paquebotes de S. Blas con víveres, el dia 20 de Marzo
se regresaria la Expedicion. desamparando el Puerto de San
Diego.

Esta

Esta resolucion, que luego se publicó allí, fué la penetrante flecha que hirió el zeloso corazon de nuestro V. Fr. Junípero; y no hallando éste otro recurso que la oracion, acudió á Dios por medio de élla, y estrechandose con su Magestad le pidió con los mas finos afectos de su encendida devocion, se compadeciese de tanta Gentilidad como habia descubierta; porque si en esta ocasion se desamparaba el primer Establecimiento, quedaria esta Conquista espiritual, si no mas, tan remota como antes. Cebandose cada dia mas su apostólico zelo, á vista de tanta mies, que en su sentir estaba en sazon para recogerla ya á la Santa Iglesia, resolvió no desamparar el sitio, ni desistir de tan gloriosa empresa, aunque la Expedicion se mudase, quedandose este Evangélico Ministro con alguno de sus Compañeros, confiado solamente en Dios, por cuyo amor se sacrificaba gustoso. Asi me lo comunicó á mí por Carta que recibí con las demas, de la qual es Copia la siguiente, quedando la original en mi poder; y lo mismo haré con otras que convenga insertar, ya para prueba del ardiente zelo en que se abrasaba mi V. P. Lector Junípero, ó para hilar la Historia de esta California; y siento no haber hallado otras muchas Cartas de las innumerables que me escribió, interin no vivimos juntos, pues con éllas nos consolabamos ambos; y el Siervo de Dios con las suyas, tan fervorosas y edificantes, dispertaba mi tibieza y floxedad, como podrá advertir el Lector, si con atenta reflexion considera las que insertaré en esta Relacion Histórica.

CAPITULO XIX.

Carta del V. Padre, y lo que en su vista practiqué.

„ **V**Iva Jesus, Maria y Joseph. ═ R. P. Lector Presidente
„ **V** Fr. Francisco Palou. ═ Amantísimo Compañero y
» muy Señor mio: En el discurso de diez meses y diez dias
» que

„ que han pasado desde que dí á V. R. el último abrazo en
„ su Mision de San Xavier, hasta el dia de la fecha, sobre
„ la freqüente memoria de V. R. que es consiguiente á
„ nuestra antigua amistad y sus favores, me ha ocupado el
„ amor que le profeso, en largos ratos, de pensar como le
„ habrá ido de trabaxos, para allanar los asuntos, que en mi
„ salida no quedaban muy en su lugar; y aunque todo lo ig-
„ noro, me he compadecido bastante de lo que tengo por
„ muy verosimil haya sucedido. Quiera la infinita bondad de
„ Dios, que siquiera ahora esté ya todo en buen estado, y
„ V. R. goze paz y todo consuelo. Yo, gracias á Dios, he te-
„ nido y tengo salud, y con esto lo digo todo.

„ Ultra de las Cartas que ultimamente escribí desde
„ una jornada mas acá de San Juan de Dios, escribí tambien
„ á V. R. acabado de llegar á este Puesto de San Diego, á
„ principios de Julio del año pasado. Si recibió, como su-
„ pongo, aquella Carta, ya por ella veria como me fué bien
„ en el camino, que es bien poblado de Gentilidad; y que
„ pasadas algunas jornadas de San Juan de Dios, asi que co-
„ mienzan, prosiguen los parages, no solo buenos, sino ex-
„ celentes para muchas Misiones, que podrán formar una
„ bella Cordillera para esta de San Diego, que se fundó dia
„ del Triunfo de la Santa Cruz, y nuestra Señora del Carmen
„ 16 de Julio, asentandonos de Ministros de ella el Padre
„ Fr. Fernando, y yo, como que el P. Crespi y el P. Gomez
„ habian salido dos dias antes para Monterey, dexando en
„ esta al P. Fr. Fernando con el Padre Murguia, que en bre-
„ ve esperaba con el Paquebot San Joseph; pero hoy es el
„ dia en que ni hay Barcos, ni San Buenaventura, ni Monte-
„ rey; y de lo que mas hablan algunos, es del desamparo y
„ abolicion de esta mi pobre Mision de San Diego. No per-
„ mita Dios que tal suceda.

„ Los que salieron de acá dia del Señor San Buenaven-
„ ventura para Monterey, volvieron dia 24 de Enero del
„ presente año, con el mérito de haber padecido, comido
„ mulas y mulos, y no haber hallado tal Monterey; que
„ juz-

" juzgan se habrá cegado tal Puerto, por los grandes méganos
" que de arena hallaron en el sitio donde se habia de encontrar;
" y yo ya casi lo he creido tambien. Y porque he visto las Car-
" tas que escriben á V. R. el P. Fr. Juan Crespi y el Sargento
" Ortega, omito todo lo tocante á la peregrinacion de ellos,
" y solo me queda el lamentarme de ver los lentos pasos con
" que se anda, y de los rezelos de que no se quede tanta mies,
" que parece que no puede estar de mas sazon, sin poner mano
" á ella, acabandola tantos de vér y palpar con tantas circuns-
" tancias. V. R. por amor de Dios, desde ahi procure hacer to-
" dos los buenos oficios que pueda, para que esto vaya adelante.

" Si yo supiese como se halla eso, y si han venido ó nó
" los de la Mision de España, sabria lo que puedo pedir; pe-
" ro ahora, y mas ignorando si vendrán ó nó, ó quando ven-
" drán Barcos, nada puedo determinadamente pedir; y esta ne-
" gacion de comunicacion con V. R. y esas Misiones, es (sin
" duda) uno de los grandes trabajos de por acá, y lo menos para
" lo que la deseo es para algun socorro, aunque las necesida-
" des sean bastantes, que mientras hay salud, una tortilla y
" yerbas del campo, qué mas nos queremos? Solo el estarnos
" sin noticia de nada, y á todos para poder pasar adelante, y
" aun con dudas de si se habrá de desamparar lo ganado, es
" lo que aflige; aunque yo, por la misericordia de Dios, me
" hallo bien sosegado y contento con lo que Dios dispusiere.

" Aqui tres ocasiones me he considerado y hallado en
" peligro de muerte de mano de estos pobres Gentiles, que fué
" el dia de la Seráfica Madre Santa Clara, el dia de S. Hipó-
" lito, y el dia de la Asuncion de nuestra Señora, en que me
" mataron á mi Joseph Maria que traxe desde Loreto; pero
" gracias á Dios ya estamos con mucho sosiego. En los dias
" inmediatos despues, en que todavia estabamos con muchos
" recelos de que repitiesen su abance, escribí, aunque con
" mucha incomodidad, una larga Carta á V. R. para remitirla
" al Barco, y que si me matasen, sirviese de despedida y
" de noticia, y que V. R. la diese al Colegio, como se lo
" suplicaba; y como poco á poco se fué esto serenando, no
" la

„ la remití; y ahora que la he buscado, no he podido en mo-
„ do alguno hallarla.

„ Para que V. R. sepa todo, va un trozo del Pliego que
„ escribo á S. Illmâ. el Señor Visitador general, para que lo
„ lea, y despues cerrarlo y embiarselo; y quanto en el lee-
„ rá haga la cuenta que lo escribo á V. R. ya que no tengo
„ lugar de repetirlo; que como escrito mio, lo puedo comu-
„ nicar á quien gustare. Me parece que V. R. desde ahi
„ puede ayudar mas á esta obra, que si viniese acá personal-
„ mente. Y asi por Dios, no trate V. R. de venirse hasta que
„ yo avise, si con el tiempo y nuevo aspecto que tomen las
„ cosas, lo hallase conveniente. Por ahora se va con el Ca-
„ pitan el Padre Vizcaino herido de la mano.

„ Aqui quedamos los Padres Fr. Juan Crespi, Fr. Fer-
„ nando Parron, Fr. Francisco Gomez, y yo, por si viniesen
„ los Barcos, y pudiesemos poner segunda Mision. Si veemos
„ se van acabando los víveres y la esperanza, me quedaré
„ con solo el P. Fr. Juan, para aguantar hasta el último es-
„ fuerzo. Dios nos dé su santa gracia, y encomiendenos á
„ Dios para que asi sea. Si V. R. viese que van á traher el
„ ganado que quedó en Vellicatá, remitanos una porcionci-
„ ta de incienso; que habiendo venido cargando los incensa-
„ rios, se nos olvidó; y podrán venir los Kalendarios, si hu-
„ biesen venido, y los nuevos Santos Oleos, en caso de haber
„ venido de Guadalaxara.

„ Se sacarán en limpio los Diarios, así el mío, como el
„ del P. Fr. Juan, quanto antes se pueda, y harto siento no
„ vayan ahora; pero es aqui mucha la incomodidad, y á
„ veces la gana es bien poca: con todo, nos esforzaremos, é
„ irán lo mas breve que se pueda. Otras muchas cosas di-
„ xera á V. R.; pero con tantas variaciones y contingencias,
„ no me puedo explicar ni estender mas. A todos los Com-
„ pañeros me encomiendo con fina voluntad; y el que no ten-
„ ga Carta mia, no lo atribuya á falta de querer, sino de poder.
„ Estos Padres se encomiendan á V. R. con veras de su co-
„ razon; y Fr. Fernando dice, que ya sabe V. R. es mal escri-
„ bien-

,, biente, y que esta va en nombre de todos, y que lo enco-
,, miende á Dios. Quando V. R. escriba al Colegio dará á to-
,, dos de mi parte mil memorias; y con esto á Dios hasta otra
,, ocasion, que quizá no será tan larga como esta; y su Ma-
,, gestad guarde á V. R. muchos años en su santo amor y
,, gracia. Mision de San Diego en su Puerto y Gentilidad
,, de California en 10 de Febrero de 1770. = B. L. M. de
,, V. R. afectisimo Amigo y Siervo = Fr. Junípero Serra. ,,

Luego que recibí esta y las demás Cartas, pasé á estre-
charme con el Sr. Teniente de Gobernador para que diese
las convenientes disposiciones á efecto de que en la Mision
de San Fernando en Vellicatá se aprontasen quantos bastimentos se pudiese, y que quanto antes se volviese para San
Diego el Señor Capitan con los diez y nueve Soldados que
habia traido; como asimismo que se llevasen las reses, para
evitar el abandono de aquel Puerto; y que en caso de haberse ya desamparado, tuviese la gente mas pronto el socorro.
Asi lo hizo con grande eficacia el Señor Gobernador, y fué
de tanta utilidad, como despues verémos.

CAPITULO XX.

Lo que trabajó el V. P. Junípero á fin de no desamparar
el Puerto y Mision de San Diego.

DEsde el instande mismo en que el Señor Gobernador
publicó la retirada de la Expedicion para la antigua
California, en caso de que no llegase Barco para el dia 19
de Marzo, apenas se hablaba en San Diego de otra cosa que
del viage; pareciendoles, asi á los Oficiales, como á los Marineros, dilatado el plazo que el citado Señor habia puesto
para el dia despues de la festividad del Santísimo Patriarca
Señor San Joseph, que, como queda dicho, estaba elegido
por el Illmô. Señor Visitador general para Patrono de las Expediciones. En San Diego todo era hablar de la retirada, y
dispo-

disponerla: Decian que la gente que se juzgase apta para suplir de Marineros, se embarcaria en el Paquebot San Carlos, que la restante caminaria por tierra.

Todas estas hablillas y disposiciones eran otras tantas saetas que penetraban el corazon fervoroso de N. V. Padre Presidente, quien incesantemente encomendaba á Dios este asunto en sus santas oraciones, pidiendole el arribo del Barco antes que llegase el dia señalado para la retirada, para que no se perdiese la ocasion de convertirse á Dios tantas almas como Gentiles tenian á la vista; y que si entonces no se lograba la reduccion, podria imposibilitarse, ó á lo menos dilatarse por muchos años. Acordabase que habia ciento sesenta y seis, que nuestros Españoles habian estado en aquel Puerto, por mar solamente, y que desde entonces no se habia vuelto á ver; y que si ahora, habiendo tomado de él juridica posesion, y empezado á poblar, se desamparaba, podrian pasarse muchos siglos sin lograr otro tanto.

Estas consideraciones, y los ardientes deseos de convertir almas para Dios, hicieron resolver á su Siervo la subsistencia en San Diego, aunque la Expedicion saliese; y para esto convidó á su Discípulo el P. Fr. Juan Crespi, quien se ofreció gustoso á acompañarlo, confiando en Dios que algun dia llegase Barco con socorro; y que dexándoles algunos Marineros para suplir de Soldados, podrian convertir á Dios alguna alma, interin los Señores Superiores mandaban que volviese á subir la Expedicion y Tropa para poner en planta la espiritual Conquista.

Corria ya el mes de Marzo, y no parecia Barco alguno de dos que se esperaban; y permaneciendo constante el V. Padre en el ánimo de quedarse, se fué al Barco á tratar este asunto con el Comandante de mar D. Vicente Vila, y le habló de esta manera: » Señor: el Comandante de tierra, » y Señor Gobernador, tiene determinado retirarse y desam- » parar este Puerto para el dia 20, si antes no llega alguno » de los Barcos con socorro; impeliendolo á esto así la es- » casez de víveres, como la opinion comun de que se ha ce-
» gado

„ gado el Puerto; aunque yo sospecho que no lo conocieron.
„ Ló mismo pienso yo (respondió el Comandante) segun
„ les he oido, y he leido en las Cartas: el Puerto está allimis-
„ mo donde pusieron la Cruz. Pues, Señor (dixo el V. Padre)
„ yo estoy resuelto á quedarme, aunque se vaya la Expedi-
„ cion, y en mi compañia el P. Crespi; si Vm. quiere, ven-
„ dremos aqui luego que salga la Expedicion, y en llegan-
„ do el otro Paquebot, subirémos por mar en busca de Mon-
„ terey. „ Convino gustoso el Comandante, y quedando de
acuerdo, se retiró el V. Padre á su Mision, guardando para
sí aquel secreto.

Viendo el V. Siervo de Dios lo inmediata que estaba yá
la festividad del Santísimo Patriarca Señor S. Joseph, propuso
al citado Comandante y Gobernador se hiciese la Novena á
este Santo Patron de las Expediciones; y convenido á ello,
se verificó con general asistencia de todos, despues de concluido el rezo diario de la Corona. Llegó el dia de Señor S.
Joseph, y se celebró la fiesta de este gran Santo con Misa
cantada y Sermon, teniendolo ya dispuesto todo para la retirada que el dia siguiente habia de hacer para la California
antigua toda la Expedicion. Pero aquella tarde misma quiso
Dios satisfacer los ardientes deseos de su Siervo, por intercesion del Santísimo Patriarca, y dar á todos el consuelo, de
que viesen clara y distintamente un Barco, que ocultandose de
la vista el dia siguiente, no dió fondo hasta el quarto dia en el
Puerto de S. Diego. Esta vision fué bastante para suspender
el desamparo de aquel sitio y Doctrina, animandose todos á
la subsistencia, y atribuyendo á milagro del Patriarca Santo
el que en su propio dia, en que á la Expedicion se terminaba
el plazo de su salida, se dexase ver el Barco: y mayor fué la
admiracion, quando se tuvo noticia de las circunstancias que
para esto concurrieron; pero entretanto paso á referirlas,
remito á la consideracion piadosa del Lector, el singular
gozo y alegria que poseía el corazon de nuestro V. Padre,
que incesantemente repetia á Dios las gracias, y asimismo al
bendito Santo, consuelo de afligidos, Señor San Joseph, á
quien

quien confesaba á boca llena, por tan especialísimo beneficio, al que manifestandose agradecido, correspondia con una Misa cantada al Santo, que celebraba con la mayor solemnidad el dia 19 de cada mes; cuya devocion santa continuó hasta el último de su vida, como diré á su tiempo.

CAPITULO XXI.

Llega el Barco á San Diego, y salen las Expediciones en busca del Puerto de Monterey.

YA queda dicho en el Capitulo XII. como el Paquebot San Antonio fué despachado á principios de Julio de 69 desde el Puerto de S. Diego al de S. Blas en solicitud de Tripulacion para el San Carlos, y víveres para todos, y que á los veinte dias de navegacion dió fondo en aquel Puerto, sin mas novedad que la muerte de nueve Marineros.

Luego que el Exmô. Señor Virey, é Illmô. Señor Visitador general recibieron los Pliegos, y por ellos la noticia de ir caminando la Expedicion de tierra para Monterey, y de la falta de Tripulacion y de víveres que esta experimentaba por no haber hecho viage el tercer Barco, dieron prontas y eficaces providencias para que sin pérdida de tiempo se aviase, y cargase el Paquebot San Antonio, y saliese para Monterey en derechura (sin tocar en San Diego) para socorrer la Expedicion de tierra.

Salió el Barco, y navegó felizmente para la altura de Monterey; pero como ochenta leguas antes de llegar á ella, le faltó el agua, y fué preciso arribar á la Canal de Stâ. Bárbara para proveerse de tan indispensable carga útil. En arrimandose á tierra, los cercaron luego los Gentiles con sus canoitas, muy placenteros y cerviciales; les enseñaron el agua, y ayudaron á llenar de ella los barriles; y aunque no sabian nuestro idioma; pero con bastante claridad les dieron á entender por señas, que la Expedicion de tierra habia retrocedido; que

habia

habia transitado dos veces por sus Rancherias, y tratado con ellos, y nombraban algunos de los Soldádos. Con estas noticias se quedó perplexo el Capitan Perez para deliberar; pero compeliendole mas la orden de los Superiores, como cierta, que el dicho de los Gentiles, que podia no serlo, determinó seguir su viage para Monterey. Pero la casualidad ó accidente de haber perdido alli una ancla, que consideraba le habia de hacer mucha falta en aquel Puerto, le obligó á mudar de intento y baxar á San Diego para proveerse con la dèl San Carlos. Este que parecia accidente fué la causa de que el Paquebot San Antonio arribase alli, y se dexase vér la tarde del 19 de Marzo, por lo qual (como queda dicho) no llegó á desamparar la Mision y Puerto de San Diego.

Habiendo llegado este Barco tan cargado de bastimentos, se resolvió por los Comandantes de mar y tierra hacer de nuevo las Expediciones en busca del deseado Monterey. Para la de el mar fué el citado Paquebot San Antonio, y en él nuestro V. Fr. Junípero; y para la de tierra el Señor Gobernador con los demás que en su Diario refiere el Padre Crespi. Salieron ambas á mediados de Abril, y estando ya á bordo mi venerado Padre Lector Junípero, me escribió la siguiente Carta, que no omito insertar, pues de su contenido se percibe el ardiente y fervoroso zelo de la conversion de las almas que inflamaba su corazon.

,, Viva Jesus, Maria, y Joseph ═ R. P. Lector y Presi-
,, dente Fr. Francisco Palou ═ Carísimo Amigo, Compañero
,, y Señor mio: Habiendo llegado á este Puerto el dia del Se-
,, ñor San Joseph el San Antonio, aliás el Principe, aunque no
,, entró hasta quatro dias despues, determinaron estos Seño-
,, res segunda vuelta á Monterey. Va segunda vez el P. Fr.
,, Juan por tierra, y yo por mar; y quando estabamos en que
,, no seria tan breve (aunque yo ya tenia embarcado quanto
,, habia que llevar, menos la cama) ayer Sabado de Gloria,
,, muy tarde, recibí recado del Capitan nuestro Paisano Don
,, Juan Perez, que aquella misma noche habia de ser forzosa-
,, mente el embarque. Embarquéme, y ahora estamos en la
,, boca

„ boca del Puerto, y la gente trabajando en las maniobras de
„ la salida, desde que les dixe Misa muy de mañana.

„ Quedan de Ministros de San Diego los Padres Parron
„ y Gomez, con Soldados en sus trabajos, viendo que tal qual
„ son los menos mal librados de los que aqui estamos. Yo, y
„ el P. Fr. Juan, vamos con el ánimo de dividirnos (asi que
„ venga Escolta) uno para Monterey, y otro para San Buena-
„ ventura, como ocho leguas de distancia, porque no se pier-
„ da por nosotros ni por el Colegio la ereccion de aquella
„ tercera Mision de esta nueva California. Y en la verdad se-
„ rá para mí el mayor de los trabajos tal genero de soledad;
„ pero Dios hará la costa por su infinita misericordia. Si no
„ tuviere lugar de escribir al Colegio al R. P. Guardian, su-
„ plico á V. R. lo haga en mi nombre, dandole razon de to-
„ do, y que esta Carta la escribo sentadito en el suelo de es-
„ ta Cámara con bastante trabajo; y asi he hecho con la ad-
„ junta del Señor Illmô. que es brevecita, dandole razon de
„ lo propio. Por este Barco no he tenido ni siquiera una es-
„ chela, ni una letra de nadie.

„ En voz hemos tenido la noticia de la muerte de nues-
„ tro Smô. Padre el Señor Clemente XIII, y que se hizo
„ eleccion en el Exmô. Señor Ganganeli, Religioso nuestro,
„ Dominus conservet eum &c. que en esta soledad me he
„ alegrado mucho de tanta dicha; y tambien he sabido de la
„ muerte del Padre Moran, á quien estamos aplicando las
„ Misas de nuestro Concordato. El no haber venido Carta,
„ dicen que fué porque salió este Barco con destino de ir de-
„ recho á Monterey, sin tocar acá; por esto se dexó allá to-
„ das las Cartas de los que estabamos en San Diego, para
„ que las traiga el Paquebot San Joseph, que dicen está des-
„ tinado para acá; pero no ha llegado, y en opinión de es-
„ tos Señores Náuticos, es muy dudoso si llegará. Quando
„ venga el otro. como no ha de pasar adelante, aqui se que-
„ darán las Cartas, y leidas por los Padres, harán lo que gus-
„ taren de ellas; porque no sé yo quando irán otros para
„ nuestro destino. Y ya ha un año que no tengo noticia del
„ Cole-

» Colegio, ni de su Illmâ. y breve se completa el de la úl-
» tima de V. R. Bendito sea Dios. Quando haya ocasion es-
» timaré nos procure Cera para las Misas, é Incienso. Si hu-
» bieren llegado Compañeros de España, á sus Reverencias
» todos juntos con los antiguos me encomiendo con fina vo-
» luntad.

» Por Carta del Padre Murguia, escrita al Capitan Don
» Juan Perez en el Cabo de San Lucas, supe que el Padre
» Ramos habia pasado á Loreto, llamado de V. R. á algunos
» negocios; y fué la claúsula de que mas me alegré, porque
» por ella supe el vivir V. R. y el Padre Ramos, que no ha-
» bia sabido otro tanto desde que salí de Vellicatá, ó San
» Juan de Dios.

» Esta Carta concluyo hoy, segundo dia de Pasqua, dia
» de la profesion de N. S. P. S. Francisco, porque ayer al
» cabo no salimos, porque cambió el viento; pero ahora que
» serán como las siete de la mañana ya estamos salidos de la
» boca del Puerto, y vamos á remolque con la Lancha de
» San Carlos, á cuyos Marineros, quando se despidan, la
» entregaré, *Deo dante*, para que la lleven á los Padres de
» tierra, y puedan entregarla á unos Correos que me dicen
» van á despachar, asi que se verifiquen las salidas de am-
» bas Expediciones.

» En fin á Dios, Carísimo mio, y su Magestad nos jun-
» te en el Cielo. Al Padre Ramos. y Padre Murguia especia-
» lísimas memorias; y á todos los demas escribo una de Cor-
» dillera encomendandome en sus oraciones. Repito la súpli-
» ca de que escriba V. R. al Colegio en mi nombre, pues por
» lo repentino no he tenido mas lugar; y Dios guarde á V.
» R. muchos años en su santo amor y gracia. Mar del Sur
» enfrente del Puerto de San Diego, 16 de Abril de 1770 =
» B. L. M. de V. R. afectisimo Hermano, Amigo, Siervo &c.
» = Fr. Junípero Serra. »

Habiendo salido de San Diego el dia 16 de Abril, empezaron á navegar y á reconocer la contrariedad de los ay-
res, que les hizo descender hasta el grado 30; pero habiendose

dose engolfado, y mejorado de vientos, llegaron con felicidad (despues de quarenta y seis dias de navegacion) al Puerto de Monterey, como se verá en el Capítulo siguiente.

La Expedicion de tierra salió un dia despues que la de mar, y llegó al deseado Puerto (que no conocieron en el primer viage) á los treinta y ocho dias de su salida, habiendo descansado solos dos dias en el camino las bestias, segun se advierte en el Diario del Padre Crespi.

CAPITULO XXII.

Llegan las Expediciones al Puerto de Monterey, y se funda la Mision y Presidio de San Carlos.

SAtisfará lo que promete este Capítulo la siguiente Carta que me escribió el V. Padre, en que me comunica su llegada á Monterey, y lo que en aquel Puerto se practicó.

" Viva Jesus, Maria, y Joseph. = R. Padre Lector y
" Presidente Fr. Francisco Palou = Carisimo amigo y muy
" Señor mio: Dia 31 de Mayo, con el favor de Dios, despues
" de un mes y medio de navegacion algo penosa, llegó este
" Paquebot San Antonio mandado del Capitan Don Juan Pe-
" rez, y dió fondo en este horroroso Puerto de Monterey,
" el mismo, é invariado en substancia, y circunstancias de
" como lo dexó la Expedicion de Don Sebastian Vizcaino
" el año de 1603. Me fué de mucho consuelo, el que se me
" aumentó con la noticia que aquella misma noche tuvimos
" de haber ocho dias cabales que la Expedicion de tierra
" habia llegado, y con ella el P. Fr. Juan, y todos con salud;
" y mas quando el dia Santo de Pentecostés, tercero de Ju-
" nio, juntos todos los Oficiales de mar, y tierra, y toda la
" gente junto á la misma Barranquita, y encino donde cele-
" braron los Padres de dicha Expedicion, dispuesto el altar,
" colgadas y repicadas las campanas, cantado el Himno
" *Veni Creator,* bendecida el agua, enarbolada y bendita
" una

„ una grande Cruz, y los Reales Estandartes, canté la Misa
„ primera que se sepa haberse celebrado acá desde entonces,
„ y despues cantamos la Salve á nuestra Señora ante la ima-
„ gen de S. Illmâ. que ocupaba el altar, y en la Misa les
„ prediqué. Concluimos la funcion con el *Te Deum* cantado; y
„ despues allá los Señores hicieron el acto de posesion de la
„ tierra en nombre del Rey nuestro Señor (que Dios guar-
„ de.) Despues comimos juntos en una sombra de la Playa, y
„ toda la funcion fué con muchos truenos de pólvora, en
„ tierra y en el Barco. A solo Dios sea toda la honra y glo-
„ ria. En orden á no haber hallado este Puerto los de la Ex-
„ pedicion pasada, y haber promulgado que ya no existia,
„ no tengo que decir, ni porque meterme en juzgarlo. Bas-
„ ta que en fin se encontró, y se le cumplieron, aunque algo
„ tarde, los deseos á S. Illmâ. el Señor Visitador general, y
„ á todos los que deseamos esta espiritual Conquista.

„ Como el pasado Mayo se cumplió un año, desde que
„ no recibí Carta alguna de tierra de Christianos, puede
„ pensar V. R. que en ayunas estaremos de noticias: con to-
„ do, solo pido quando haya ocasion el saber de V. R. y
„ Compañeros, el como se llama nuestro Santísimo Papa
„ reynante, para nombrarlo en el Cánon de la Misa por su
„ nombre; el saber si se efectuó la Canonizacion de los Bea-
„ tos Joseph Cupertino, y Serafino de Asculi, y si hay algun
„ otro Beato ó Santo, para ponerlo en el Kalendario, y rezar-
„ lo, ya que parece estaremos despedidos de Kalendarios im-
„ presos; si es verdad que los Indios mataron al P. Fr. Joseph
„ Solér en la Sonora, ó Pimeria, y como fué; y si hay otro
„ difunto de los conocidos, para encomendarlo á Dios como
„ tal; y aquello solo que V. R. juzgue hacer al caso para
„ unos pobres Ermitaños, segregados de la sociedad humana.

„ Lo que tambien deseo saber es de la Mision de Espa-
„ ña; de ella encargo mucho á V. R. y suplico se destinen
„ dos Sugetos para estas Misiones, para con los quatro
„ que estamos ajustar los seis, y poner la Mision de San Bue-
„ naventura en la Canal de Santa Bárbara, tierra mucho
„ mas

„ mas ventajosa que San Diego, que Monterey, y que todo lo
„ descubierto. Ya se han enviado dos veces bastimentos para
„ dicha Mision, y ya que hasta aqui no se ha podido atri-
„ buir á los Religiosos no estar fundadas, no quisiera que se
„ atribuyera quando haya Escolta para ponerla. Verdad es
„ que como el P. Fr. Juan, y yo estemos en pie, no se de-
„ morará, porque nos dividiremos cada uno á la suya, y se-
„ rá para mí el mayor de los esfuerzos el quedarme con el Sa-
„ cerdote mas cercano á distancia de mas de ochenta leguas;
„ por lo que suplico haga V. R. que no haya de durar mu-
„ cho tiempo tan cruda soledad. El P. Lazuen desea mucho
„ venir á estas Misiones, y asi tengalo V. R. presente quan-
„ do se le ofrezca deliberar en destinar Ministros.

„ Estamos cortísimos de cera para las Misas, asi acá,
„ como en San Diego, sin embargo vamos mañana á hacer
„ fiesta y procesion del Corpus, aunque sea pobremente,
„ para ahuyentar quantos Diablillos pueda haber por esta
„ tierra: si hay lugar que venga alguna, nos hará muy al ca-
„ so, y el Incienso que en otra ocasion pedí. V. R. no dexe
„ de escribir á S. Illmâ. la enhorabuena de este hallazgo del
„ Puerto, y lo que bien le parezca, y no dexe de enco-
„ mendarnos á Dios, quien guarde á V. R. muchos años en
„ su santo amor y gracia. Mision de San Carlos de Monte-
„ rey, y Junio dia de San Antonio de Padua, de 1770. = B.
„ L. M. de V. R. afectísimo Amigo, Compañero y Siervo =
„ Fr. Junípero Serra. „

En el mismo dia que se tomó posesion del Puerto, y se
dió principio al Presidio Real de San Carlos, se fundó la Mision con el propio nombre, y contigua á aquel una Capilla
de palizada para Iglesia interina: asimismo una vivienda con
las respectivas piezas ó divisiones, para asistencia de los Padres y Oficinas necesarias, cercados ambos Establecimientos
con una estacada para su defensa. Los Gentiles no se dexaron ver en aquellos dias, porque desde luego les causó espanto la multitud de tiros de artilleria, y fusileria que se dispararon por la Tropa; pero á poco tiempo empezaron á acercarse

carse, y el V. Padre á regalarlos para conseguir su ingreso en el Gremio de la Santa Iglesia, y logro de sus almas, que era el principal objeto de sus designios.

El dia despues de la fiesta del Corpus que refiere el V. Siervo de Dios en su Carta yá copiada, se despachó un Correo por tierra con los Pliegos para S. Excâ. y el Illmô. Señor Visitador general, dandoles noticia de todo lo acaecido; y con el mismo me remitió su citada Carta, la qual recibí el dia 2 de Agosto hallandome en la Mision de todos Santos en el Sur de la California, quinientas sesenta leguas distante del Puerto de Monterey, que tantas anduvo el Correo en mes y medio, habiendose detenido quatro dias en San Diego. Los Pliegos para S. Excâ. se despacharon por una Lancha á San Blas; pero habiendo el Comandante de la Expedicion, en virtud de la orden que tenia, salido de Monterey á 9 de Julio, y arribado á aquel Puerto á 1 de Agosto, llegò á México primero la noticia, por sus Cartas, que despachó inmediatamente, y recibió el Exmô. Señor Virey el dia 10 del expresado Agosto, quien mandó se celebrase tan plausible noticia con las devotas expresiones que se dirán en el Capítulo siguiente.

El Teniente de Voluntarios de Cataluña Don Pedro Fages, quedó mandando el nuevo Presidio de San Carlos en Monterey; y considerando ser muy poca la Tropa que allí existia, resolvió de acuerdo con el V. Presidente, suspender la fundacion de la Mision de San Buenaventura hasta que llegase un Capitan con diez y nueve Soldados, que habian baxado á la antigua California por el mes de Febrero á conducir ganado bacuno; pero el Capitan con Tropa y ganado, no subió mas que hasta San Diego, sin dar aviso hasta el siguiente año, en que lo hizo con un Barco, como se verá adelante. No pudiendose por este motivo dar principio á la Mision tercera, se aplicó nuestro V. Padre con su Discípulo Fr. Juan Crespi á la reduccion de los Indios de Monterey, procurando atraer con regalitos á los que lo iban á visitar; pero como no habia quien supiese el idioma de

ellos,

ellos, se hubieron de pasar muchos trabajos al principio, y hasta que Dios quiso abrir puerta por medio de un muchacho Indio Neófito que habian traido de la antigua California, el qual con la comunicacion que el V. Fr. Junípero le hacia tener con los Gentiles para el efecto, empezó á entenderlos, y á articular algunas cosas en aquella lengua; con lo que sirviendo de Intérprete, pudo explicarse ya á los Indios, que el fin de la venida á sus tierras era para encaminar al cielo sus almas.

El dia 26 de Diciembre del citado año se consiguió el primer Bautismo en aquella Nacion Gentílica, y fué para el fervoroso y ardiente corazon de nuestro V. Padre de inexplicable júbilo, y con el tiempo se fueron logrando otros, y aumentandose el número de Christianos, de modo que á los tres años despues, subí yo á aquella Mision, y habia ya en ella ciento sesenta y cinco; y quando terminó su gloriosa carrera el V. Fundador Junípero, dexó bautizados mil y catorce, de los quales habian ya pasado muchos á gozar de Dios en la vida eterna por los incesantes desvelos de aquel Apostólico Varon.

Mucho ayudaron á estas reducciones, ó por mejor decir fué el cimiento principal de tan importante Conquista, las singulares maravillas y prodigios que Dios nuestro Señor hizo ver á los Gentiles para que cobrasen amor y temor á los Católicos: temor para contenerlos, y que no con su muchedumbre se insolentasen contra el corto número de los Christianos, y amor para que oyesen con afecto la Doctrina Evangélica que se les venia á enseñar, y para que abrazasen el suave yugo de nuestra Santa Ley.

El P. Crespi en su Diario del segundo viage de la Expedicion de tierra al Puerto de Monterey, dice en el dia 24 de Mayo (como puede ver en él el Lector) lo siguiente: » Co- » mo á las tres leguas de andar, llegamos á la una del dia á » las Lagunas de agua salada de la Punta de Pinos, de la par- » te del Nordest, dónde en el primer viage se puso segunda » Cruz. Antes de apearnos fuimos el Señor Gobernador, un

14. » Sol-

„ Soldado, y yo, á ver la Cruz, para ver si habia alguna señal
„ de que hubiesen ya llegado allí los del Barco; pero no se
„ encontró ninguna. Encontramos toda la Cruz rodeada de
„ flechas, y de varillas con muchos plumages, hincadas en
„ la tierra, que habian puesto los Gentiles; y una sarta de
„ Sardinas, tódavia medio frescas, colgadas de una vara al
„ lado de la Cruz, otra con un trozo de carne al pie de la Cruz,
„ y un montoncito de Almejas. „ Causóles á todos grande
admiracion aquello; pero ignorando la causa suspendieron
el juicio.

Luego que los recien bautizados comenzaron á explicar
sus discursos en el Castellano idioma, y que el Neófito Californio comprehendió el de éllos, declararon lo siguiente en distintas ocasiones. Que la primera vez que vieron á nuestra
gente advirtieron en ella, *que todos traian en el pecho una
muy resplandeciente Cruz,* y que quando se volvieron de allí,
dexando aquella grande en la Playa, fué tanto el temor que
se les infundió, que no les permitia acercarse á tan sagrada
Señal, pues la veian llena de lucidos resplandores, quando
ausentados aquellos con que el Sol ilumina al dia, prevalecian
las sombras de la noche; advirtiendola con tales creces, que
les parecia elevarse hasta la suprema celsitud; pero que mi-
rándola de dia sin estas circunstancias y en su natural extension, se arrimaron á ella; y procurando congraciarla para
con ellos, para que no les hiciese daño alguno, le ofrecian en
obsequio aquella carne, pescados y Almejas; y que causándoles admiracion el ver que nada comia, le ofrecieron sus
plumages y *flechas* en significacion de que querian paz con
la Santa Cruz, y las gentes que allí la habian puesto.

Esta declaracion hicieron varios de los Indios (como
llevo dicho) en distintos tiempos, y últimamente en el año
de 74, que volvió de México el V. P. Presidente, ante quien
la repitieron sin la menor variacion de como lo habian hecho ante mí en el año anterior. Asi lo escribió el Siervo de
Dios, por materia de edificacion, al Excmô. Señor Virey, para fervorizarlo mas, y empeñarlo al propio tiempo en el felíz
logro

logro de esta espiritual empresa. Del citado y otros muchos prodigios que ha obrado el Señor, se ha seguido la reduccion de estos Gentiles con toda paz, y sin estrépito de armas. Bendito sea Dios, á quien sea toda la gloria y alabanza.

CAPITULO XXIII.

Devotas expresiones del Exmô. Señor Marqués de Croix, por la noticia del Descubrimiento de Monterey.

TAn importante para mayor gloria de Dios, extension de nuestra Santa Fé Catolica en la mas Septentrional California, y honor de nuestro Católico Monarca, consideraban el Exmô. Señor Virey Marqués de Croix, y el Illmô. Señor Visitador general Don Joseph de Galvez, el Establecimiento de Monterey, que la grande alegria que recibieron el dia 10 de Agosto del año de 1770 con la noticia de haberse fundado en dicho Puerto la Mision y Presidio de S. Carlos, no la pudieron contener en sus nobles corazones, y la mandaron publicar en la populosa Ciudad de México, Capital de la Nueva España. Pidieron al Señor Dean de aquella Catedral, mandase dar un solemne repique de campanas, al qual correspondieron todas las demas Iglesias, asi de Seculares, como de Regulares, causando general alegria en todos los moradores. Preguntabanse unos á los otros por la novedad; y enterados de ella, acompañaron á S. Excâ. en el regocijo, pasando los Principales á Palacio á darle los parabienes, que recibió en compañia del Illmô. Señor Visitador, principal Agente de las espirituales Conquistas, para cuyo efecto trabajó como ninguno, no dedignandose un Caballero de sus circunstancias de servir aun de Peon para la carena de los Barcos, y encaxonar por sus propias manos los utensilios que habian de servir á las Misiones; y viendo logrado el fruto de tantos trabajos, rindieron á Dios ambos Señores las gracias por el feliz éxito de la Conquista y Expedipediciones dirigidas al efecto; con que se estendieron los Dominios de nuestro Católico Monarca por mas de trecientas leguas en esta América en lo mas Septentrional de élla.

Es el expresado tramo de trescientas leguas de longitud, de terrenos fértiles y poblados de inmensa Gentilidad, de cuyos naturales dóciles y apacibles se esperó desde luego su conversion á nuestra Santa Fé, y congregacion en Católicos Pueblos, que viviendo sujetos á la Real Corona, asegurasen las Costas de este Mar del Sur, ó Pacífico. En accion de gracias de tan feliz consecucion determinaron los citados Señores que el dia inmediato de recibida la noticia, se cantase en la Iglesia Catedral una Misa solemne, á que asistieron ambos, acompañados de todos los Tribunales; y concluida se repitieron los parabienes, que recibió S. Excâ. en nombre de nuestro Católico Monarca.

Deseoso el Exmô. Señor Virey de que no solo los habitantes de la Ciudad de México, sino que tambien los de toda la N. E. participesen de tan plausibles noticias, mandó imprimir, y repartir una Relacion, que se estendió por todo el Reyno, la qual me ha parecido conveniente insertar, por percibirse en ella el religioso zelo de nuestro V. Fr. Junípero, y el alto concepto en que dichos Señores lo tenian de exemplar y zeloso.

COPIA DE RELACION IMPRESA.

Extracto de noticias del Puerto de Monterey, de la Mision y Presidio que se han establecido en él con la denominacion de S. Carlos, y del suceso de las Expediciones de mar y tierra, que á ese fin se despacharon en el año próximo anterior de 1769.

Despues de las costosas y repetidas Expediciones que se hicieron por la Corona de España en los dos siglos antecetecedentes, para el reconocimiento de la Costa Occidental de California, por la Mar del Sur, y la ocupacion del importante Puerto de Monterey, se ha logrado ahora felizmente esta empresa con dos Expediciones de mar y tierra, que á conseqüencia de Real Orden, y por disposicion de este Superior Gobierno, se despacharon desde el Cabo de San Lucas y el Presidio de Loreto en los meses de Enero, Febrero y Marzo del año proximo anterior.

En Junio de él se juntaron ambas Expediciones en el Puerto de San Diego, situado á los 32 grados y medio de latitud; y tomada la resolucion de que el Paquebot San Antonio regresáse al Puerto de S. Blas, para reforzar su Tripulacion, y llevar nuevas provisiones, quedó anclado en el mismo Puerto de San Diego el Paquebot Capitana nombrado S. Carlos, por falta de Marineros, que murieron de escorbuto; y establecida allí la Mision y Escolta, siguió la Expedicion de tierra su viage por lo interior del Pais, hasta el grado 37 y 45 minutos de latitud, en demanda de Monterey; pero no habiendolo hallado con las señas de los Viages y Derroteros antiguos, y recelando escasezes de víveres, volvió á San Diego, donde con el feliz arribo del Paquepot San Antonio en Marzo de este año, tomaron los Comandantes de mar y tierra la oportuna resolucion de volver á la empresa, conforme á las Instrucciones que llevaron para conseguirla.

Con efecto salieron de San Diego ambas Expediciones en los dias 16 y 17 de Abril del presente, y en este segundo viage tuvo la de tierra la felicidad de hallar el Puerto de Monterey, y de llegar á él el de 24 de Mayo y la de mar arribó tambien el 31 del presente y propio mes.

Ocupado asi aquel Puerto por mar y tierra con particular complacencia de los innumerables Gentiles que pueblan todo el Pais, explorado y reconocido en los dos viages, se solemnizó la posesion el dia 3 de Junio, con Instrumento que estendió el Comandante en Gefe, y certificaron los demás Oficiales de ambas Expediciones, asegurando todos ser aquel el mismo Puerto de Monterey, con las idénticas seña-

les

les que describieron las Relaciones antiguas del General D. Sebastian Vizcaino, y Derrotero de D. Joseph Cabrera Bueno, primer Piloto de las Naos de Filipinas.

El dia 14 del citado mes de Junio último, despachó el dicho Comandante D. Gaspar de Portalá un Correo por tierra al Presidio de Loreto, con la plausible noticia de la ocupacion de Monterey, y de quedar estableciendo en él la Mision y Presidio de San Carlos; pero con el motivo de la gran distancia, aun no ha recibido este Superior Gobierno aquellos Pliegos, y en 10 del presente mes llegaron á esta Capital los que desde el Puerto de San Blas dirigieron el mismo Portalá, el Ingeniero D. Miguel Constanzó, y el Capitan D. Juan Perez. Comandante del expresado Paquebot San Antonio, aliás el Principe, que salió el 9 de Julio de Monterey; y sin embargo de ocho dias de calma, hizo su largo viage con tanta felicidad y celeridad, que el primero de este mes echó el ancla en San Blas.

Quedaron abundantes útiles en el nuevo Presidio y Mision de San Carlos de Monterey, y el repuesto para un año, á fin de establecer otra Doctrina en proporcionada distancia, con la advocacion de San Buenaventura; y habiendo quedado tambien por Comandante Militar de aquellos nuevos Establecimientos el Teniente de Voluntarios de Cataluña Don Pedro Fages, con mas de treinta hombres, se hace juicio que á esta fecha ya se le habrá unido el Capitan del Presidio de Loreto D. Fernando de Rivera, con otros diez y nueve Soldados, y Baqueros y Arrieros que conducian doscientas reses bacunas, y porcion de víveres, desde la nueva Mision de San Fernando de Vellicatá, situada mas allá de la Frontera de California, antiguamente reducida, pues salió de aquel parage el 23 de Mayo último con destino á los expresados Puertos de San Diego y Monterey.

No obstante de que en éste dexaron provistos los Almacenes ya construidos del nuevo Presidio y Mision á la salida del Paquebot San Antonio, y de que en el de S. Diego se regulan anclados los otros dos Paquebotes de S. M. San Carlos,

los, y San Joseph, dispone este Superior Gobierno, que á fines de Octubre proximo vuelva el San Antonio á emprender tercer viage desde el Puerto de San Blas, y conduzca nuevas provisiones, y treinta Religiosos Fernandinos de la última Mision que vino de España, para que en el dilatado y fértil Pais, reconocido por la Expedicion de tierra, desde la antigua Frontera de la California hasta el Puerto de San Francisco, poco distante, y mas al Norte del de Monterey, se erijan nuevas Misiones, y se logre la dichosa oportunidad que ofrece la mansedumbre y buen índole de los innumerables Indios Gentiles que habitan la California Septentrional.

En prueba de esta feliz disposicion con que se halla la numerosa Gentilidad ya docilísima, asegura el Comandante D. Gaspar de Portalá, y en lo mismo convienen los demás Oficiales y los Padres Misioneros, que nuestros Españoles quedan en Monterey tan seguros, como si estuvieran en medio de esta Capital; bien que el nuevo Presidio se ha dexado suficientemente guarnecido con Artilleria, Tropa y abundantes municiones de guerra; y el R. P. Presidente de las Misiones destinado á la de Monterey, refiere muy por menor, y con especial gozo, la afabilidad de los Indios, y la promesa que ya le habian hecho de entregarle sus hijos para instruirlos en los Misterios de nuestra Sagrada y Católica Religion; añadiendo aquel exemplar y zeloso Ministro de ella, la circunstanciada noticia de las Misas solemnes que se habian celebrado desde el arribo de ambas Expediciones, hasta la salida del Paquebot San Antonio, y de la solemne Procesion del Santísimo Sacramento que se hizo el dia del Corpus, 14 de Junio, con otras particularidades que acreditan la especial providencia con que Dios se ha dignado favorecer el buen éxito de estas Expediciones, en premio sin duda del ardiente zelo de nuestro Augusto Soberano, cuya piedad incomparable reconoce como primera obligacion de su Corona Real en estos vastos Dominios, la extensión de la Fé de Jesu Christo, y la felicidad de los mismos Gentiles,

que

que gimen sin conocimiento de ella en la tirana esclavitud del Enemigo comun.

Por no retardar esta importantísima noticia, se ha formado en breve compendio la presente Relacion de ella, sin esperar los Pliegos despachados por tierra desde Monterey, entretanto que con ellos, los Diarios de los Viages por mar, y tierra, y los demas documentos, se puede dar á su tiempo una obra completa de ambas Expediciones. México 16 de Agosto de 1770. = Con licencia y orden del Exmô. Señor Virey, en la Imprenta del Superior Gobierno.

Esta Relacion, que impresa corrió con no vulgar aprecio, asi en toda esta, como en la antigua España, dá bastantes luces para conocer el alto concepto en que tenian á nuestro V. Fr. Junípero los Superiores Gefes de este Nuevo Mundo, aun ignorando la resolucion con que estaba en S. Diego, de no desistir de tan importante y espiritual Conquista, aunque la Expedicion se regresase á la antigua California, como queda expresado en el Capitulo XX. de esta Historia. Y no contribuyó poco esta buena opinion para conseguir del Superior Gobierno las eficaces providencias que se necesitaban para estos nuevos Establecimientos, como demostrará el siguiente

CAPITULO XXIV.

Providencias eficaces que dió S. Excâ. para los nuevos Establecimientos por el informe del V. P. Presidente Fr. Junípero.

HAbiendose detenido el Barco algun corto tiempo en el nuevo Puerto de Monterey, tuvo lugar el V. Padre para explorar, asi aquel terreno, como los demás de sus inmediaciones: y conociendo por su notoria práctica y alta comprehension, que no convenia permaneciese la Doctrina nombrada San Carlos en el sitio que estaba establecida, respecto

á

á carecerse alli de las tierras necesarias para las labores, y de agua para el riego; y que á distancia de una legua en las Vegas del Rio Carmelo, habia estas proporciones y las demás que señalan las Leyes de Indias deben tenerse presentes para los nuevos Poblados, y Establecimientos de Misiones; lo informó todo exâctamente al Exmô. Señor Virey, é Illmô. Señor Visitador general, suplicándoles tuviesen á bien que la Mision de San Carlos se mudase á las Vegas del Rio Carmelo.

Hizoles presente asimismo la innumerable Gentilidad que la Expedicion habia descubierto en el espacioso tramo de mas de trescientas leguas que se cuentan desde la Frontera de San Fernando Vellicatá, hasta el Puerto de N. P. S. Francisco, como tambien los muchos y buenos sitios que ofrecian aquellos terrenos, para la formacion de Pueblos y Misiones; pudiendose de éllas hacer una dilatada cordillera, establecerse todas casi á la Costa del Mar del Sur, asi para la comunicacion, como para convertir á Dios tantas almas, que se·pultadas en las tinieblas del Gentilismo perecian eternamente por falta de quien les enseñase la verdadera luz de nuestra Católica Religion. Y que para conseguir tan importantes designios, era necesario que viniesen muchos Operarios Evangélicos, con todo avio de ornamentos y vasos sagrados para la Iglesia, utensilios de casa, y herramientas de campo, para imponer á los recien bautizados en el laborío de tierras, para que por este medio con los frutos que se cogiesen, pudieran mantenerse como gentes, y no como páxaros, segun lo hacian con las silvestres semillas que produce el campo; y lograr al propio tiempo su cultura y adelantamientos.

Lo mismo escribió al R. P. Guardian del Colegio, con la expresion, de que aunque viniesen cien Religiosos, habria para todos que hacer, por la mies abundante que habia Dios puesto allí á la vista del Fernandino Colegio. A él acababan de llegar, casi al propio tiempo que esto informaba el V. Padre, quarenta y nueve Religiosos que venian de España, pues entraron el dia 29 de Mayo del año de 1770.

Lue-

Luego que S. Excâ. recibió aquel informe, y otro igual el Illmô. Señor Visitador D. Joseph de Galvez, movidos ambos del mismo zelo de la conversion y salvacion de las almas, pasaron Villete al R. P. Guardian de San Fernando, pidiendole treinta Religiosos Sacerdotes, los diez para que á mas de las Misiones mandadas fundar con los títulos de San Diego, San Carlos y San Buenaventura se estableciesen otras cinco con las advocaciones de N. P. San Francisco, Santa Clara, San Gabriel Arcangel, San Antonio de Padua, y San Luis Obispo de Tolosa, en esta nueva California.

Otros diez para cinco nuevas Misiones en el Pais, que média entre San Fernando Vellicatá y San Diego, con los nombres de San Joaquin, Santa Anna, San Juan Capistrano, San Pasqual Baylon, y San Felix de Cantalicio; y los diez restantes para Compañeros de los que estaban solos en las antiguas Misiones. En vista del católico pedimento de S. Excâ. nombró el R. P. Guardian y V. Discretorio (de los Religiosos que se ofrecieron voluntariamente) el citado número pedido, y se dió parte al Exmô. Señor Virey.

En quanto S. Excâ. tuvo este aviso del Colegio, dió las providencias correspondientes á efecto de que se entregasen á los Religiosos todos los Ornamentos, vasos sagrados, campanas, y demás útiles para las Iglesias, y Sacristias de las diez Misiones: asimismo mandó dar al Síndico del Colegio diez mil pesos, un mil para cada una, con el fin de que se comprasen los demás efectos que se necesitasen para Iglesia, campo y casa; y para el gasto del camino mandó se entregasen quatrocientos pesos para cada uno de los Misioneros, cuyo Sínodo debia empezar á correrles desde el dia de su salida de San Fernando. Embió S. Excâ. orden al propio tiempo al Comisario de Marina de San Blas, para que se aprontase el Paquebot San Carlos (que habia arribado á aquel Puerto despues que el San Antonio) para pasar á Loreto á llevar los veinte Misioneros, y que el San Antonio saliese para Monterey, con los diez restantes; y que en ambos Barcos se hiciese el correspondiente Rancho para los Religiosos de

cuen-

cuenta de la Real Hacienda; y que se procurasen embarcar en ellos quantos víveres cupiesen. Asi se executó todo, como verémos en el Capitulo siguiente, debiendose tan favorables providencias á la eficacia de los informes del V. P. Junípero, y á las fervorosas oraciones en que no cesaba de pedir á Dios este su amante Siervo embiase Operarios á esta Viña, procurando al propio tiempo atraer á los Gentiles al Puerto de Monterey.

CAPITULO XXV.

Viage de los treinta Misioneros que salieron del Colegio para ambas Californias.

Aunque eran grandes los deseos del Exmô. Señor Virey, de que sin pérdida de tiempo se embarcasen los treinta Misioneros, y para el efecto dió sus superiores órdenes; pero por no estar prontos los Barcos no se embarcaron hasta Enero y Febrero del siguiente año de 71, no obstante de haber salido de México por Octubre del de 70, pues hubieron de estar detenidos en el Hospicio de Tepic.

De alli salieron los diez destinados para Monterey, y se embarcaron en el Paquebot S. Antonio á 2 de Enero del citado año de 71; y despues de cincuenta y dos dias de navegacion algo penosa, por haber padecido bastantes borrascas, llegaron sin novedad al Puerto de S. Diego el 12 de Marzo, hallando ya alli á los Padres Ministros de aquella Mision (que ya tenian bautizados algunos Neófitos) accidentados todos de escorbuto. El Capitan dexó en San Diego parte de la carga, y se volvió á embarcar el dia 10 de Abril, y con él los Padres Misioneros, para pasar á tomar la bendicion del R. P. Presidente, que se hallaba en Monterey, y recibir cada uno su destino é instrucciones.

Los veinte Religiosos señalados para la antigua California se embarcaron en el Paquebot San Carlos á principios de Febre-

Febrero. y en su navegacion tuvieron mucho que padecer, á causa de que habiendo salido del Puerto de San Blas, comenzaron luego á experimentar la contrariedad de vientos y corrientes, hasta baxarlos mas allá del Puerto de Acapulco. Considerandose tan lexos, y apartados de la Península de su destino, y que la agua era poca, quiso el Capitan arrimarse á tierra para hacer aguada, y probando fortuna, se arrimó á un mal Puerto nombrado la Manzanilla, donde se vieron en evidente peligro de perderse, por haber varado el Paquebot, con cuya Lancha tuvieron que echar á tierra á todos los Padres en un despoblado de las Costas de Colima. Habiendo dado el Barco muchos golpes, se maltrató el timon, y saltaron las tablas del forro de la quilla: por esto recelaban hubiese quedado el Paquebot imposibilitado de hacer viage; y asi lo noticiaron al Exmô. Señor Virey.

Viendo S. Excâ. esta desgracia y atraso, dispuso que los Misioneros caminasen por tierra hasta la Provincia de Sinaloa á ponerse en frente de Loreto, para hacer desde alli la atravesia de sesenta leguas de golfo, con uno de los Barcos de la California. Hicieronlo asi, y en el dilatado viage de trescientas leguas, murió un Religioso, llegando los demas al Real de los Alamos, donde descansaron, hasta que hubo oportunidad de Barco que los transportase.

Quando la orden de S. Excâ. llegó, ya el Capitan habia mandado registrar el Paquebot, y reconocido que teniendo pronto remedio su daño, podria hacer viage dentro de poco tiempo; pero no obstante, los Padres eligieron caminar por tierra, excepto dos que á ruegos del Capitan se quedaron para venir en el Barco; y habiendo salido de Manzanilla, y navegado para la California, tuvieron vientos tan contrarios, que les dilató la navegacion hasta fin del mes de Agosto, pues el dia 30 de él dieron fondo en la Rada de Loreto; y teniendo entonces noticia de los demas Misioneros, el Señor Gobernador, despachó el Paquebot la Concepcion para que los conduxese, y desembarcaron en la misma Rada á 24 de Noviembre de 71.

A

A este tiempo me hallaba yo ausente; pero luego que tuve noticia del arribo de los Padres á Loreto, escribí al Señor Gobernador pidiendole los Soldados necesarios, á lo menos para dos Misiones, para pasar á fundarlas inmediatamente, como me lo encargaba S. Excâ. y me respondió, que tenia encargo del mismo Señor Exmô. para darme aquella Tropa; pero que se hallaba sin ninguna, por no haber todavia regresadose de Monterey la que pertenecia á Loreto: Que teniendo pedidas al Gobernador de Sonora unas Reclutas, luego que llegasen me aprontaria el socorro pedido, pues al presente estaba imposibilitado; y que de todo daba cuenta á S. Excâ. En vista de la imposibilidad de fundar por entonces ninguna Mision, repartí por las antiguas los diez y nueve Misioneros, y dí cuenta al Colegio y Superior Gobierno.

Llegaron á México las Cartas del Señor Gobernador y las mias, á tiempo que habiendo cumplido el suyo el Exmô. Señor Virey Marqués de Croix, habia entrado á gobernar el Exmô. Señor Bailio Fr. D. Antonio Maria Bucareli y Ursua; y el Illmô. Señor Visitador general D. Joseph de Galvez se habia retirado para la Corte al Real y Supremo Consejo de Indias, del que entonces era Consejero, y hoy del de Estado, Gobernador de aquel, y Secretario de Estado y del Despacho universal de Indias.

Con estas mutaciones, y entretanto que el nuevo Exmô. Señor Virey se enteró de los asuntos de tan vasto Gobierno, hubo la detencion que impidió dar principio al Establecimiento de las cinco Misiones, que debian fundarse en el terreno que média entre Vellicatá y S. Diego, como queda dicho: Y resultó asimismo la pretension de los Reverendos Padres de la Provincia de Santo Domingo de México, para tener parte en estas espirituales Conquistas, para cuyo logro consiguieron Real Cédula, en que mandaba S. M. se les entregase una ó dos Misiones con frontera de Gentiles. En vista de élla les respondió el Exmô. Señor Virey, que se viesen con el P. Guardian del Colegio de San Fernando, que lo

era

era entonces el R. P. Lector Fr. Rafael Verger, hoy Obispo del nuevo Reyno de Leon. Hízolo asi el Prelado de los Reverendos Padres Dominicos, y enterado el nuestro de la pretension por nueva Cédula que habian conseguido de S. M., y sabiendo que la antigua California no era divisible, por ser una lengua de tierra entre los dos mares, y que solo podría tener efecto, mezclandose ambas Religiones, de que se seguirian, ó podrian seguirse graves inconvenientes; le respondió al R. P. Prelado Domínico, que no podia ser el que ambas Religiones estuviesen en aquel sitio; que si su Paternidad queria, todas las Misiones que antes administraban los Reverendos Padres Jesuitas, se las cederia, como tambien la que se acababa de fundar nombrada San Fernando, y se le quedaba esta Frontera con el tramo de cien leguas, pobladas de Gentiles por la Costa, hasta llegar al Puerto de San Diego inclusive; en cuyo tramo estaban mandadas fundar cinco Misiones; y que su Paternidad se podría hacer cargo de su establecimiento. En todo se convino aquel Prelado, y firmado asi de él, como del nuestro este Contrato, se presentó al Exmô. Señor Virey, quien se dignó confirmarlo en Junta de Guerra y Real Hacienda celebrada en 30 de Abril de 1772, con cuya misma fecha expidió el Decreto para su cumplimiento, que se verificó en el mes de Mayo del siguiente año de 1773, en que llegaron á la California los Reverendos Padres Domínicos, y les hice la entrega de las citadas Misiones. Quedó ya con esto nuestro Colegio libre de aquella carga, y con mayor desahogo para atender á estas Conquistas de Monterey, ó nueva California, á donde subimos nueve de los Misioneros que estabamos en la antigua, y los demás se retiraron al Colegio de S. Fernando.

CAPI-

CAPITULO XXVI.

Llegan á Monterey los diez Misioneros con las nuevas y favorables providencias, y lo que practicó el V. Padre.

LOS diez Misioneros que se embarcaron en San Diego el 14 de Abril, llegaron á 21 de Mayo del mismo año de 71, sin mas novedad que haber padecido algunos sustos por los contrarios vientos en los treinta y ocho dias de navegacion. Fué su arribo de suma alegria para nuestro V. P. Presidente, viendose con tantos Operarios, que venian con grandes alientos para trabajar en la Viña del Señor. Tenia ya el Siervo de Dios suficiente vivienda, aunque de palizada, para hospedarlos, y vivir en ella, interin se repartian á poner mano á la empresa de la espiritual Conquista. Con tantos Religiosos en el centro de la Gentilidad, no quiso perder la ocasion de celebrar la segunda fiesta del Corpus, que cayó aquel año el dia 30 de Mayo, dia de nuestro Patrono San Fernando. Celebraronla con mayor solemnidad que el año antecedente, con Misa cantada de tres Ministros, Sermon y Procesion del Divinísimo con asistencia de doce Sacerdotes. Desde luego parecia limitado el magnánimo corazon de Fr. Junípero, para contener en sí, y no derramar á fuera, el gozo que lo ocupaba, al ver tan magnificos cultos tributados al Señor, á quien incesantemente repetia las gracias por haber embiado aquel número de Religiosos, para dar mano á los Establecimientos, y Conversiones, y al ver tan inclinados á darles todo fomento al Exmô. Señor Virey, é Illmô. Señor Visitador general, quienes le escribian podia poner la Mision de San Carlos en el Rio Carmelo, ó donde mejor le pareciese.

Pasada ya la fiesta del Corpus, y enterado el V. Padre de las órdenes del Exmô. Señor Virey, en que mandaba S. Excâ. se fundasen cinco Misiones, á mas de las tres proyectadas desde el principio, hizo la distribucion de los Religiosos que habian de pasar á administrarlas: y teniendo presente

sente, que los dos que estaban en San Diego, por enfermos, le pedian licencia para retirarse, el uno al Colegio, y el otro á la antigua California, con la expectacion de que aquel clima cálido probase mejor á su salud, pudiendo continuar sus tareas en aquellas Misiones; y no olvidando al propio tiempo el Siervo de Dios, que los hacia acreedores á la concesion del retiro, el mérito de haber trabajado con el mayor desvelo en las estaciones mas calamitosas, condescendió á la súplica de ambos, y señaló para succesores Ministros de aquella Doctrina á los Padres Fr. Francisco Dumetz, y Fr. Luis Jayme, de la Provincia de Mallorca. Para Fundadores de la Mision de San Buenaventura á los Padres Fr. Antonio Paterna, de la Provincia de Andalucia, y Fr. Antonio Cruzado, de la de los Angeles; y para la de San Gabriel, á los Padres Fr. Angel Somera, hijo del Colegio, y Fr. Pedro Benito Cambon, de la Provincia de Santiago de Galicia, todos Sacerdotes y Predicadores.

Como quiera que las tres Misiones á donde iban los citados Padres estaban al rumbo del Sur, y mas inmediatas al Puerto de San Diego, se volvieron á embarcar los Religiosos para aquel Puerto en el mismo Paquebot San Antonio, que salió del de Monterey á 7 de Julio; y en él fué tambien el Comandante D. Pedro Fages, (graduado ya de Capitan) para repartir la Tropa y ganado que estaban en San Diego, por el retiro del Capitan D. Fernando Rivera.

En Monterey quedaron otros seis Religiosos, incluso nuestro V. Fr. Junípero, quien nombró para la Mision de San Antonio de Padua á los Padres Fr. Miguel Pieras y Fr. Buenaventura Sitjar, de la Provincia de Mallorca: Para la de San Luis Obispo de Tolosa, á los Padres Fr. Joseph Cavaller, y Fr. Domingo Juncosa, ambos de la Provincia de Cataluña; y para la de Monterey quedó el V. P. Presidente con su Discípulo y Compañero Fr. Juan Crespi. Quedaban todavia dos Misiones proyectadas, y no habia Ministros para ellas (cuyos títulos eran de N. P. San Francisco, y Ntrâ. M. Santa Clara); pero como estas se habian de fundar mas arriba hácia el

Nor-

Norte, y en la actualidad no habia Tropa para todas, se consoló el Siervo de Dios, esperando que quando subiese la Tropa de la antigua California, podrian tambien venir los quatro Ministros de las antiguas Misiones.

A los dos dias despues de la salida del Paquebot S. Antonio, en que iban los seis Religiosos, pasó el V. Padre á reconocer las Vegas y Cañada del Rio Carmelo, para mudar la Mision de S. Carlos á mas proporcionado sitio, y habiendolo hallado con las comodidades necesarias, dispuso se hiciese el corte de las maderas para aquella Fábrica, dexando tres Mozos Marineros, que habian quedado alli de los del Barco, y quarenta Indios Californios resguardados con cinco Centinelas, de los que él que hacia de Cabo, quedó con el encargo de cuidar que cortasen y dispusiesen maderas para construir aquella Mision, interin el V. Padre volvia de fundar la de S. Antonio, para cuyo efecto salió luego, como se verá en el siguiente

CAPITULO XXVII.

Fundase la Mision de San Antonio de Padua.

AQuel ardiente zelo de la conversion de los Gentiles en que se abrasaba el corazon de nuestro V. Fr. Junípero, no le permitia descanso ni dilacion alguna en poner los conducentes medios para la consecucion de sus intentos. Luego que concluyó el reconocimiento del Rio Carmelo, y dexó en corriente los Operarios para el corte de maderas, se regresó luego á Monterey, para disponer su viage de la Sierra de Santa Lucía, á donde salió luego con los Padres destinados para Fundadores de la Mision de San Antonio; y llevando consigo todos los avios necesarios para aquella nueva Mision, y la precisa escolta de Soldados, caminaron para aquella Sierra, veinte y cinco leguas de Monterey al viento Sur Suduest; y habiendo llegado á la oya de la citada Serrania,

en-

encontraron una grande cañada, que llamaron de los Robles, por estar muy poblada de estos árboles, y pasaron el Real á ella.

Registraron el terreno, y habiendo hallado un Plan dilatado y vistoso en la misma Cañada, inmediato á un Rio (que desde luego llamaron de S. Antonio) les pareció muy proporcionado sitio para el Establecimiento, por el buen golpe de agua que tenia aun en el mes de Julio, que es el tiempo de las mayores secas; y asimismo que sin dificultad podrian darle conductos para el beneficio de aquellas tierras. Convenidos todos en la eleccion del terreno para el Poblado, mandó el V. Padre descargar las mulas, y colgar las campanas en la rama de un arbol; y luego que estuvieron en disposicion de tocarse, empezó el Siervo de Dios á repicarlas, gritando como enagenado: ,, Ea Gentiles, venid, venid á la Santa ,, Iglesia: venid, venid á recibir la Fé de Jesuchristo; ,, y mirandolo el Padre Fr. Miguel Pieras, uno de los dos Misioneros señalado para Presidente, le decia: ,, ¿Para que se cansa ,, si este no es el sitio en donde se ha de poner la Iglesia, ni ,, en estos contornos hay Gentil alguno? Es ocioso el tocar ,, las campanas. Dexeme Padre explayar el corazon, que qui- ,, siera que esta campana se oyese por todo el Mundo, como ,, deseaba la V. Madre Sor Maria de Jesus de Agreda, ó que ,, á lo menos la oyese toda la Gentilidad que vive en esta ,, Sierra ,,. Construyeron luego una Cruz grande, que despues de bendita y adorada enarbolaron y fixaron en aquel mismo sitio. Hizose asimismo una enramada, y puesta baxo de ella la mesa de Altar, celebró el V. Padre la primera Misa á San Antonio, Patrono de aquella Mision, el dia 14 de Julio del año de 1771, dedicado al Seráfico Doctor San Buenaventura. Presenció este Sacrificio Divino un Gentil que atraido del sonido de las campanas, ó de la novedad de ver gentes tan extrañas, ocurrió alli á tiempo que se celebraba la Misa. Advirtiólo el V. Sacerdote al voltearse para el Pueblo para la Plática despues del Evangelio, y rebosando de la alegria su corazon, la explicó en su discurso diciendo de esta

mane-

manera: " Espero en Dios y en el patrocinio de San Antonio,
" que esta su Mision ha de ser un gran Pueblo de muchos
" Christianos, pues vemos, lo que no se ha visto en otras de
" las Misiones fundadas hasta aqui, que á la primera Misa
" ha asistido la primicia de la Gentilidad; y no dexará ese
" de comunicar á los demás Gentiles lo que ha visto. " Asi
sucedió, como veremos despues, cumpliendose perfectamente con el hecho las esperanzas de nuestro V. Padre, quien
luego que concluyó la Misa, comenzó á acariciar y regalar al Gentil, con el fin de atraher por este medio á los demas, como lo logró aun en aquel mismo dia, pues llevados
de la novedad empezaron muchos á concurrir; y habiendoles
hecho entender por señas (á falta de Intérprete) que habian
ido á avecindarse y vivir en aquellas tierras, dieron muestras de apreciarlo mucho, comprobandolo con las continuas
visitas que les hacian, y regalos de piñones y bellotas que es
traían, cuyas semillas y otras silvestres, de que hacen sus pinoles ó harinas para mantenerse, cosechan con abundancia.
Correspondia el V. Padre y demás á estos obsequios con
ensartas de avalorios (ó cuentas de vidrio de diversos colores) y asimismo con nuestras comidas de maiz y frixol, á
que se aficionaron desde luego aquellos Infieles.

Inmediatamente se dió principio á construir, por de
pronto de madera, casa para habitacion de los Padres y Sirvientes, Quartel para los Soldados, é Iglesia para el divino
culto, cercando todas estas piezas con estacada para la defensa, y con escolta de seis Soldados y un Cabo para resguardo.
Dentro de poco tiempo ya los Padres se llevaban la atencion de los Gentiles, que les cobraron singular afecto, por el
amor y cariño con que los trataban; y desde luego comenzaron á manifestar la confianza que hacian de los Religiosos,
llevándoles sus semillas luego que levantaban las cosechas,
y diciendoles, que comiesen lo que gustasen de ellas, y el
resto se los guardaran para el tiempo de Invierno. Asi lo hacian los Misioneros con mucha complacencia, admirando
en los Gentiles tanta confianza; y con la expectacion de que
se-

seria mayor, quando reengendrados por el Bautismo los mirasen como á verdaderos Padres. Quedó en el mismo concepto nuestro V. Fr. Junípero, al ver tan al principio semejantes demostraciones; y con esta confianza dexando á los citados Ministros en la Mision de San Antonio, se regresó para la de Monterey, á los quince dias de fundada aquella.

Instruidos los nuevos Misioneros por el V. Presidente, se dedicaron desde luego con el mayor desvelo á aprender con los niños el idioma de aquellos Bárbaros, para poder explicarles por este medio, que el fin de venir á sus tierras, era para dirigir al Cielo sus almas. Consiguieronlo á costa de toda su aplicacion; y habiendo empezado á catequizar y bautizar, tenian ya á los dos años de fundada aquella Mision, que estuve yo en ella, ciento cincuenta y ocho Christianos nuevos.

Entre ellos habia (segun me refirieron aquellos Religiosos) una Muger, que nombraron Agueda, tan anciana, que segun su aspecto, representaba tener de edad cien años. Fué esta á pedir á los Padres el Bautismo; y habiendole preguntado la causa de querer ser Christiana, respondió, que siendo ella de corta edad, oia referir á sus Padres la venida á aquellas tierras de un hombre que vestia el mismo habito que los Religiosos, el qual no habia entrado ni á pie por tierra, sino volando, y que este les decia lo mismo que ahora predicaban los Misioneros; y que acordandose de esto se habia movido á ser Christiana. No dando crédito los Padres al dicho de la anciana Muger, se informaron de los Neófitos, y unánimes todos respondieron, que asi lo habian oido decir á sus antepasados, y que era general tradicion de unos á otros.

Al oir de los Padres esta noticia, me acordé luego de la Carta que en el año de 1631 escribió la V. M. Sor Maria de Jesus de Agreda á los Misioneros empleados en las espirituales Conquistas del Nuevo México, en que entre otras cosas les dice, que N. P. S. Francisco llevó á estas Naciones del Norte dos Religiosos de su Orden para que predicasen la Fé de Jesuchristo (los quales no eran Españoles) y que despues de haber hecho muchas conversiones, padecieron martirio.

tirio. Y habiendo cotejado el tiempo, me hice juicio, podria haber sido alguno de estos Religiosos el que decia la Neófita Agueda.

La citada Mision de S. Antonio (como tengo dicho) se halla situada en el centro de la Sierra de Stâ. Lucía, distante de la Costa del Mar Pacífico como ocho leguas por la fragosidad del camino para la Playa, y está en la altura del Norte á 35 grados y 30 minutos, y distante, como veinte leguas del Puerto de Monterey. Es el terreno bastantemente poblado de crecidos pinos, que producen abundancia de piñones (semejantes en todo á los de España) los quales comen los Indios, causándoles por su naturaleza cálida algunos accidentes. Está poblado asimismo de grandes encinos y robles, que franquean á los Indios varios géneros de vellotas, las quales despues de secas al Sol, guardan todo el año para mantenerse, haciendo sus poleadas, y pinoles, para lo qual se sirven tambien de los zacates ó yerbas que con abundancia les ministra el campo. No es menor la que hay de Conejos y Ardillas, tan sabrosas como las Liebres. Es mucha su fertilidad, y facilita abundantes cosechas de Trigo, Maiz, Frixol, y otras varias semillas de España, con que ahora se mantienen los habitantes.

El clima en tiempo de Verano es sumamente cálido, y en el Invierno frigidísimo por las muchas heladas que se experimentan; desuerte que un Arroyo que corre todo el año inmediato á las Casas de la Mision, se quaja con ellas, quedando suspenso el curso de aquella corriente hasta que el Sol con sus rayos derrite el yelo; y por la misma causa suelen experimentarse notables quebrantos en las sementeras, principalmente en las de Maiz, y Frixol, si se siembran temprano.

Tan fuerte fué la helada que cayó el dia primero de Pasqua de Resurreccion en el año de 1780, que una gran sementera de trigo, espigado ya todo y en flor, quedó tan seco como el rastrojo por el mes de Agosto. Fué este accidente de grande desconsuelo para los Indios, y mucho mayor para los Padres, considerando los muchos atrasos que se siguen

quan-

quando falta bastimento á la Mision, pues es preciso vayan los Neófitos por los cerros en busca de semillas silvestres para alimentarse, como quando eran Gentiles. Avivando la fé los Padres, y confiando en el Patrocinio de S. Antonio, convidaron á los Christianos nuevos para hacerle la
Novena. Asistieron á ella todos con mucha puntualidad y
devocion; y al empezarla, mandaron los Padres soltar el riego á las heladas milpas, que estaban enteramente secas. Dentro de pocos dias advirtieron que nacia de nuevo, ó retoña-
ba desde la raiz el trigo; y al acabar la Novena estaba ya todo el campo verde. Continuaronle el riego, y creció con
tanta prisa, que á los cincuenta dias, en el de Pasqua de Espíritu Santo, estaba ya el trigo tan alto como el seco, con las
espigas floridas y grandes, que granaron y sazonaron por el
mismo tiempo que los años anteriores, lograndose una cosecha tan crecida, y de grano tan abultado, que jamas habian visto otra semejante. Reconociendose desde luego obligados, asi los Padres como los Indios, por tan especialísimo
prodigio como Dios nuestro Señor se dignó obrar en su favor por la intercesion del Santo Patrono y Taumaturgo S.
Antonio, le rindieron desde luego las mas afectuosas gracias.

Este caso, y otros varios que omito por no abultar esta
Historia, han contribuido mucho para confirmar en la Fé á
los Neófitos, y que los Gentiles la abrazasen, como ha sucedido, excediendo el número de Christianos de aquella Mision
al de todas las demás, pues llegaron á contarse en ella antes
de morir el V. P. Junipero mil ochenta y quatro Neófitos,
con lo que vió cumplida la esperanza que desde el dia de la
fundacion tuvo en Dios y en el Patrocinio de San Antonio,
que habia de ser un gran Pueblo de muchos Christianos. Asi
lo concedió el Señor á su Siervo Fr. Junípero verlo cumplido en los dias de su vida, y que despues de su exemplar muerte vaya aumentandose cada dia mas el número de los Christianos; y no dudo que en el Cielo pedirá á Dios (como me
prometió poco antes de salir de esta vida) la conversion de
todos los demás Gentiles que pueblan estos dilatados Paises.

CAPI-

CAPITULO XXVIII.

Pasa el V. Padre á mudar la Mision de S. Carlos al Rio Carmelo, y lo que en ella practicó.

DEspues de pasados quince dias de establecida la Mision de San Antonio, salió de ella para la de Monterey el V. P. Presidente Fr. Junípero, con vivos deseos de fundar la de San Luis; pero por la falta de Tropa (cuya mayor parte se hallaba detenida en San Diego por el Capitan Rivera habia un año) mortificó sus deseos, al ver, que hasta la subida del Comandante D. Pedro Fages, no podria efectuarse; y entretanto se ocupó en mudar la Mision de San Carlos á las orillas del Rio Carmelo.

Para dar principio á esta obra, que juzgaba el Siervo de Dios muy importante para la reduccion de los Gentiles, y subsistencia de aquella Mision, que propiamente se fundaba de nuevo, pasó al sitio en que habia dispuesto se hiciese el corte de la madera, y considerando no ser bastante la que habia, mandó se continuase, cortando, interin volvia del Presidio. Bien pudiera el V. Padre encomendar este material trabajo á su Compañero el P. Crespi, á los Religiosos destinados para la Mision de San Luis, los quales estaban como ociosos en el Presidio, hasta que se verificase la salida para establecer su Mision. Pero no quiso perder este mérito, ni cargar á los otros el trabajo, sin duda para darles exemplo, y que no se desdeñasen de exercitar semejantes oficios mecánicos, que se dirigen á tan noble fin, y son muy del agrado de Dios (como dice en su citada Carta la V. M. Maria de de Jesus). Dexó en el Presidio á los dos Ministros de la Mision de San Luis para que administrasen á la Tropa, y á su Compañero para que cuidase de los Indios Neófitos, dándoles no solo la comida del cuerpo, sino tambien la del alma, rezando dos veces al dia la Doctrina Christiana; y á ambos hizo

hizo el encargo de que siempre que fuesen Gentiles, procurasen regalarlos, y dirigirlos al Rio Carmelo, donde haria lo mismo S. R.

Concluidas estas prevenciones, se encaminó al sitio destinado para la Mision, distante una legua del Presidio, á hacer vida eremítica, cuya habitacion fué de pronto una Barraca, en la que se mantuvo sirviendo de Sobrestante, y muchas veces de Peon, hasta que hubo alguna vivienda en que acogerse para libertarse del mucho viento frio que se experimenta en aquella Cañada casi todo el año. La primera obra que mandó hacer fué una grande Cruz, que bendita, enarboló (ayudado de los Soldados y Sirvientes) y fixó en la mediania del tramo destinado para compás, que estaba inmediato á la Barraca de su habitacion, y otra que servia de interina Iglesia, siendo su compañia y todas sus delicias aquella sagrada Señal. Adorabala luego que amanecia, y cantaba la Tropa el Alabado, y delante de ella rezaba el Siervo de Dios Maytines y Prima, é inmediatamente celebraba el Santo Sacrificio de la Misa, á que asistian todos los Soldados y Mozos. Despues comenzaban todos su trabajo, cada uno en su destino, siendo Ingeniero y Sobrestante de la obra el V. Padre, quien muchas veces al dia adoraba la Santa Cruz, rezando delante de ella el Oficio Divino, segun lo oí todo de boca del Cabo, que sirvió de Centinela en aquel sitio; y lo mismo practicaba de noche al concluir el rezo de la Corona, con cuyo exemplo hacian lo propio los Soldados, enseñandose tambien los Indios.

Quando iban los Gentiles á visitar al V. Padre, que raro era el dia en que dexaban de hacerlo atraidos de curiosidad, ó de los regalos que les hacia, era lo primero que practicaba persignarlos por su propria mano, y despues les hacia adorar la Santa Cruz, y concluidas estas santas ceremonias, los regalaba, ya con comida que les mandaba hacer de trigo, ó maiz cocido, con atole hecho de dichas harinas, ó ya con avalorios, y procuraba agasajarlos quanto podia, aprendiendo con ellos el idioma. Iban tambien á visitarlo los nue-

nuevos Christianos, que pedian licencia al P. Crespi, para ir (como decian) á ver al Padre viejo, y con ellos tenia sus delicias mostrándoles mayor cariño que si por naturaleza fuesen sus hijos. Enseñóles á que saludasen á todos con las devotas palabras: *amar á Dios*; y se estendió de tal manera, que hasta los Gentiles decian esta salutacion, no solamente á los Padres, sino á qualquier Español; y queda estendida por todo este vasto terreno, enterneciendo el corazon mas duro, al oir á los Gentiles que lo mismo es encontrar á sus Compañeros, ó á los Españoles por los caminos, que referir aquellas palabras *amar á Dios.*

Luego que tuvo el V. Padre concluida la Fábrica de Capilla y vivienda suficiente, que fué á fines del año de 1771, llamó á su Compañero el P. Crespi, y se mudó á la nueva Mision con todos los Christianos Neófitos, y empezaron á trabajar ambos en aquella espiritual Conquista; siendo esta su peculiar Mision, en donde se mantuvo (interin no tenia que salir á visitar las Misiones, y viages precisos del ministerio de Presidente) hasta que murió, dexando en sola ella mil y catorce bautizados entre adultos y párvulos, la mayor parte por el V. Padre; pues era en esta materia sin comparacion zeloso, y sin saciarse sediento.

CAPITULO XXIX.

Arribo de los seis Misioneros á San Diego, y estableci-miento de la Mision de S. Gabriel.

YA queda dicho en el Capítulo XXVI. como el dia 7 de Julio del año de 71 salió el Paquebot San Antonio del Puerto de Monterey, y en él los seis Ministros para las tres Misiones del Sur con el Comandante D. Pedro Fages; y que, despues de ocho dias de navegacion, á 14 del mismo mes, dieron fondo en el Puerto de San Diego, donde hallaron á los Padres sin novedad, y los destinados para Ministros de aquella Mision se hicieron cargo de ella; y usando de la licencia, los dos que por enfermos la habian solicitado para re-tirar-

tirarse, se embarcó uno en el mismo Paquebot, que salió el 21 del propio mes para San Blas, y otro con la primera partida que salió para la antigua California, baxó á una de aquellas Misiones.

Luego que el Barco salió se empezó á tratar de los nuevos Establecimientos; pero por la desercion de diez Soldados, á tiempo que estaban ya para salir, hubieron de detenerse hasta que se consiguió su incorporacion en la Tropa, por haber ido uno de los Misioneros á convencerlos, ofreciendoles el perdon; y estando dispuesta la salida para el dia 6 de Agosto, volvieron otros á desertar; pero no obstante esto dispuso el Capitan que saliesen los de la Mision de S. Gabriel; que despues saldria él con los Padres de S. Buenaventura.

El citado dia 6 de Agosto salieron de San Diego los Padres Fr. Pedro Cambon, y Fr. Angel Soméra resguardados con diez Soldados, y los Arrieros con la Requa de los avíos. Caminaron hácia el rumbo del Norte por el camino que transitó la Expedicion; y habiendo andado como quarenta leguas, llegaron al Rio de los Temblores (llamado asi desde la Expedicion primera) : y estando en el registro para elegir terreno, se les presentó una numerosa multitud de Gentiles, que armados y presididos de dos Capitanes, con espantosos alaridos pretendian impedir la fundacion. Recelando los Padres se rompiese la guerra, y se verificasen algunas desgracias, sacó uno de éllos un lienzo con la Imagen de nuestra Señora de los Dolores, y lo puso á la vista de los Bárbaros; pero no bien lo hubo hecho, quando rendidos todos con la vista de tan hermoso Simulacro, arrojaron á tierra sus arcos y flechas, corriendo presurosos los dos Capitanes á poner á los pies de la Soberana Reyna los avalorios que al cuello traian, como prendas de su mayor aprecio; manifestando con esta accion la paz que querian con los nuestros. Convocaron á todas las Rancherias comarcanas, que en crecidos concursos de hombres, mugeres y niños venian á ver á la Santísima Virgen, cargados de varias semillas, que dexaban á los pies de la Santísima Señora, entendiendo que comia como los demas.

Igua-

Iguales demostraciones hicieron las mugeres Gentiles del Puerto de San Diego despues de pacificados aquellos habitadores; pues habiendoles manifestado otra Imagen de nuestra Señora la Virgen Maria con el Niño Jesus en los brazos, luego que lo supieron en las Rancherias inmediatas, ocurrieron á verla; y como no pudiesen entrar, por impedirselos la estacada, llamaban á los Padres, y metian por entre los palos sus cargados pechos, expresando vivamente por señas, que venian á dar de mamar á aquel tierno y hermoso Niño, que tenian los Padres.

Con haber visto la Imagen de nuestra Señora los Gentiles de la Mision de San Gabriel, se mudaron de tal suerte, que freqüentando las visitas á los Religiosos, no sabian como manifestarles el contento de que hubiesen ido á avecindarse en sus tierras, y ellos procuraban corresponderles con caricias y regalos. Pasaron á registrar aquel grande llano, y dieron principio á la Mision en el lugar que juzgaron á propósito, con las mismas ceremonias que quedan referidas en las demas Reducciones. Celebróse la primera Misa baxo de una enramada, el dia de la Natividad de nuestra Señora 8 de Septiembre, y el dia siguiente dieron principio á fabricar una Capilla que sirviese de interina Iglesia, y asimismo una Casa para los Padres, y otra para la Tropa, todo de palizada, y con cerco de estacas para la defensa en qualquier evento. La mayor parte de la madera para las Fábricas la cortaron y arrancaron los mismos Gentiles, ayudando á construir las casitas, por cuya causa quedaron los Padres con la expectacion del feliz éxito, y que desde luego no repugnarian abrazar el suave yugo de nuestra Evangélica Ley.

Quando mas contentos estaban aquellos Naturales, desgració esta buena disposicion uno de los Soldados, agraviando á uno de los primeros Capitanes de las Rancherias, y lo que peor es, á Dios nuestro Señor. Queriendo el Capitan Gentil tomar venganza del agravio que se habia hecho á él y á su muger, juntó á todos los vecinos de las Rancherias inmediatas, y convidando á los hombres capaces de tomar las

ar-

armas, se presentó con ellos á los dos Soldados, que distantes de la Mision, guardában y apacentaban la caballada, de los quales era uno el malhechor. En quanto estos vieron venir tanta gente armada, se vistieron las cueras para el resguardo de las flechas, y se pusieron en arma, sin tener lugar de dar aviso á la Guardia, que ignoraba el hecho del Soldado. Lo mismo fué llegar los Gentiles á tiro de escopeta, empezaron á arrojar flechas, encaminandose todos al Soldado insolente. Este con la escopeta apuntó al que veia mas osado, presumiendose sería el Capitan, y disparándole una bala lo mató. Luego que los demás vieron el estrago y fuerza de las armas de los nuestros que jamas habian experimentado, y que las flechas no les hacian daño, huyeron presurosos, dexando al infeliz Capitan, que despues de haber sido el agraviado quedó muerto; de cuyo hecho resultó que se amedrentasen los Indios.

Llegó á pocos dias de haber sucedido esto, el Comandante con los Padres, y avío para la Mision de San Buenaventura, y temiendo que los Gentiles hiciesen algun atentado para vengar la muerte de su Capitan, resolvió aumentar la Guardia de la Mision de San Gabriel hasta el número de diez y seis Soldados. Por este motivo y la poca confianza que habia de los restantes, á vista de tan repetidas deserciones, hubo de suspenderse el Establecimiento de la Mision de San Buenaventura, hasta ver el exîto de la de San Gabriel, donde quedaron los dos Ministros de aquella con todos sus utensilios hasta nuevo aviso. El Comandante subió con los demás Soldados para Monterey, llevandose al que habia matado al Gentil, para quitarlo de la vista de los otros, no obstante que el escándalo que habia cometido estaba oculto asi al Comandante como á los Padres.

Quedaron por esta razon quatro Misioneros en la Doctrina de San Gabriel; pero habiendo enfermado los dos Ministros de ella, en breve tiempo hubieron de retirarse á la antigua California, y los dos destinados para San Buenaventura quedaron administrándola, y procuraron con toda la suavidad

dad posible atraer á los Gentiles, quienes poco á poco fueron olvidando el hecho del Soldado, y la muerte de su Capitan, y empezaron á entregar algunos niños para ser bautizados, siendo de los primeros el hijo del miserable difunto, que con mucho gusto dió la Viuda; y á su exemplo fueron otros entregando los suyos, y se fué aumentando el número de Christianos, de suerte, que pasados dos años de fundada la Mision, que estube yo en ella, ya tenian bautizados setenta y tres, y quando murió nuestro V. Padre se contaban mil y diez y nueve Neófitos.

CAPITULO XXX.

Embia el V. Padre á su Compañero al reconocimiento del Puerto de N. P. S. Francisco.

Llegó el Comandante D. Pedro Fages á Monterey, y hallando mudada ya la Mision de San Carlos al Rio Carmelo, pasó allí á ver al V. P. Fr. Junípero para comunicarle quanto habia pasado. Causóle al Siervo de Dios mucha pena, que se frustrase el Establecimiento de San Buenaventura, por ser esta Mision de las tres proyectadas primeramente, y la que llamaba peculiar suya el Illmô. Señor Visitador general D. Joseph de Galvez; pero viendo que no habia sido por causa de los Misioneros, dió á Dios las gracias, asi por esto, como porque se hubiese conseguido la fundacion de San Gabriel, confiando en su Divina Magestad, que quando fuese de su mayor agrado, se estableceria aquella con mejores proporciones, y menos ansias. Asi se lo concedió el Señor despues de trece años de proyectada; y aunque fué la última que el V. Padre fundó, pudo decir de ella lo que la Iglesia Santa de la Canonizacion del mismo Seráfico Dr. San Buenaventura: *Tamen quo tardius eò solemnius*, como en la narracion de este Establecimiento se veerá.

Viendo el V. Fr. Junípero desgraciada aquella fundacion, le propuso al Comandante la de San Luis; pero se escusó

cusó por la misma razon, diciendole, que si se disminuía la
Tropa, y venia de San Gabriel noticia de alguna novedad
en aquella Mision por parte de los Indios, se veeria desde
luego imposibilitado de pasar á socorrerla: que luego que se
supiese que estaban en quietud, se daria mano á fundar la
Reduccion de San Luis.

Considerando aquel fervoroso Prelado, que entretanto
no se verificase novedad alguna por abaxo, omitirian el despacho de Correo, y que con esta expectacion se estarian todo
el año sin adelantamiento alguno, propuso al Comandante
Fages, que interin se recibia noticia, se fuese al reconocimiento del Puerto de Ntrô. Padre San Francisco, para ver
qué sitio se encontraba proporcionado para la Mision, y á comunicar y congratular á los Gentiles, para que hubiese esto
adelantado quando llegase la ocasion del Establecimiento.
Convino el Comandante á esta Expedicion, ofreciendo ir en
persona con el Padre Crespi, luego que pasase la estacion
de las aguas, si para este tiempo no habia novedad.

Viendo á mediados del mes de Marzo, que ya no llovia,
ni habia venido Correo de San Luis, y dando por supuesto
que no habria por allá ningún acaecimiento, salieron de Monterey el dia 20 de dicho mes del año de 1772, de cuyo viage
y registro formó su Diario el citado Padre Crespi, que asen-
tó á continuacion de los demás (al qual remito al Lector curioso). Impidióles concluir aquel registro á su satisfaccion
la noticia que recibieron por un Correo que llegó de S. Diego, de que aquel Puerto estaba á peligro de desampararse,
por irseles acabando los víveres, y que para remediarlo habia baxado á la antigua California el Padre Dumetz: pues
aunque el Paquebot S. Antonio habia trahido aquel año igual
carga de comestibles que en los antecedentes; pero tambien
se habian aumentado los consumidores, asi con los Peones
que quedaron del Barco, como con los Neófitos que se agre-
gaban á la Mision, por cuya causa iban dando fin insensible-
mente los bastimentos que habia.

Luego que el Comandante recibió esta noticia (estando
en

en la Expedicion del citado reconocimiento) retrocedió para Monterey, como se advierte en el expresado Diario, y despachó la Requa cargada de víveres para abastecer á S. Diego y á San Gabriel, que por dicho Correo se supo no habia habido novedad alguna con los Indios de esta última Mision, y sí, que los dos Ministros de élla se habian retirado enfermos para la antigua California, y quedaban supliendo los de San Buenaventura, como dexo dicho. En atencion á esto y á que quedaba solo en San Diego el P. Fr. Luis Jayme, embió con la Requa al P. Fr. Juan Crespi, que acavaba de llegar del reconocimiento del Puerto de N. P. San Francisco.

Llegó á San Gabriel y San Diego este socorro, y poco despues recibieron otro, que les remití yo de la antigua California con un Misionero, y al mismo tiempo llegó el Padre Dumetz. Quedó con esto socorrida aquella necesidad, que dentro de poco tiempo se trasladó á Monterey, porque retardandose el Barco que conducia las provisiones tres meses mas que los años antecedentes, hubieron de padecer aquellos vecinos los efectos de la escasez, haciendoles desde luego notable falta los víveres que embiaron al Puerto de S. Diego. En esta atencion se vió precisado el Comandante D. Pedro Fages á tomar la providencia de dexar en el Presidio un corto número de Soldados, y pasar con los demás á la Cañada, que llamaron de los Osos, distante cincuenta leguas del Presidio, para hacer matanza de estas fieras, y comprar semillas silvestres á los Indios, con que pudiera mantenerse la gente. Duró esta necesidad hasta que con el arribo del Barco quedó remediada, aunque á los Padres no les alcanzaron tanto sus tristes efectos, por haberlos socorrido los Gentiles, como se veerá en la siguiente Carta del V. P. Junípero.

CAPI-

CAPITULO XXXI.

Carta del V. Padre con algunas noticias, y llegada de los Barcos.

„ Viva Jesus, Maria, y Joseph = R. P. Lector y Presiden-
„ te Fr. Francisco Palou = Carísimo Amigo y mi Señor:
„ No me quiero querellar del límitado tiempo para escribir
„ á V. R. porque no parezca maña vieja, harto tengo con sig-
„ nificar el rezelo de lo que con trabajo escribo llegue á sus
„ títulos. Lo que primero digo, es que gracias á Dios, tengo
„ salud, y que no me ha tocado á mí ni á ninguno de los Pa-
„ dres Compañeros la hambre que por estas tierras ha morti-
„ ficado y mortifica á muchos pobres. Lo segundo, que quan-
„ do esperábamos el Barco, nos ha llegado la noticia de ser
„ dos los que vienen á este Puerto; pero con haber llegado
„ ambos á la altura, y aun el uno á dos leguas de esta Mision,
„ ninguno ha podido aportar acá; y escribe el Capitan del
„ Príncipe (que es nuestro D. Juan Perez) que ya no podrá
„ venir, que se halla en S. Diego. y que vayan allá, si quieren
„ lo que trae. El otro escribe (que es D. Miguel Pino, con Ca-
„ ñizares) que se halla en la Canal de Santa Bárbara, y que
„ se vá á S. Diego: con que allá lo tenemos todo, y aqui na-
„ da. El consuelo es, que aquellas dos Misiones de S. Diego
„ y S. Gabriel ya quedan fuera de cuidado. Esta, la de S. An-
„ tonio y el Presidio, no estan con peligro de abandonarse;
„ pero estan con el seguro de que les dure á la gente algunos
„ dias la mortificacion. Las mulas para subir por tierra son
„ pocas y maltratadas.

„ Los principales mantenedores de la gente son los Gen-
„ tiles: por ellos se vive porque Dios quiere, sin embargo de
„ que la leche de Bacas, y la verdura de la Huerta han sido
„ dos grandísimos sustentáculos de estos Establecimientos;
„ pero ambos renglones ya escasean: mas no por lo dicho
„ me pesa, ni le pese á V. R. el que estén fundadas estas Mi-
„ sio-

" siones, como que no le duele á Ministro alguno de los que
" las pueblan. El desconsuelo solo se ha hallado en las va-
" cantes por dificultad de proseguir las fundaciones. Ya se
" les ha quitado á los Padres de San Luis el continuo des-
" consuelo de catorce meses de espera, con la noticia de que
" con las abundantes provisiones que traen los Barcos, pron-
" tamente se pondrá su Mision, y ver ya para ella todas las
" cosas aprontadas.

" Si para la fundacion de estas se hubiera de esperar los
" tiempos en que se suben aquellas, y los adelantamientos
" dependiesen de la venida del Barco, muchos años se habian
" de pasar para que se fundase alguna, con la dificultad de
" venir de esas remotas tierras los socorros, atentas las difi-
" cultades que V. R. mejor que yo conoce y palpa. Todos los
" Ministros gimen, y gemimos las vexaciones, trabajos y
" atrasos que tenemos que aguantar; pero ninguno desea ni
" piensa salir de su Mision. Ello es, que trabajos, ó no tra-
" bajos, hay varias almas en el Cielo, de Monterey, de San
" Antonio y de San Diego, que de San Gabriel no lo sé hasta
" ahora. Hay competente número de Christianos que alaban
" á Dios, cuyo santo nombre es en la boca de los mismos
" Gentiles mas freqüente que en la de los muchos Christia-
" nos. Y aunque presumen algunos que de mansos Corderos,
" que son todos, se vuelvan algun dia Tigres y Leones, bien
" puede ser, si lo permite Dios; pero de los de Monterey, va-
" mos ya para tres años de experiencia, y los de San Anto-
" nio para dos, y cada dia son mejores.

" Y sobre todo, la promesa hecha por Dios en estos úl-
" timos siglos á N. P. S. Francisco (como dice la Seráfica M.
" Maria de Jesus) de que los Gentiles con solo ver á sus hi-
" jos se han de convertir á nuestra Santa Fé Católica, ya me
" parece que la veo y palpo; porque si aqui no son ya todos
" Christianos, es á mi entender por solo la falta del idioma;
" trabajo que no me ha venido de nuevo, porque siempre
" imaginé que mis pecados tenian muy desmerecida esta gra-
" cia, y que en unas tierras como estas, donde no se podia

18.   " pro-

" prometer Intérprete ni Maestro en lo humano, hasta que
" alguno de acá aprendiese el Castellano, era preciso se pa-
" sase algun tiempo.

" Ya en San Diego venció el tiempo la dificultad, ya
" bautizan adultos, ya se celebran Matrimonios; y aqui esta-
" mos ya en disposiciones bien próximas para lo mismo, por-
" que ya se comienzan á explicar los Muchachos en el Cas-
" tellano; y en lo demás, si se nos diera algun auxilio, en
" breve se nos daria poco que viniese ó no el Barco para
" asunto de víveres; pero estando las cosas así, poca cabeza
" podran levantar las Misiones: con todo, yo confio en Dios
" que todo se ha de remediar.

" Pues vamos ahora al asunto principal: Yo voy á San
" Diego con el Comandante D. Pedro Fages; y si V. R. al-
" gun dia ha de reconocer el tramo intermedio entre San
" Fernando Vellicatá y dicho Puerto, para distribuir en él
" sus cinco Misiones, y pudiese ser ahora, podriamos darnos
" un abrazo por mediados ó fines de Septiembre; y supliria
" nuestra comunicacion la falta de muchas Cartas, y discur-
" ririamos como se pueda adelantar mejor esta gran obra,
" que sin merecerlo ha puesto Dios nuestro Señor en nuestras
" manos. El gran consuelo de que me serviria dicha concur-
" rencia lo dexo á la consideracion de V. R. pero no lo haga
" V. R. por mí, sino solo si lo considera conducente al mayor
" bien de las almas. Procurarémos retirarnos cada uno á su
" destino antes de las aguas y me parece haber tiempo com-
" petente para todo. Pero sobre todo pido con eficacia que ó
" con V. R. ó por sí solos, vengan en dicho tiempo dos Reli-
" giosos para la fundacion de San Buenaventura, ó para Mi-
" nistros de San Gabriel, en lugar de los que se fueron enfer-
" mos á esas Misiones. Viniendo estos, que es puntualmente
" el número de los que han ido de acá enfermos, ya sabré que
" no tengo de pedir mas sino del Colegio. Los que hubieren
" de venir, que vengan bien prevenidos de paciencia y cari-
" dad, y lo pasarán alegremente, y se podrán hacer ricos, di-
" go de trabajos; pero ¿ donde irá el Buey que no are? y si no
" ara, ¿ como podrá haber cosecha?.   " Para

„Para mientras ande fuera queda administrando esta
„Mision el P. Pieras con uno de los Padres de S. Luis; que el
„otro se va para San Antonio, donde queda solo el Padre Fr.
„Buenaventura Sitjar, para irse aproxîmando y dar principio
„á su Mision. La de San Antonio, que el dia de San Buena-
„ventura cumplió el año de fundada, ha sido en esta nece-
„sidad que ha habido el recurso todo para semillas gentíli-
„cas, y sus pinoles. Al buen P. Pieras le debe esta Mision
„la caridad de mas de quatro cargas de tales géneros, pues
„en esta última venida me trajo tres. Del P. Fr. Juan nada di-
„go, porque ya por sus cartas sabrá todos sus viages. En fin
„no digo mas; si nos vieremos podremos hablar (con el fa-
„vor de Dios) de todo; y si no, espero escribir mas largo y
„tendido.

„Si V. R. tuviere ocasion de escribir á nuestro Colegio,
„comunique siempre las noticias ciertas que de por acá ten-
„ga, porque si no llegaren mis cartas, tengan siquiera por
„ese medio alguna razon de estas tierras y Misiones. Me
„encomiendo con finísima voluntad á cada uno de los Pa-
„dres de esas Misiones, viejos y nuevos, y que me tengan
„presente en sus oraciones; y los amigos, y conocidos me
„tengan por escusado escribirles en particular, por lo di-
„cho al principio, razon porque esta ha ido *pro majori par-*
„*te* de noche. Si los Padres Lazuen, y Murguia fuesen de
„los que vengan por estos Desiertos, lo dicho dicho de pa-
„ciencia y ánimo &c. Deseo á V. R. las mismas partidas,
„que segun estoy algo entendido, no son por esas tierras
„menos necesarias. Concedásnoslas á todos Dios, y guarde á
„V. R. muchos años en su santo amor y gracia. Mision de S.
„Carlos de Monterey en el Carmelo, y Agosto 18 de
„1772 = B. L. M. de V. R. afecto Amigo, Compañero y Sier-
„vo = Fr. Junípero Serra. ”

Al mismo tiempo que el V. Padre me escribia esta Carta recibí yo las del Exmô. Señor Virey, y R. P. Guardian
del Colegio, en que me daban noticia del Concordato hecho
con los RR. Padres Domínicos para la entrega de la California

nia antigua; y caminaban ya para Monterey los dos Religiosos que me pedia para la Mision de San Buenaventura, con quienes le tenia escrita aquella novedad, pidiendole me diese noticia del número de Religiosos que necesitaba, para que no se regresasen al Colegio. Pero quando llegó á San Diego la Carta, ya el V. Siervo de Dios se habia enbarcado para San Blas con el fin de pasar á México á informar al Exmô. Señor Virey, como diré adelante.

CAPITULO XXXII.

Baxa el V. Padre á San Diego y de paso funda la Mision de San Luis.

Viendo el V. Padre por las Cartas de los Capitanes de los Barcos, que no podian subir á Monterey, y la falta de mulas que imposibilitaba conducir las cargas por tierra; tomó el trabajo de baxar á San Diego, para estrecharse allí con los Señores Marítimos, y de paso dar principio á la Mision de San Luis Obispo de Tolosa, y á la vuelta fundar la de S. Buenaventura. Salió de Monterey con el Comandante D. Pedro Fages (que iba al mismo fin) luego que se despachó el Correo,) y de camino visitó la Mision de San Antonio. Alegróse mucho de ver ya en ella tan crecido número de Christianos, y se llevó al P. Fr. Joseph Cavaller para el establecimiento de la Mision de San Luis. Caminaron otras veinte leguas, y llegaron á la vista de la Cañada de los Osos (donde dixe hicieron matanza de estos animales para matar la hambre que padecian las gentes) hallando desde luego en ella proporcionado sitio con buenas tierras de pan llevar y un cristalino Arroyo que las fecundaba.

Formaron luego una grande Cruz, que despues de enarbolada adoraron, y se tomó posesion del terreno. Dióse principio al Establecimiento el dia 1 de Septiembre de 72, diciendo Misa baxo de una enramada nuestro V. Fr. Junípero, quien

quien saliendo de aquella Mision el dia siguiente segundo de Septiembre. prosiguió su viage para San Diego. Dexó en ella á dos Indios Califòrnios para que ayudasen, y el Señor Comandante un Cabo con quatro Soldados para Escolta, prometiendo al Padre que á la vuelta se la completaria hasta el número de diez Hombres, porque necesitaba gente para la conduccion del ganado y requa de víveres; por cuya carestia le dexó solo para la mantencion del Padre, los cinco Soldados, y los citados dos Indios, dos arrobas de harina, y tres almudes de trigo; y para que comprasen semillas de los Indios Gentiles le dexó un cáxon de azucar rojo, quedando muy contento el Padre con tan limitado bastimento, poniendo toda su confianza en Dios: y con esto se despidieron.

Luego que empezaron su dilatado viage los Caminantes, dió providencia el Padre Misionero de San Luis para que los dos Indios hiciesen el corte de la madera para la construccion de una pequeña Capilla que sirviese de interina Iglesia, y la respectiva vivienda para los Padres. Lo mismo hicieron los Soldados formando su Quartel, y estacada para la defensa. Aunque por aquel parage no habia Rancheria alguna de Gentiles, en breve tiempo ocurrieron á la novedad; y como quiera que ya habian comunicado cerca de tres meses á los Soldados que estuvieron en la matanza de los Osos (de que daban agradecidos las gracias por haberles quitado de su tierra tan fieros animales, que habian matado á muchos Indios, no siendo pocos los que, aunque vivos, quedaban señalados de tan terribles uñas) hubieron de manifestarse muy contentos con que los nuestros se domiciliasen en aquel terreno. Visitaban con freqüencia la Mision, llevando al Padre algunos regalitos de carne de Venado y semillas silvestres, que les correspondia con abalorios y azucar. Por medio de este socorro de los Gentiles pudieron mantenerse en el sitio los Christianos entretando llegaban los Barcos que conducian los bastimentos.

Al año de fundada, que estuve en ella, tenian ya doce Christianos, y con quatro familias de Indios Califórnios, y algu-

algunos Solteros Neofitos que alli dexé, se aumentó la Mision, asi en lo material como en lo espiritual, y se fueron convirtiendo los Gentiles de modo, que quando murió el V. P. Presidente, tenian ya bautizados seiscientos diez y seis. Esta Mision de S. Luis Obispo de Tolosa, está situada sobre una loma, por cuya falda corre un Arroyo con bastante agua para el gasto, y para el riego de la tierra que tiene á la vista, y les produce abundantes cosechas, no solo para mantener todos los Christianos, sino tambien para proveer los Presidos, con lo qual consiguen ropas para vestir á los Indios. Es tanta la fertilidad del terreno, que de quantas semillas se siembran, se cogen abundantes cosechas. Se halla situada en la altura del Norte de 35 grados y 38 minutos, distante como tres leguas del Mar (que es la Ensenada nombrada el Buchon, hacia el Poniente) de buen camino, y en aquella Playa tienen los Indios Neófitos sus canoitas para la pesca de varias clases de Pescado muy sabroso. Se halla la Mision distante del Presidio de Monterey cinco leguas al rumbo Noroest, y veinte y cinco de la de San Antonio, pobladas de Gentilidad, cuya reduccion, por la crecida distancia de las citadas Misiones, no será facil conseguir interin no se pongan otras en los intermedios; respecto á que aquellos habitantes no se avienen á salir de sus suelos patricios, y á la variedad de su idioma, pues á cada paso se encuentra distinto, de modo que hasta la presente no hay dos Misiones de igual lengua. Es la de San Luis de un temperamento muy saludable, haciendo en el Invierno frio, y calor en el Verano, aunque sin exceso. El Pueblo por temporadas es algo molestado de los vientos por la altura en que se halla. Ha sido esta Mision incomodada del fuego, pues en tres distintas ocasiones se ha incendiado. La primera vez le puso fuego un Gentil con una mecha encendida que amarró á una flecha, y disparó al techumbre, que siendo pagizo prendió mucha parte, por cuya causa padeció considerable atraso la Mision en la casa y utensilios. La segunda fué un dia de la Natividad, que á tiempo que los Padres estaban en la Iglesia

cantantando la Misa del Gallo, se prendió fuego sin saberse como, el qual se apagó luego, por haber acudido prontamente la gente que asistia á la Misa, y la última, habiendo sido mas voraz la quemazon, causó mayores estragos, sin poderse averiguar si fué por casualidad, ó por malicia. Para evitar semejantes peligros y atrasos, idearon los Padres techarla con texa, á que se ingenió uno de ellos, porque no habia quien la supiese hacer; con lo qual se vé libre del fuego, quedándoles las viviendas bien techadas; y á imitacion de esta han hecho lo mismo en las demas Misiones.

CAPITULO XXXIII.

Sigue el V. Padre su camino, visita de paso la Mision de San Gabriel, y lo que practicó en la de San Diego.

TAN incesante era el anhelo de nuestro V. Padre Juní-pero para la consecucion de establecer nuevas Misio-nes, que no saciandose jamas, huvo de morir con esta sed; si no es que diga, que viendo la imposibilidad de fundar (por falta de Ministros) las que ya habia conseguido se erigiesen, este cuidado le abrevió el paso para salir de esta vida y pa-sar á la eterna, á pedir á Dios en la Corte Celestial Opera-rios Evangélicos para las nuevas Reducciones. Veia ya funda-da la de San Luis, que era la quinta en esta nueva Califor-nia; y faltaban tres de las proyectadas y entre ellas la que le llevaba la primera atencion, que era la del Seráfico Doctor San Buenaventura, asi por lo que se expresó en el Capítulo XXV. como porque concebia de la innumerable Gentilidad que puebla la Canal, que se habia de conseguir mucho fruto con esta Mision, por ser el sitio destinado para ella el que se nombró la *Asunpcion de nuestra Señora*, en donde habia un gran Pueblo de Gentiles, aunque no habia estado en él nues-tro Apostólico Fr. Junípero.

Con esta ansia salió de la Mision de San Luis, y apre-
su-

surando las jornadas por lo que importaba su pronto arribo
á San Diego, anduvo las ochenta leguas que hay de distancia
hasta San Gabriel, todas pobladas de Gentilidad, y en las
veinte de la Costa que forma la Canal de Santa Bárbara le
pareció todavia mayor la abundancia de Pueblos de Gentiles que lo que le habian dicho; y robándole cada uno el corazon, con los deseos mas eficaces de establecer en aquel tramo tres Misiones, llegó al término de la Canal, baxando de
Monterey, ó principio de ella para la subida á aquel Puerto,
que es el sitio y Pueblo de la Asuncion; y supuesto que era
el mismo lugar premeditado para la Mision de San Buenaventura, no quiso pasar adelante el V. Padre sin registrarlo,
como lo hizo acompañado del Comandante, pareciendole á
ambos ser terreno muy proporcionado para una buena Mision, por tener todas las circunstancias que en las Leyes de
Indias se previenen; y concluido el reconocimiento siguieron
su viage.

Llegaron á la Mision de San Gabriel (que era la única
que no habia visto el V. Siervo de Dios) y le causó extraordinaria alegria ver ya alli tantos Christianos que alababan
á Dios. Procuró acariciarlos y regalarlos á todos, y juntamente á sus padres Gentiles, causándole especial complacencia ver aquella espaciosa llanada, capaz para fundar en
ella una Ciudad. Dió á los Padres los parabienes y gracias
por lo mucho que habian trabajado en lo espiritual y temporal; y sin admitir descanso alguno, salió á continuar su
viage con uno de los de aquella Mision, para que recibiese
los avios pertenecientes asi á ella, como á la de San Buenaventura, y llegaron sin especial novedad al Puerto de S. Diego, el dia 16 de Septiembre.

Luego que se halló alli, sin tratar de tomar ningun descanso de un viage tan dilatado (y para el V. Siervo de Dios
tan penoso por el habitual accidente que padecia en el pie y
pierna) se fué á estrechar con el Capitan y Comandante de
los Barcos Don Juan Perez, su Paisano, haciendole presente
la imposibilidad de transitar las ciento y setenta leguas que
hay

hay de camino por tierra hasta Monteréy, pobladas todas
de Gentiles, por carecerse de Mulas para ello, y de Tropa
para resguardo de la requa; manifestándole al propio tiempo
las necesidades que se habian padecido por la dilacion de
los Barcos, siendo causa de que muchos Soldados desertasen
de la Tropa, y se introduxesen con los Gentiles, igualándo-
se en sus depravadas costumbres; y que si los demás no habian hecho lo mismo, era por la espectacion que tenian de la
pronta venida del Barco; pero si ahora habiendo llegado dos,
se quedaban con la misma necesidad, se marcharian, ocasio-
nando la pérdida de las tres Misiones del Norte que quedaban fundadas.

Escusábase el Comandante de subir á Monterey, por
estar el tiempo tan abanzado, y que el Invierno le habia de
coger precisamente en aquel Puerto, no pudiendo aguantar
el Paquebot los temporales de aquella altura. Pero el V. P.
Junípero lo animó diciendole, que confiase en Dios nuestro
Señor, por quien se hacia este servicio, pues se dirigia á la conversion de las almas, y que el Señor no habia de permitir
contratiempo, quando se hiciese á su Divina Magestad este
servicio. Con estas razones eficaces, unidas al gran concepto que tenia hecho de la virtud del V. P. Junípero, y confiado
en sus oraciones, se resolvió el Comandante Perez á subir
con su Paquebot, y carga á Monterey, dando mano luego á
disponerse para la subida.

Evacuado este principal asunto de su baxada á San Diego, tiró á concluir los demás. Veíase el fervoroso Prelado
con quatro Misioneros en San Diego, con el que habia subido en compañia del P. Dumetz de la antigua California, y
con Carta mia, en que le daba noticia de la subida de otros
dos que le despaché desde Loreto, y en vista de esto, embió
para Monterey, con la requa de los víveres que remitia el
Comandante Fages, á los Padres Crespi, y Dumetz, con el
ánimo de dexar en San Diego con el Padre Fr. Luis Jayme
al Padre Fr. Tomás de la Peña (de la Provincia de Cantabria) que acavaba de subir de la antigua California, y con

19. los

los otros, que esperaba pasar á la fundacion de San Buenaventura. Luego que se viéron desocupados, asi de la salida del Paquebot el Príncipe para Monterey, como de la de la requa de víveres que caminaba por tierra, trató nuestro V. Fr. Junípero de la nueva fundacion, esperando por instantes los dos Padres arriba dichos.

Consultó el punto con el Comandante Fages para el efecto de la Escolta y demás auxílios necesarios para la fundacion; pero halló cerrada la puerta, y que iba dando tales disposiciones, que si llegasen á ponerse en planta, lexos de poder fundar, amenazaban el riesgo de que se perdiese lo que tanto trabajo habia costado para lograrse. Para atajar estos acaecimientos, de que podian resultar notables quebrantos, hizo el V. Padre quantas diligencias le dictó su mucha prudencia y notorio alcance; pero nada bastó para lograr su intento. Este motivo le dió á conocer, que semejante novedad procedia de mutacion en el Superior Gobierno, por la falta de los Señores Virey y Visitador general, que habian pasado á España, á cargo de los quales, como principales motores de esta espiritual Conquista, corria su proteccion; y que por no estar el nuevo Señor Virey enterado de los nuevos Establecimientos, tomaba esta obra tan contrario semblante. tratólo todo con los tres Misioneros que se hallaban en San Diego, los dos de aquella Reduccion, y el otro de la de San Gabriel, y fuéron de parecer que convenia fuese en el Barco que estaba proximo á salir para San Blas el V. P. Presidente, ó el Misionero que gustase embiar, para ir á México á informar á S. Excâ.

Desde luego le pareció al V. Padre muy conveniente este informe; pero para deliberar con mayor acierto, dispuso que el dia siguiente 13 de Octubre, dedicado á San Daniel y sus Compañeros, se les cantase una Misa solemne, para que pidiesen á Dios luz para determinar lo que fuese de su mayor agrado, y que entretanto cada uno de los Religiosos por su parte lo encomendase á nuestro Señor. Hicieronlo asi, y despues de cantada la Misa, se juntaron los quatro Misioneros,

y

y fueron de parecer que fuese uno de ellos; y que sería mas conveniente fuera el V. Padre, que como Presidente estaba impuesto en todo; pero que si por sus accidentes y abanzada edad no pudiese, nombrara al Religioso que gustase.

En vista del dictamen de los tres Padres Compañeros, se avino nuestro V. Fr. Junípero á hacer el viage de doscientas leguas por tierra, despues de la navegacion, olvidando sus accidentes y abanzada edad de sesenta años. Poniendo toda su confianza en Dios, por quien se sacrificaba, se embarcó en el expresado Paquebot San Carlos, que salió de San Diego el 20 de Octubre, y despues de quince dias de navegacion dió fondo el 4 de Noviembre en San Blas, sin haber experimentado novedad alguna en el viage. Desembarcó en aquel Puerto el V. Padre, y se halló con las novedades que demostrará el Capítulo siguiente en la copia de la Carta que insertaré, las quales habria sabido en San Diego si se hubiera dilatado en salir algun corto tiempo, pues se las escribí por Septiembre en Carta que llevaron los Padres que le enviaba para la Mision de S. Buenaventura, que llegaron á San Diego á pocos dias de haber salido de allí el Barco.

CAPITULO XXXIV.

Viage del V. Padre de San Blas á México, Copia de la Carta que me escribió desde Tepic, y sucesos del camino.

Luego que el V. P. Junípero se vió en tierra de Christianos, dexando su corazon en la de los Gentiles de Monterey, se puso en camino de San Blas para Tepic, con el Compañero que llevaba, que era un muchacho Neófito de los primeros que bautizó en Monterey, el qual le sirvió de mucho, porque se llevó el Indio las atenciones de todos, asi por el camino, como en México, y aun del mismo Señor Virey, que lo miraba como primicia de esta espiritual Conquista.

Llegó

Llegó á Tepic, y habiendo parado en el Hospicio de la Santa Cruz de la Provincia de Xalisco. me escribió la siguiente Carta.

» Viva Jesus, Maria y Joseph = Carísimo Amigo y mi
» Señor: Si V. R. ha recibido la Carta que encargué á los Pa-
» dres de S. Diego escribiesen á V. R. por serme imposible el
» escribir, ya sabrá de mi embarque, el que por la misericor-
» dia de Dios fué feliz, pues á los quince dias de hecho á la
» vela, dimos fondo en San Blas, y desembarcamos el dia 4
» del corriente. Entonces fué quando tuve la noticia de ha-
» ber admitido la total renuncia de esas Misiones. Llegado
» el dia 7 á este Hospicio de Tepic (donde hallé á los Pa-
» dres Martinez é Imaz, pues los demás ya habian salido pa-
» ra México) supe que V. R. me habia despachado Correo
» para San Diego, el que llegaria poco despues de mi salida.
» Diceme el P. Martinez que el R. P. Guardian, de veinte y
» tantos Ministros que todavia quedan en esas Misiones anti-
» guas, ha destinado quatro para las nuevas; y que V. R. que-
» ria saber de mí si se necesitaban mas.

» A lo que respondo: que me parece gran lástima que se
» hayan de ir Religiosos, que estan ahora un paso, para vol-
» ver de tan lexos, multiplicando gastos y trabajo. El Padre
» Cruzado me tiene pedida licencia, y le es muy debida por
» lo que ha trabajado, y no puede mas. El P. Paterna, á pu-
» ros ruegos mios puede que continúe, si esto toma mejor
» aspecto; pero la tiene tambien pedida. Yo tengo pedido
» tercero Ministro para Monterey, para poder yo andar,
» porque son allá indispensables dos Misas todos los dias fes-
» tivos, una para la Mision, y otra para el Presidio. Creeré
» se alegrarán en el Colegio se funden las de San Buenaven-
» tura, Santa Clara, y la de N. P. San Francisco, que con las
» providencias que espero lograr, no ha de ser dificil. Por
» otra parte. que en unas Misiones de tanta distancia, hubie-
» se uno ú otro supernumerario, me parece fuera muy con-
» veniente.

» De todo lo qual, en resumidas cuentas, mi parecer se-
» ria,

" ria, que de ocho á diez se subiesen arriba hasta mi buelta,
" ó primera venida de Barco, que supuesto que la tornabuel-
" ta es facil, como dé viento en popa, no se perderia mucho.
" Pero dirán que la comida de tantos puede dificultar mi pro-
" puesta; á lo que digo: que ahora hay que comer, y que re-
" partidos no les ha de faltar; y espero en Dios, que en mu-
" cho menos de un año, que creo pueda tardar el succesivo
" socorro, no han de perecer.

" Tambien me dice el P. Martinez, que V. R. es uno de
" los que tienen facultad de ir por el P. Guardian, aunque lo
" dexan á su eleccion. Si V. R. determina que allá vivamos y
" muramos, me será de mucho consuelo; pero solo digo,
" que V. R. obre segun Dios le inspirare, que yo me confor-
" mo con la Divina voluntad. Tambien digo: que mi propues-
" ta del sobredicho número de Ministros, es mi ánimo que
" tenga efecto, si el tenor de la Carta del R. P. Guardian
" está en términos de alguna interpretacion con que tenga
" lugar; pero que si redondamente manda que vayan allá
" quatro, y que los demás se vuelvan al Colegio, ya no digo
" nada, sino que Dios lo remedie; y en el interin, hagamos
" la obediencia.

" Si hubiese tiempo de escribir lo dicho al Padre Guar-
" dian, tener respuesta, y poderla poner en manos de V. R.
" antes de la salida de los Religiosos, facilmente se compo-
" nia todo; pero no considero el caso dable. Yo salgo maña-
" na con el favor de Dios, en seguimiento de mi camino. Me
" encomiendo á todos mis carisimos Hermanos, conocidos, y
" no conocidos; y quedo rogando á Dios guarde á V. R. mu-
" chos años en su santo amor, y gracia. Hospicio de la Santa
" Cruz de Tepic, y Noviembre 10 de 1772. = B. L. M. de
" V. R. afectísimo Hermano, Amigo, y Siervo = Fr. Junípe-
" ro Serra. = R. P. Lector y Presidente Fr. Francisco Palou ".

Parece que Dios nuestro Señor como dueño de esta su
mistica Hacienda, atendia á los fervorosos anhelos de su dili-
gente Mayordomo, que con tanta solicitud buscaba Operarios para la espiritual labor; pues al mismo tiempo que recibí
bí

bí la copiada Carta, llegó á mis manos otra del R. P. Guardian, con fecha de 11 de Noviembre (un dia despues de la que tenia la del V. Fr. Junípero) en contestacion á la que por Septiembre le habia escrito yo, proponiéndole lo mismo *in terminis* que por Noviembre me dice el V. Padre, y solo le añadia, que esperaba quanto antes su respuesta; y en caso de que se verificase la entrega de las Misiones, asi lo practicaria, pues no dudaba lo diese S. R. por bien hecho; á lo que me respondió con la citada fecha las siguientes palabras: ʼʼ Aprecio lo dispuesto de la ida de los Padres á Monterey; solo temo si querrán dar sínodo para el del Presidio ʼʼ. Y en vista de esta respuesta subí con otros siete, á mas de los dos que habia enviado; con lo que vió nuestro V. P. cumplidos sus deseos de no detener fundacion alguna por falta de Ministros.

Siguió el Siervo de Dios su viage para México con el Indio Neófito de Monterey que llevaba de Compañero, y al llegar á la Ciudad de Guadalaxara, ochenta leguas distante de San Blas, y ciento y veinte de México, enfermaron ambos de un fuerte tabardillo ó maligna fiebre, que obligándolos á recibir el Sagrado Viático, los puso á peligro de muerte. No sentia tanto el V. Padre la suya como la del Indio, por las resultas que podria haber en Monterey, pues no habian de creer sus Parientes y Compatriotas que habia sido natural la muerte; y para evitar los atrasos que por esto se seguirian, desde luego pedia con todas veras á Dios (como me lo contó varias ocasiones) por la salud del Neófito, olvidandose de la suya. Por lo que pudiera sucederle en el camino, habia trabajado un Papel de apuntes de todo lo que consideraba oportuno se pidiese á S. Excâ. el qual despachó desde Tepic al R. Padre Guardian de nuestro Colegio, por si moria en el camino; pero quiso Dios darle salud á su Siervo Fr. Junípero, y al mismo tiempo al Indio que lo acompañaba, y luego que medio se reforzaron continuaron su derrota.

Llegaron á la Ciudad de Querétaro, que dista quarenta leguas de la de México; y habiendo posado en el Colegio de la Santa Cruz, recayó el V. P. con el mismo accidente. Retiróse

róse luego á la Enfermeria, creyendo que entonces era evidente su muerte, como lo dixo al R. P. Guardian del Colegio, y despues me lo contó á mí; y á la tercera visita que le hizo uno de los Médicos del Colegio, lo mandó sacramentar. La tarde misma que habia de recibir el sagrado Viático fué al Colegio por accidente otro de los Médicos que no estaba entonces de semana; y habiendo sabido por un Religioso, que iban á sacramentar al P. Presidente de Monterey, queriendo conocerlo entró á visitarlo, mas por curiosidad que por ordenarle medicina alguna, pues ni estaba de turno, ni se habia llamado. Habló con el Enfermo, y se informó de él; y tomándole el pulso dixo al Enfermero: ,, ¿y á este Padre van á sacra- ,, mentar? Si asi vamos, tambien me pueden sacramentar á ,, mí. Levántese Padre, que está bueno, y no tiene nada: avi- ,, sen al Padre Guardian, y no lo sacramenten. ,, Ocurrió el Prelado luego lleno de alegria al ver tan repentina salud, y repitió lo mismo: ,, Si no fuera tan tarde (era ya hora de ,, Completas, que concluidas se habia de administrar al V. P. ,, el Divino Sacramento) lo haria levantar pues está bueno; ,, pero mañana que se levante, y despues de reforzado podrá ,, continuar su viage. ,, Asi lo hizo, y llegó á México el dia 6 de Febrero de 1773 muy cansado, desfigurado, y flaco.

CAPÍTULO XXXV.

Favorables providencias que consiguió del Exmô. Señor Virey para la espiritual Conquista.

TAn importante fue la ida de nuestro V. P. Presidente á México, que si no emprende tan penoso viage, estaba en evidente peligro de desampararse lo conquistado porque, como recien entrado en el Gobierno el Exmô. Señor Bailio Frey D. Antonio Maria Bucareli, se hallaba sin instruccion de lo que era esta Conquista, y que dependia su subsistencia del Departamento de S. Blas, para socorrer por mar estos Establecimientos, por no haber otra proporcion; y que todavia no se

halla-

hallaba entonces razon alguna, en el Palacio ni del Puerto ni de los Barcos, siendo el mes de Febrero; quando por este tiempo navegaban ya en los años anteriores los Barcos para estos Puertos; y antes se trataba de desamparar y despoblar el de San Blas.

Decian unos á S. Excâ. que con entregar al Habilitado de la Compañia del Presidio de Monterey el situado de la Tropa, y al Syndico del Colegio los sínodos de los Misioneros, ya no habia mas que hacer. Y otros mas piadosos, haciendo-se cargo de que estos nuevos Establecimientos no podian tener comunicacion para proveerse de ropas, y víveres sino por mar, decian, que para esto no era necesario el Departamento de S. Blas: que se podian conducir con requas hasta las Provincias de Sinaloa y Puerto de Guaimas (como quinientas leguas de México) y de aquel Puerto, decia el Proyectista, que con lanchas (que no las hay) se podria transportar la carga por el Golfo hasta la Bahia de San Luis, cerca de doscientas leguas; y últimamente de alli con mulas se podria llevar hasta Monterey, que es distancia de trescientas leguas pobladas casi todas de Gentiles. Con que tenian que caminar las cargas de vestuario, y víveres ochocientas leguas por tierra, y cerca de doscientas por mar, para cuyos fletes solo era necesario todo el sinodo y situado, y dos años para un viage, quando no se perdiesen en el camino. En este estado halló mi V. Fr. Junípero el punto de provisiones para estos nuevos Establecimientos.

Enterado de todo, y tomada la bendicion del R. P. Guardian del Colegio, se fué á tratar con S. Excâ. este asunto; y habiendo sido recibido con afectuosas expresiones, hizo una relacion en general del motivo de su ida; á que le respondió el Exmô. Señor Virey, que haria quanto pudiesê en beneficio de aquella Conquista; y asi que por escrito asentase quantos puntos considerara oportunos para el bien de ella, asi en lo espiritual como en lo temporal. Respondióle el V. P. que lo haria; pero que no podia menos que suplicar de pronto, que se dispusiese la remision de víveres quanto antes, porque si no

iba

iba socorro de San Blas, no habia por donde pudiese ir. Al oir esto S. Excâ. le encargó pusiese por escrito las razones por que consideraba necesaria la subsistencia del Departamento, pues se trataba de despoblar aquel Puerto. Con esta primera visita ya empezó á conseguir las favorables providencias que deseaba nuestro V. Padre. En quanto se retiró para el Colegio á poner los Informes pedidos por S. E. mandó este Señor preciso orden á S. Blas, para que se acabase de construir la Fragata que estaba comenzada, y mandada suspender su formacion, como asimismo para que se aprontase un Paquebot, y que cargado de víveres saliese á toda diligencia para Monterey.

Asi se practicó saliendo el S. Carlos al mando del Capitan D. Juan Perez; pero tuvo la desgracia de los malos tiempos, que no dexandolo salir del Golfo, lo hicieron arribar á Loreto con el timon descompuesto, y por esta causa imposibilitado de hacer viage. Descargó alli los bastimentos, y por no haber forma ni medios, para conducirlos, se originó la mayor hambre que se ha padecido en aquellas tierras, pues en los ocho meses que duró, fue la leche el maná para todos, desde el Comandante y Padres hasta el menor individuo, de la qual fui participante como los demas; pero gracias á Dios todos con salud.

Llevó el V. P. Junípero el Papel pedido por S. E. con las razones convincentes para que subsistiese el Departamento de San Blas, y fué tan á satisfaccion de aquel Señor Exmô. que despachó el mismo original á la Corte, y resultó la Real Orden para la conservacion del citado Puerto, y que se le diese todo fomento, como asimismo que S. M. mandase de los Departamentos de España siete Oficiales de Marina, Tenientes de Navio y de Fragata, y Alferez, como tambien Pilotos de Armada, Cirujanos y Capellanes, asi para los viages, como para administrar á los del Departamento.

Conseguido de S. Excâ. por de pronto la subsistencia del Departamento de San Blas, y la remesa de víveres para estos Establecimientos, se puso el V. Padre Junípero á trabajar el otro Informe para las providencias correspondientes á la Conquista, y extension de nuestra Santa Fé Católica. Este lo redujo á treinta y dos puntos, poniendo en cada uno de ellos las razones con que probaba la necesidad de la providencia, y la utilidad que de ella se seguiria. Entregó esta estendida Representacion en mano propia á S. Excâ. diciendole de palabra las siguientes razones: " Señor Exmô. Pon" go en manos de V. Excâ. esta Representacion, por la qual " verá que quanto digo es la verdad pura, y quanto expongo, " me parece que en conciencia lo debo decir, porque lo con-" sidero muy preciso y necesario para que se consiga el fin " que tiene S. M. en erogar tan crecidos gastos, que es la " conversion de las muchas almas, que por carecer de cono-" cimiento de nuestra Santa Fé Católica, gimen baxo la tira-" na esclavitud del enemigo; y con estos medios y provi-" dencias me parece facil conseguirla. Espero que V. Excâ. " la leerá, y determinará lo que juzgare justo y convenien-" te, lo qual podrá hacer con el seguro de que tengo de vol-" verme, y deseo executarlo quanto antes, ahora consiga lo " que pido, en cuyo caso me volveré contento; y si no lo con-" sigo, iré algo triste; pero siempre muy conforme á la vo-" luntad de Dios. "

De tal manera edificó á S. Excâ. tan humilde resignacion, que desde luego se constituyó Juez, Abogado y Patrono de la causa. Mandó celebrar Junta de Guerra y Real Hacienda, que presidió el mismo Señor Exmô; y habiendose visto y exâminado por todos los Señores de ella punto por punto la Representacion, votaron todos á favor de la Conquista, concediendo mucho mas de lo que pedia el V. Padre. Mandó se formara un Reglamento que sirviese de norma para el gobierno que debia observarse, y evitar por este medio las novedades, que se suelen experimentar por las mutaciones de Comandantes, pues gobierna cada uno segun su genio. Aumentóse la Tropa: se fundó Presidio en San Diego de pronto, y despues otro en este Puerto de Ntrô. P. S. Francisco; y ultimamente otro en la Canal de Santa
Bár-

Bárbara. Púsose en orden el modo de proveer á la Tropa de víveres y ropas; mandó retirar la de á pie de los Voluntarios de Cataluña, y que toda en adelante fuese de Cuera, como tambien el Capitan Comandante, por ser esta Tropa la mejor para conquistar Gentiles.

Para fomento de las Misiones así fundadas, como por fundar, dispuso en el Reglamento, que á cada una se le diesen seis Mozos para sirvientes, pagándoles sueldo y racion de cuenta del Real Erario por el tiempo de cinco años, asi para las obras precisas que se ofrecen en una Mision, como para el laborío de tierras, á fin de que á su exemplo aprendiesen, se aplicasen, y civilizasen los Neófitos; y otras muchas providencias muy favorables y conducentes á la espiritual Conquista, á mas de una gran limosna de Maiz, Frixol, Harina, Ropas &c. que importó mas de doce mil pesos, y cien mulas, que mandó se repartiesen entre las Misiones.

Para evitar que esta nueva y remotísima Provincia volviese en lo succesivo á padecer necesidades por desgracia accidental de los Barcos, consultó S. Excâ. al V. P. Presidente si convendria descubrir paso por el Rio Colorado, para que pudiese esta Provincia comunicar por tierra con las de Sonora, Sinaloa y demás de la N. E. á fin de que en caso de pérdida de Barcos, hubiese recurso por tierra para algun socorro.

En vista del Villete de consulta de S. E. le respondió nuestro V. Fr. Junípero, tambien por escrito, que le parecia convenientísimo, como tambien, si fuese dable, que se practicára lo mismo con las Provincias del Nuevo México, ó del Sur, y no baxando de altura de el dicho, darian luego con el Puerto de Monterey.

Luego que el Exmô. Señor Virey vió aprobado su pensamiento por nuestro V. Padre, despachó orden al Capitan del Presidio de Tubac de las Fronteras de Sonora, nombrado D. Juan Bautista Anza, para que con la Tropa y víveres necesarios saliese de Expedicion á abrir camino desde su Presidio hasta el de Monterey, pasando los dos Rios *Gila y Colora-*

lorado. Asi lo executó, lograndose felizmente la Expedicion, como diré adelante.

Con la freqüente comunicacion, y largas conversaciones que S. Excâ. tuvo con el fervoroso Fr. Junípero en los siete meses que este se mantuvo en México, se le pegó en gran manera el religioso zelo de la conversion de las almas y extension de nuestra Católica Fé, y Dominios de nuestro Soberano; de modo que ya no se le saciaba la sed que le habia causado el continuo trato de tan dulce asunto con el V. Padre acerca de conseguir la reduccion de los Gentiles, que se habian hallado en el espacioso tramo de trescientas leguas de Costa, que descubrieron las Expediciones; y deseaba saber si mas arriba de lo descubierto estaria poblado de Gentilidad, para establecer tambien alli espirituales Conquistas. Propúsolo al V. Padre diciendole, que deseaba hacer una Expedicion marítima, para que se registrase la Costa, á fin de ver si estaba poblada, y si se encontraba algun Puerto para nuevos Establecimientos; pero que lo detenia por ahora la falta de Embarcacion y de Sugetos al propósito.

Al oir esto el V. P. Junípero, que estaba hidrópico en estos asuntos, pues jamás se le mitigó la sed que padecia en punto de la extension de la Christiandad, ni se le proponia dificultad alguna; no solo le alabó el pensamiento, sino que todo se lo facilitó, diciendole, que en la Fragata que habia mandado acabar, y con el Capitan D. Juan Perez, tenia S. E. lo que necesitaba para el desempeño, saliendo de Monterey luego que dexara la carga de víveres, y avíos. Era tal el concepto que tenia formado S. Excâ. del V. Fr. Junípero, que sin mas consulta que el parecer de S. R. dió las correspondientes órdenes para la citada Expedicion; la qual tuvo el feliz exíto que diré en su lugar.

CAPI-

CAPITULO XXXVI.

Sale de México para S. Blas, y se embarca para estas Misiones de Monterey.

Luego que el V. P. Junípero se vió con tan favorables providencias, y con tanto socorro (limosna del Exmô. Señor Virey) no solo para mantener y vestir á sus hijos Neófitos, sino tambien para aumentar el número de ellos, no veía las horas de ponerse en camino, sin reparar en su abanzada edad, ni en el habitual accidente del pie, que parece no se acordaba de él, pues no trató de ponerse en cura, con tan buena ocasion, sino de ponerse en camino, como lo hizo, por el mes de Septiembre de 1773 en compañia del P. Lector Fr. Pablo Mugartegui, de la Provincia de Cantabria, que le señaló el R. P. Guardian y Venerable Discretorio, alegrandose mucho de ello nuestro V. Siervo de Dios, asi por tener Compañero en tan dilatado viage, como porque con esto se añadia un Operario mas en la Viña del Señor. Quiso despedirse de la Comunidad en Refectorio, suplicando al R. Padre Guardian le permitiese el besar los pies á todos los Religiosos, como lo hizo, y pidióle la bendicion, y á todos que le perdonasen el mal exemplo que les hubiese dado, y que lo encomendasen á Dios, porque ya no le verian mas. Enterneció á todos de tal suerte, que les hizo saltar copiosas lágrimas, quedando edificados desde luego de su grande humildad y fervor para emprender un viage tan dilatado, estando en una edad tan crecida, y con la salud tan quebrantada, que casi no se podia tener en pie; rezelandose todos no muriese en el camino. Pero poniendo el fervoroso Padre toda la confianza en Dios, emprendió su viage de doscientas leguas por tierra, y llegaron sin novedad á Tepic, donde hubieron de demorarse hasta Enero del siguiente año, por no estar cargado los Barcos en disposicion de salir, pues

los

los estaban cargando. Encargó luego el V. Fr. Junípero pusiesen en la nueva Fragata que iba para Monterey los avíos pertenecientes á las Misiones del Norte, y en el Paquebot S. Antonio, que salia para San Diego, todo lo que correspondia á las otras, y que la grande limosna de S. Excâ. se repartiese en ambas Embarcaciones. Dispúsose la salida, y se embarcó con el Religioso que lo acompañaba el dia 24 de Enero de 1774 en la nueva Fragata nombrada Santiago la nueva Galicia.

Al ir á embarcarse el V. Padre no faltó quien le dixera: » Padre Presidente, ya se cumplió la Profecia que V. R. nos » echó quando vino de Monterey, diciendonos que quanto » antes acabasemos esta Fragata, pues se habia de volver en » ella á aquel Puerto: entonces nos reíamos, porque no se » pensaba sino en quemarla para aprovechar el hierro, su- » puesto se iba á despoblar el Puerto; pero vemos ahora ve- » rificado su vaticinio, y que se va en la Fragata. Dios lleve ». á V. R. con bien, y le dé feliz viage. » Sonrióse el Siervo de Dios con su religiosa modestia, y procuró desvanecerle el pensamiento diciendole: » Los grandes deseos que te- » nia de ver un grande Barco, que pudiese llevar mucho que » comer para aquellos Pobres, me hicieron pronunciar lo que » dixe; pero supuesto que ya Dios me los ha cumplido, de- » mosle muchas gracias; y yo se las doy tambien á Vm. y á ». los demas que han trabajado con tanto afan en beneficio de » los pobrecitos de Monterey. »

Hízose á la vela la Fragata el citado dia 24 de Enero; y aunque la navegacion era en derechura para Monterey, un casual accidente los hizo arribar al Puerto de San Diego el dia 13 de Marzo, que dió fondo en dicho Puerto, habiendo sido la navegacion de quarenta y nueve dias y con toda felicidad. Aunque el V. Padre deseaba vivamente llegar quanto antes á su Mision de San Carlos, no dexó de alegrarse de haber arribado á San Diego, por socorrer prontamente la de aquel Puerto, y la de San Gabriel, que se hallaban, como todas las demás, en gravisima necesidad; la que habiendo ce-

sa-

sado desde el mismo dia que llegó el Barco, no se ha vuelto á experimentar mas, gracias á Dios. Dexo á la consideracion del atento Lector el júbilo y contento que tendria el V. Padre al ver á sus súbditos con salud y alegria en medio de tantos trabajos y necesidades que habian padecido; y se le aumentó el gozo quando vió tan crecido el número de Neófitos, á quienes regaló como á hijos, expresándole ellos el afecto que le profesaban; y mucho mas los Padres admirandose de verlo mas robusto y remozado que quando se fué.

No obstante de que con mas comodidad podia subir á Monterey por mar con la misma Fragata, eligió caminar las ciento y setenta leguas por tierra poblada de Gentiles, solo por dar un estrecho abrazo á todos sus súbditos, y visitar las Misiones en que estaban repartidos, y darles asimismo las gracias de que no las hubiesen desamparado, sino antes bien permanecido constantes en medio de tantas escasezes, que por tan largo tiempo los habian afligido; pero con el gusto que el V. P. tuvo en cada Mision al ver aumentado el número de Christianos, se le hizo muy ligero el viage.

Tuvo tambien el gozo de encontrarse en el camino con el Capitan de la Sonora Don Juan Bautista de Anza, que baxaba de Monterey en cumplimiento del encargo del Exmô. Señor Virey de abrir camino desde Sonora á Monterey, que ya queda expresado en el Capítulo antecedente, y le comunicó á S. R. como habia cumplido el encargo de S. Excâ. quedando descubierto el paso para la comunicacion con las Provincias de Sonora, causándole mucha alegria; aunque al referirle las necesidades con que nos habia hallado en el citado Monterey, pues ni aun siquiera una tablilla de chocolate para que se desayunase habiamos tenido que regalarle, reduciendose todo el alimento á sola leche, y yervas, sin pan ni otra ninguna cosa, se le saltaron las lágrimas; y procuró apresurar el paso para llegar quanto antes con algun socorro, interin llegaba la Fragata que habia salido de San Diego el dia 6 de Abril, al mismo tiempo que el V. Padre, la qual arribó á Monterey el 9 de Mayo, y S. R. el dia 11 del mismo,

con

con cuyo motivo fué general la alegria y contento de todos por el socorro tan grande y favorables providencias que trajo para esta espiritual Conquista; quedando de una vez desterrada la cruelisima hambre que se padecia en estas Poblaciones; y teniendo ya entre nosotros á nuestro V. Prelado, que con su exemplo, y fervor, nos encendia y animaba para trabajar con gusto en esta Viña del Señor.

CAPITULO XXXVII.

Sale la Fragata á la Expepedicion del Registro de la Costa, y embia dos Padres Misioneros á la Expedicion: hacese segunda para lo mismo.

QUeda ya insinuado en el Capítulo XXX. los deseos que en el noble y religioso corazon de S. Excâ. engendraron las conversaciones del V. Padre sobre la conversion de los Gentiles, que no contentándose con lo. limitado de lo descubierto en Monterey, anhelaba se propagase la Fé Católica mucho mas allá, si se encontrase poblado; y para adquirir alguna noticia determinó que la Fragata Santiago, al mando de su Capitan D. Juan Perez, luego que hiciese en Monterey el desembarque de los víveres que conducia, saliese al registro de la Costa hasta la altura que pudiese, y le diera lugar la estacion del tiempo, para estar de vuelta en Monterey por el Equinoccio. Insinuó S. Excâ. al V. Padre los deseos que tenia de que fuese algun Misionero á la citada Expedicion, confiado en la promesa que hizo Dios á N. S. P. S. Francisco (que tenia muy presente, y no olvidaba S. Excâ. desde que la oyó al V. Fr. Junípero) de que los Gentiles con solo ver á sus hijos se convertian á nuestra Santa Fé.

Para cumplir estos piadosos deseos y buena intencion de S. Excâ. envió á los dos Misioneros Fr. Juan Crespi, y Fr. Tomás de la Peña Saravia, que gustosos se sacrificaron á un viage tan peligroso como era la navegacion del registro de una Costa no conocida, ni mapeada, y de consiguiente en

con-

continuo peligro de dar en alguna Isla, en baxos ó farallones, y perderse sin remedio; pero confiados en Dios, por el
santo fin á que se dirigia, tomada la bendicion del Prelado,
se embarcaron el dia 11 de Junio del año de 1774, que se hizo á la vela la Fragata, y el 27 de Agosto estuvo de vuelta,
dando fondo en Monterey, sin mas novedad que traer algunos
de la Tripulacion accidentados de escorbuto.

Con este registro se consiguió en parte el deseo de S. E.
pues subió la Fragata hasta la altura de 55 grados del Norte,
en que hallaron una Isla de tierra, que se interna mucho á
la mar, á la qual nombraron de Santa Margarita, por haberse descubierto en el dia de esta Santa, y desde dicha Isla baxando hasta Monterey, registraron toda la Costa, que hallaron limpia, y con bastantes fondeaderos. Advirtieron que estaba toda poblada de Gentilidad, aunque no saltaron á tierra, pues una vez que lo intentaron con el fin de enarbolar en
ella el Estandarte de la Santa Cruz, que tanto deseaba y
encargaba S. Excâ. no lo pudieron conseguir por haberse levantado un viento tan contrario y recio, que estuvo á peligro
de perderse la Lancha con los Marineros.

Aunque, como queda dicho, no desembarcaron en tierra; pero lograron en muchas partes tratar con los Gentiles de
la Costa, que con sus Canoas de madera, bien formadas y
bastantemente grandes, capaces de cargar crecido número
de gente, se arrimaban á la Fragata, y subian á bordo á hacer cambalaches de bateitas de madera, bien labradas y bu-
riladas: mantas bien texidas de pelo, como lana, listadas de
varios colores, muy vistosas, y petates ó esteras de cortezas
de arbol de varios colores, texidas como si fuesen de palma,
como tambien sombreros de dicha materia de forma pirami-
dal y de ala angosta, por pedazos de hierro, á que los vieron
muy inclinados, como tambien con avalorios y otras chucherias.

Son Indios afables, de buen talle, y de buenos colores,
andan cubiertos con cueros de animales y con mantas de las
citadas, y algunos totalmente desnudos. Las mugeres ho-

nesta-

nestamente cubiertas, son de buenos colores, y bien parecidas; aunque las afea mucho el tener todas (hasta las chiquitas) taladrado el labio inferior, del qual les cuelga una tablita, que con facilidad, y con solo el movimiento del labio la levantan, tapando la boca y nariz. Todas estas noticias escribieron á S. Excâ. remitiendole el V. P. Presidente el Diario que formaron los Padres, el qual remitió á la Corte, con mucha complacencia aquel Señor Exmô.

EXPEDICION SEGUNDA.

NO llenando aun todavia esto el espacioso campo de los deseos de S. Excâ. dispuso se hiciese segunda Expedicion, á fin de que se subiese á mayor altura, y que se procurase registrar si se hallaba algun Puerto, para que en él, en señal de posesion por nuestro Católico Monarca, se pusiese el Estandarte de la Santa Cruz; y para conseguirlo á satisfaccion de sus deseos, determinó fuese á mas de la Fragata una Goleta, para que facilitase el registro. Nombró para Comandante de la Expedicion y Capitan de la Fragata á D. Bruno de Ezeta, Teniente de Navio de la Real Armada, y de su segundo á D. Juan Perez, como que era tan práctico; y la Goleta la encomendó á D. Juan Francisco de la Bodega y Quadra. Pidió S. Excâ. á nuestro Colegio dos Religiosos Sacerdotes para ir á esta Expedicion, y fueron nombrados los Padres Fr. Miguel de la Campa y Fr. Benito Sierra.

Salió la Expedicion del Puerto de San Blas á mediados de Marzo del año de 1775, experimentando al principio contrarios los vientos y corrientes que la baxaron hasta el grado 17, en cuya altura se hallaba el dia 10 de Abril; pero mejorando el viento al siguiente 11, empezaron á subir, y el 9 de Junio se hallaron en altura de 41 grados y 6 minutos. Se arrimaron á tierra para hacer aguada, y encontraron un razonable Puerto, que tenia su resguardo para algunas Embarcaciones. Saltaron á tierra, donde hallaron á los Gentiles de las Rancherias inmediatas muy amigos y afables, y el dia 11

de

de dicho mes se tomó posesion solemne con Misa cantada
y Sermon, despues de haber enarbolado una grande Cruz;
concluyendo la fiesta con el Himno *Te Deum laudamus*; y por
ser el dia de la Santísima Trinidad, se le puso al Puerto este
inefable nombre. Hicieron su aguada y leña, ayudados de
aquellos Naturáles Gentiles, á quienes regalaron y dieron de
comer en los ocho dias que permanecieron alli, y despues salieron siguiendo el registro á vista de la tierra.

El dia 13 de Julio, estando en la altura de 47 grados y
23 minutos, encontraron una grande y hermosa rada donde dieron fondo; y el dia siguiente fué la Lancha con el Comandante y uno de los Padres á tierra y fixaron otra Cruz en
la Playa, no pudiendo hacer con la mayor solemnidad la funcion por impedirlo la marejada y resaca. Salieron de alli siguiendo su viage para la altura los dos Barcos en conserva
hasta el dia 30 del citado Julio, en que desapareció la Goleta, y no la volvieron á ver hasta Octubre en Monterey, que
era el Puerto y punto de reunion.

Viendo el Comandante que la Goleta no parecia, entró
en cuidado de si se habria perdido, ó vuelto atrás; pero no
obstante, la Fragata subió hasta los 49 grados y medio, á donde llegó el dia 11 de Agosto; y mirando que la mayor parte
de la Tripulacion estaba accidentada de escorbuto, hizo Junta de Oficiales, y se determinó baxar costeando en busca de la
Goleta, y registrar los tramos que á la subida no habian visto. Asi lo practicaron y llegaron á Monterey el 29 de Agosto, con la mayor parte de los Marineros enfermos, aunque
con el refresco que tomaron, sanaron todos.

La Goleta, que el dia 30 se halló sin la Comandanta, siguió Costa á Costa, presumiendo que se habia adelantado; y
no pudiendo encontrarla, subió hasta el grado 58, y halló
en esta altura un grande Puerto, bueno y seguro, que desde
luego llamaron de N. Sñra. de los Remedios, del que tomaron
posesion, y dexaron enarbolada en él una Santa Cruz, fixándola á vista de una Rancheria de Gentiles que estaba cerca
de la Playa: hicieron agua y leña, y salieron de dicho Puerto
de Ntrā. Señora de los Remedios. Aun-

Aunque forcejaron para subir á mas altura, no pudieron por los vientos contrarios y las corrientes, que en breve los baxaron á los 55 grados poco mas arriba de la Punta de Santa Margarita, último término de la primera Expedicion. Arrimaronse á tierra, y hallaron un estrecho de como dos leguas de una punta á otra, y á la mediania una Isla, que llamaron de San Carlos. Vieron que adentro internaba mucho la mar, que les hacia Orizonte, y les pareció que si en la realidad hay paso del mar del Norte á este Pacífico, que con tanto empeño se busca por los Ingleses, en ninguna parte mejor que en esta puede estar. En cuya atencion, y á contemplacion del Señor Virey que los envió, nombráronle el Paso de Bucareli, que se halla en la altura de 55 grados cabales. Arrimaronse á una de las dos puntas, y saltaron á tierra, y tomaron de ella posesion, dexando enarbolada una grande Cruz. Salieron del dicho Paso de Bucareli, y fueron baxando arrimados siempre á la Costa, mapeandola para formar sus Cartas.

En 3 de Octubre, Vigilia de N. S. P. S. Francisco, se hallaron cerca de la punta de Reyes, quatro leguas mas al Norte, en donde hallaron un Puerto, y en él dieron fondo, y les pareció que á la entrada tenia Barra. En quando dieron fondo, se juntaron en la Playa mas de doscientos Gentiles de todas edades y sexôs, todos muy contentos y placenteros, que de noche hicieron sus lumbradas. El dia siguiente, fiesta de N. P. S. Francisco, se vió la Goleta en evidente peligro de perderse, por haberse levantado una gran marejada, que les metió muy adentro, y les llevó la Lanchita ó Bote, y lo hizo pedazos. Rezelosos no sucediese lo proprio con la Goleta, levantaron la ancla, y dexándolo con el nombre de la Bodega, salieron de él, y navegaron para Monterey, en donde dieron fondo el 7 de Octubre, hallando fondeados en él la Fragata, que no habian visto desde la noche del 29 de Julio, y al Paquebot San Carlos, que habia vuelto del registro que hizo de este Puerto de N. P. S. Francisco.

A los ocho dias de llegada la Goleta fueron todos desde el Capitan hasta el último Gurumete á la Mision de San Car-

los

los, á cumplir la promesa de confesar y comulgar en una Misa cantada á Nrâ. Srâ. de Belen, que se venera en la Iglesia de dicha Mision, que pidió el Capitan se cantase en accion de gracias por el feliz exíto de la Expedicion, de la que dieron cuenta los Señores Marítimos al Exmô Señor Virey, y el R. P. Presidente le escribió los parabienes, y le respondió con las expresiones que se verán en su Carta; de la que es copia la siguiente, que tengo á la vista su original.

Carta del Exmô. Señor Virey.

" LOS nuevos Descubrimientos hechos por los Buques del
" Rey en esas Costas, son el objeto de la Carta de V. R.
" de 12 de Octubre del año próximo pasado de 1775, y por
" ellos, como por el honor que me resulta, me dá V. R. una
" enhorabuena, que recibo con gusto, siendo tambien V. R.
" acreedor á gracias por la disposicion dada para que cele-
" braran ahi estas felicidades con la solemnidad de que es
" capaz eso en el dia; y tengo la satisfaccion de que el ze-
" lo de V. R. y el de los demas Padres ha de ser el me-
" jor apoyo de la extension del Evangelio, á que se dirigen
" las piadosas intenciones de su Magestad. Dios guarde á
" V. R. muchos años. México 20 de Enero de 1776. = El
" Baylio Frey D. Antonio Bucareli y Ursua = R. P. Fr. Ju-
" nípero Serra.

CAPITULO XXXVIII.

Expedicion tercera para el mismo registro de la Costa.

NO quedó el fervoroso corazon de S. Excâ. sosegado ni satisfecho con las Expediciones dichas, y proyectó la tercera con mas empeño y mayores prevenciones; y aunque esta no se hizo hasta el año de 79, me ha parecido adelantar

la

la noticia de ella y de las antecedentes, para quedar despues mas desembarazado para seguir la Relacion Histórica de estos Establecimientos y de las tareas apostólicas de mi V. Padre Lector y Presidente Fr. Junípero Serra.

En quanto el Exmô. Señor Bucareli recibió la noticia con los Diarios de la segunda Expedicion, intentó con mas fervor repetir tercer registro, dando cuenta á la Corte de lo descubierto y de la resolucion en que se hallaba. Interin venia la respuesta mandó construir una Fragata al propósito para dicha Expedicion, y envió al Reyno del Perú á un Teniente de Navio y á un Piloto graduado de Alferez para que en el Puerto del Callao comprasen una Fragata de cuenta del Rey, y la conduxesen al Puerto de San Blas: asi se executó todo, y viendose con la aprobacion Real y orden de S. M. se hiciese tercera Expedicion, á fin de descubrir el paso para la mar del Norte.

Mandó luego S. Excâ. aprontar las dos Fragatas, la nueva, llamada la Princesa, de Comandanta, y la Limeña nombrada la Favorita, y que se les pusiese todo lo que se juzgase necesario y conveniente para el viage de un año. Mandó asimismo proveerlas de Tropa de Marina para lo que se ofreciese. Nombró de Comandante al Teniente de Navio D. Ignacio Arteaga, y de Subalternos otros dos Tenientes, y dos Alferezes de Marina, y Pilotos correspondientes. Pidió su Excâ. á nuestro Colegio dos Misioneros para ir á la Expedicion, que fueron los Padres Fr. Juan Antonio Riobó, y Fr. Matias Noriega. Salieron dichas Fragatas del Puerto de San Blas el dia 12 de Febrero de 1779, y llevaron su Práctico, por haber fallecido de muerte natural Don Juan Perez en el mar entre Monterey y San Blas de regreso del viage de la segunda Expedicion.

Salieron con la orden de ir en conserva, y de no apartarse sino por grande necesidad, y en tal caso señalasen Punto de union, como lo hicieron, señalando el Paso de Bucareli, á los 55 grados, para donde navegaron prósperamente, y llegaron á él dia 3 de Mayo, entraron á dentro, y hallaron

un

un grande Archipiélago, ó Mar mediterraneo, poblado de muchas Islas. Mantuvieronse en él hasta el 1 de Julio, gastando quasi dos meses en el registro, y hallaron en él trece Puertos á qual mejor, y capaces para poder estar en cada uno una Armada. No pudieron cerciorarse si por dentro se comunica por algun brazo con el mar del Norte, porque no hallaron por dicho rumbo término, y para poder hacer perfectamente este registro, era necesario una Expedicion, que no tuviese otra atencion, como tenian, de subir al registro de quanta altura pudiesen.

No obstante, en el tiempo que estuvieron en este Archipiélago, levantaron plan y formaron sus mapas de quanto habian registrado, fondeado y visto. Trataron con muchas naciones de Gentiles, que pueblan las Islas y Playas de tierra firme: son los Indios corpulentos, bien formados, y de buenos colores: tienen sus Lanchas de madera, bien grandes, con las que navegan aquel mar y pescan. Consiguieron el comprarles tres muchachos, y dos muchachas, que todos lograron el Bautismo, como diré despues. Concluido el registro de dicho Puerto de Puertos, que llamaron de Bucareli, á contemplacion del Señor Virey, salieron el 1 de Julio para registrar la Costa de la altura.

El dia 1 de Agosto se hallaron en la altura de 60 grados: un mes cabal tardaron para adelantar solo 5 grados; y no fué por falta de buen tiempo, sino por lo mucho que declina la Costa al Noroeste. Hallaron en dicha altura un grande Puerto, y con todas las conveniencias que se puedan desear de seguridad de los vientos, de leña, lastre y agua, y muy abundante de pescado sano y muy sabroso, facil de coxer, de que hicieron grande prevencion, y salaron bastante para el viage. Salieron á tierra, y tomaron posesion de ella, y del Puerto, que nombraron de Santiago: Fixaron en un alto una grande Cruz, que la subieron en procesion cantando el Himno *Vexilla Regis &c.*

Habiendo reparado el Comandante, que este Puerto tenia un brazo de Mar que se interna mucho hácia el Norte,

mandó

mandó se dispusiese una Lancha armada en Guerra con un Oficial y Piloto, y con Tropa para que se registrase. Hizose así, y habiendo navegado así al Norte algunos dias, vieron venir á ellos dos Lauchones grandes, llenos de Gentiles, que cada uno de ellos traia mas gente que la de los nuestros. Manifestaronse de paz, regalando á los nuestros con pescado y otras cositas de las suyas, y los nuestros correspondieron con abalorios, espeios y otras chucherias, que estimaron mucho, y despidiendose siguieron su viage.

El Oficial y Piloto que iba en la Lancha de los nuestros viendo esto, y que habiendose internado tanto que ya se hallaba en mayor altura que el Puerto en que estaban fondeadas las Fragatas, y que no se veia el término de dicho mar, sino que se le hacia Orizonte, no se atrevió á entrar mas adentro, rezeloso de lo que podia encontrar adentro, sino que le pareció conveniente volver atrás, y dar cuenta al Señor Comandante de lo que habia visto, como lo practicó.

Mientras estaba en dicho registro la Lancha trataron y comunicaron los de las Fragatas con muchos Gentiles, que con sus Lanchas y Canoas de varias figuras se les arrimaban y subian á bordo, los que procuraron regalar con comida y abalorios, y correspondian ellos con pescado y algunas cosas de las suyas. Entre los muchos Gentiles que fueron á bordo repararon en uno que al parecer se distinguia entre los otros: advirtieron en él, que no le causaba admiracion el ver la Fragata, como si estuviera hecho á ver Barcos tan grandes. Preguntaronle si habia visto otra vez Barcos grandes, y respondió por señas que sí; y señalando á un Cerro alto que estaba apartado de la Playa, dió á entender que detrás de aquel Cerro habia muchos Barcos. Por lo que sospecharon muchos, que por alli estaria la Factoría de los Rusos, que dicen tienen estos por aquella altura. Confirmabanse en esto, por tener á la vista el Bolcan llamado por los Rusos de San Elias, y aun eran muchos de sentir que aquel Gentil á quien no habia causado admiracion la vista de las Fragatas, podria ser algun Ruso en trage de Indio embiado á registrar y observar. Lle-

Llegada la Lancha del registro esperaban todos que mandaria el Comante entrasen las dos Fragatas á registrar aquel brazo de Mar; pero fué lo contrario, dando órden se siguiese el registro por la Costa á la vista de tierra. Asi lo practicaron, y en breve observaron que ya baxaban de altura, y que la Costa declinaba al Sur.

Hallandose en la altura de 59 grados, mas baxo que el Puerto de Santiago, les sobrevino una tempestad de agua y neblina muy espesa que nada veían, sin saber como se hallaban: pusieron los Barcos á la capa, y asi se mantuvieron por el espacio de veinte y cinco horas, que abrió un poco para que pudiesen ver el peligro en que se hallaban. Vieronse por todos lados cercados de Islas, metidos en un Archipiélago; y conociendo el evidente peligro en que se hallaban, mandó el Comandante, (que era muy devoto de Nuestra Señora de Regla) que subiesen la Imagen de Ntrâ. Señora sobre el Alcazar, y que se le cantase la Salve: asi se hizo con viva fé y esperanza en el Patrocinio de Ntrâ. Señora, y se logró abrirse mas la neblina, y que se divisase una gran Bahia pegada á una Isla, y mandó el Comandante que arrimados á ella se diese fondo, como se logró con toda felicidad, y se libraron del evidente peligro en que estaban. Registraron la Bahia, que nombraron de nuestra Señora de Regla, y hallaron varios fondeaderos. Saltaron á tierra, y tomaron posesion de ella con las mismas ceremonas que queda dicho del Puerto de Santiago. En este paraje no trataron con Gentiles, no los vieron, solo á lo lexos divisaron lumbradas.

Viendo el Señor Comanante que eran ya muchos los enfermos, la estacion abanzada, y que estaba cerca el Equinoccio, no quiso se pasase adelante el registro, sino que dió por concluida la Expedicion, dando órden á los Pilotos para navegar á alguno de los Puertos de estos Establecimientos á fin de curar los enfermos, y de resguardarse por el Equinoccio. Practicáronlo asi, y entraron á este Puerto de N. P. San Francisco el 14 y 15 de Septiembre, en el que se mantuvieron hasta últimos de Octubre. Celebraron en esta Mision la Fiesta

de

de gracias con Misa cantada y Sermon á nuestra Señora de los Remedios, cuya Imagen en Lámina de bronce, grande, de buen pincel, tocada á la Original de México, adornada con su grande marco de plata de martillo, y con su cristal puesta en su Nicho de cedro, regaló á esta Iglesia D. Juan Francisco de la Bodega y Quadra Capitan de la Fragata Limeña nombrada Ntrâ. Señora de los Remedios, aliás la Favorita, la que se colocó en el Altar mayor, haciendole la Fiesta el dia 3 de Octubre con Misa cantada, y Sermon, y el siguiente dia con la misma solemnidad, y asistencia de toda la gente celebramos la Fiesta de N. S. P. S. Francisco, Patrono de la Mision y del Puerto, tambien con Misa, Sermon y Procesion.

En el tiempo de mes y medio que se mantuvieron en este Puerto, se curaron, y sanaron todos los enfermos, y los Señores Pilotos dibujaron sus Mapas de toda la Costa y sus Puertos. Tuve el gusto de bautizar á tres de los Gentiles muchachos que ya dixe consiguieron en el Puerto de Bucareli; y los dos por mas grandecitos que necesitaban de instruccion, y no entendian todavia la lengua, los reservaron para despues de llegados á San Blas. Quando ya se disponian para salir de este Puerto para San Blas, llegó Correo de tierra desde la antigua California con la funesta noticia de la muerte de el Exmô. Señor Virey Frey Don Antonio Bucareli, que fué para todos de mucha tristeza, para nosotros por haber perdido tan grande Bienhechor y Patrono de estos Establecimientos. No dudo que en el Cielo habrá recibido el premio de las muchas almas que se han logrado por el fomento que dió á estas espirituales Conquistas. Fué tambien sentida de los Señores Marítimos, pues desde luego presumieron pararian las Expediciones, y mas con la noticia de las Guerras con el Inglés, que llegó por el mismo correo. Asi como lo recelaron, asi ha sucedido, pues han parado las Expediciones.

Aunque en estas Expediciones Marítimas no trabajó personalmente el V. P. Presidente Fr. Junípero, no pude menos que insertarlas en esta Historia por ser ocasionadas de

su

su trabajoso viage á México, é influidas por su Apostólico zelo en el noble y religioso corazon de su Excâ. dirigidas á estender la Fé Católica hasta las mas remotas regiones: confiado el dicho Exmo. Señor de conseguir este principal fin de las Expediciones por medio del infatigable zelo del V. P. Junípero, como vimos en la Carta inserta en el Capítulo antecedente, y lo veremos repetido en otra que le escribió con la misma fecha, y en una posdata de letra del mismo Señor, que dicen asi:

Copia de la Carta de S. Excâ.

„EL Informe de las Misiones que V. R. pasó á mis ma-
„ nos con Carta de 5 de Febrero del año anterior me de-
„ xa sumamente complacido por los efectos progresivos que
„ se experimentan debidos al cuidadoso Apostólico zelo de
„ V. R. y demas Padres, de que he dado cuenta al Rey, y
„ quedo confiado de que continuando como hasta aqui, llega-
„ rá tiempo de que S. M. pueda contar con unos Estableci-
„ mientos que hagan gloriosas sus Reales piadosas intencio-
„ nes por la propagacion de la Fé en esas remotas tierras.
„ Dios guarde á V. R. muchos años. México 20 de Enero de
1776. „

Copia de la Posdata.

„EL Puerto de la Trinidad descubierto por Don Bruno
„ Ezeta, nos convida á un Establecimiento; y para no
„ perder de vista este objeto, que tanta extension puede dar
„ á el Evangelio, debemos consolidar estos Establecimientos,
„ y es á lo que espero contribuya el fervoroso zelo de V.
„ Rmâ. Para podernos establecer en lo mas distante ya des-
„ cubierto, es preciso que esas Reducciones puedan subsis-
„ tir por sí en lo correspondiente á víveres, y á eso espero
„ se dedique el zelo de los Padres Misioneros fomentando
„ las siembras y la cria de ganados. El gasto de mantener
„ la Tropa para Escolta, sin embargo de ser de considera-
„ cion,

„ ción, no es lo que me detiene, sino la dificultad de que se
„ conduzgan desde San Blas tantos víveres, y las contingen-
„ cias que ofrece la navegacion = El Baylio Frey D. Anto-
„ nio Bucareli y Ursua = R. P. Fr. Junípero Serra. „

Si este fervoroso Señor Exmô. hubiese sobrevivido á la
última Expedicion, hubiera visto, como vió el V. P. Junípero tan aumentado el ganado bacuno, que habiendo dado á
cada una de las Misiones en su fundacion solo diez y ocho
cabezas; en el último Informe del año proximo pasado de
84 contaban ya entre todas las nueve Misiones 5384 cabezas, y de ganado menor de lana 5629, y de pelo ó cabrío
4294, siendo asi que de estas dos expecies de ganados no se
dieron para la fundacion, sino que de un corto número de
Borregas y Cabras se logró este aumento, habiendo los Misioneros solicitado de limosna el pie de dicho ganado menor.
Asimismo vió el V. Padre Fundador, que dicho año que murió fueron las cosechas de Trigo, Maiz, Cebada, Frixol y demas legumbres: fué el total de todas las nueve Misiones
quince mil y ochocientas fanegas: con lo que tienen y han
tenido estos últimos años, no solo para mantenerse por sí
las Misiones, sino que les sobró para proveer á la Tropa. Si
esta abundancia hubiera llegado á ver S. Excâ. como la llegó á ver el V. P. Fr. Junípero, ¿quien duda que ya estaria la
Fé Católica hasta el último término de lo descubierto, ó á lo
menos estaria ya resonando el Clarin Evangélico por aquel
Archipiélago del famoso Puerto de Bucareli?

Pero ya que lo suspendió la sensible muerte de dicho
fervoroso Señor Bucareli, nos queda el consuelo de quedar
descubierta tan abundante mies, como tambien de estar ya
en el Cielo las primicias de aquellas gentes, por los tres que
de menor edad bauticé en esta Mision, y poco despues de
llegados á San Blas murieron; y de los dos mas grandes, que
llevaron para bautizar en San Blas murió la muchacha poco
despues de bautizada; y no dudo que estas quatro almas bienaventuradas pedirán á Dios por la conversion de sus compatriotas que gimen baxo el tirano yugo del Enemigo, suplicando

do al Señor les embie Operarios que les prediquen é impongan en la Ley Evangélica, para que logren como ellos las celestiales delicias por toda la eternidad.

He querido adelantar estas noticias para el curioso Lector, á fin de que tenga una completa noticia asi de estos Establecimientos, como de todas las Expediciones hechas para la extension de la Santa Fé Católica, y de los Dominios de nuestro Católico Monarca; y que enterado de ellas pueda leer la relacion de estos nuevos Establecimientos, y Apostólicas tareas del V. P. Junípero y sus Compañeros, que se irán refiriendo en los siguientes Capítulos.

CAPÍTULO XXXIX.

Continúan las Apostólicas tareas del V. P. Presidente despues de llegado á su Mision de S. Carlos.

A Los pocos dias de haber llegado el **V. P.** Presidente á su Mision de San Carlos, que fué á mediados de Mayo de 1774, entró en el Presidio de Monterey el nuevo Comandante Don Fernando de Rivera y Moncada, Capitan de Tropa de Cuera, que venia á remudar á D. Pedro Faxes, Capitan graduado, y Teniente de los Voluntarios de Cataluña, como se habia determinado en Junta de Guerra y Real Hacienda, por ser la Tropa de Cuera mas al propósito para la reduccion de Gentiles, que la Tropa de á pie, y venian subiendo las Reclutas que traia de Cinaloa el dicho Señor Capitan Rivera. Luego que el fervoroso P. Presidente se vió desahogado con la salida de la Fragata para la primera Expedicion, y el Príncipe (que habiendo llegado el dia que salió la Fragata, y hecha la descarga, baxó á San Diego á dexar la carga que allí pertenecia) hallandose ya el V. Padre sin los estorvos de antes con abundancia de víveres y ropas, tendió la red entre los Gentiles, convidándolos á la Doctrina: fueron tantos los que concurrieron, que todos los dias tenia una

gran-

grande rueda de Catecúmeros, á quienes con la ayuda del Intérprete instruia en la Doctrina y misterios necesarios, en cuyo santo exercicio empleaba una gran parte del dia; y asi como iban quedando instruidos los bautizaba, y en breve fué en gran manera aumentando el número de Christianos; al paso que se bautizaban ocurrian otros pidiendo instruccion.

No quedaba sosegado con esto el ardiente zelo de nuestro V. Fr. Junípero, ni con saber que se practicaba lo mismo en las otras quatro Misiones, sino que se estendian sus anhelos á la fundacion de otras, respecto á la abundancia de Ministros, que habiendo subido de la antigua California, estabamos, como ociosos; y aunque veia que el nuevo Reglamento disponia, que se suspendiesen por entonces nuevas fundaciones hasta tanto que se verificase aumento de Tropa; pero facilitaba sus designios la prevencion que se hace en el mismo Reglamento: " *Salvo* que se juzgase poderse fundar una ó " dos Misiones minorando las Escoltas de las Misiones mas " inmediatas á los Presidios, juntos con algunos de Presidio " que no hiciesen *notable falta* "

En atencion á esta puerta que dexa abierta el Reglamento, intentó fundar una Mision, á lo menos en el intermedio de San Diego y San Gabriel, baxo la advocacion de San Juan Capistrano. Trató este punto el V. Padre con el nuevo Comandante Don Fernando Rivera, quien conviniendo en ello, señaló para Escolta quatro Soldados de la de los Presidios, y dos de las Misiones inmediatas á ellos San Carlos y San Diego; y el V. Fr. Junípero nombró para Ministros de ella á dos de los que habiamos subido de la California antigua, de cuya determinacion dieron cuenta á S. E. quien á mas de aprobarla, quedó complacido de ella, segun lo manifiesta en las expresiones de su siguiente Carta.

" Despues de los acuerdos tenidos con el Comandante " de esos Establecimientos D. Fernando Rivera y Moncada, " que V. R. refiere en Carta de 17 de Agosto del año próxi- " mo antecedente, me dá V. R. la gustosa noticia de quedar " re-

» resuelta además de las dos Misiones del Puerto de S. Fran-
» cisco, otra con el título de San Juan Capistrano entre San
» Diego y San Gabriel, para la qual quedaban nombrados
» los Padres Fr. Fermin Francisco Lazuen, y Fr. Gregorio
» Amurrio, á quienes se dió la Escolta necesaria, y fran-
» queó quanto contiene la Memoria, de que V. R. me saca
» copia.

» Todas estas noticias acrecentan mi gusto, y hacen pa-
» tente el infatigable desvelo con que V. R. se dedica á la
» felicidad de esos Establecimientos. Dios protege visible-
» mente tan buen servicio, y las intenciones con que el Rey
» eroga estos gastos, pues al paso que se aumentan las Doc-
» trinas y crece el número de Neófitos, va la tierra dispen-
» sándoles copiosas cosechas de frutos para su alimento, y
» serán mayores las succesivas, segun lo que V. R. manifies-
» ta en su citada Carta, con la que quedo muy complacido.
» Dios guarde &c. »

Luego que se resolvió hacer la nueva fundacion, salieron de Monterey los dos Misioneros nombrados con los avíos
y Escolta que se destinó, y llegados á la Mision de San Gabriel, quedó en ella el P. Fr. Gregorio Amurrio con el fin de
disponer lo demás para estar pronto al primer aviso; y el P.
Fr. Fermin Lazuen pasó á San Diego, para salir con el Teniente Comandante de aquel Presidio á hacer el registro, y
habiéndolo verificado y hallado sitio al propósito para el Establecimiento, se regresaron al Presidio á disponer todo lo
necesario para pasar de una vez á establecerse.

Salieron de San Diego á fines de Octubre el citado Padre
Lazuen, el Teniente, Sargento y Soldados necesarios, y llegando al sitio formaron una enramada y una grande Cruz,
que bendita y adorada de todos, enarbolaron, y en el Altar
que se dispuso dixo el P. Lazuen la primera Misa. El dia 30
de Octubre, octava de San Juan Capistrano Patrono de la nueva Mision, concurrieron muchos Gentiles, manifestando alegrarse mucho con la nueva vecindad, pues muy oficiosos
ayudaron á cortar madera, y á acarrearla para la Fábrica
de Capilla y Casa. Quan-

Quando estaban en estas faenas parando ya los palos para la Fábrica, llegó á los ocho dias de principiada la Mision el P. Fr. Gregorio Amurrio con todos los avíos, que por el aviso que le embiaron, salió de San Gabriel; y quando muy alegres pensaban prontamente poner en corriente la Mision por la alegria que veian en los naturales de aquel lugar, les llegó el mismo dia un Correo de San Diego con la triste noticia de haber los Gentiles pegado fuego á la Mision, y quitado la vida á uno de sus Ministros. Luego que recibió el Teniente la noticia, subió á caballo, y lo mismo el Sargento y parte de los Soldados, y á toda prisa se puso en el Presidio de San Diego; y habiendo suplicado á los Padres hiciesen lo mismo con parte de los Soldados que dexó para este fin, pararon la fábrica, enterraron las campanas, y con todo lo demas de carga se encaminaron para el Presidio de San Diego, en donde hallaron la novedad que referiré en el Capítulo siguiente, que es segun y como lo escribieron los Padres, y conforme á las declaraciones que hicieron los Indios, asi Christianos como Gentiles ante el Comandante del Presidio.

CAPITULO XL.

Muerte del V. P. Fr. Luis Jayme, y de lo acaecido en su Mision de San Diego.

HAllabanse por el mes de Noviembre del año de 1775. administrando con grande júbilo de sus almas la Mision de San Diego el V. P. Lector Fr. Luis Jayme, hijo de la Santa Provincia de Mallorca, y el Padre Predicador Fr. Vicente Fuster, de la de Aragon, y cogiendo con abundancia los copiosos frutos que producia ya aquella Viña del Señor encomendada por el Prelado á sus RR. de tal suerte, que con sesenta Gentiles que habian bautizado el dia 3 de Octubre inmediato (vigilia de N. P. San Francisco) y los muchos que habian recibido el Santo Bautismo antes, se formaba un nume-

numeroso Pueblo, el qual habian mudado el año anterior á la Cañada del Rio ó Arroyo que vacía en aquel Puerto, por ofrecer el terreno (que dista como dos leguas del Presidio) mayores ventajas para el logro de sementeras, y cosechas de trigo y maiz para la manutencion de los Neófitos; quienes desde luego demostraban hallarse muy gustosos.

Al paso que los Padres y los Christianos nuevos se hallaban con tanta alegria y sosiego, era mayor la rabia del enemigo capital de las almas, no pudiendo sufrir con su infernal furor el ver que por las inmediaciones del Puerto se le iba acabando su partido de la Gentilidad por los muchos que se reducian á nuestra verdadera Religion por medio del ardiente zelo de aquellos Ministros; y reparando en que se iban á poner otro entre San Diego y S. Gabriel, que desde luego harian lo mismo con aquellos Gentiles, de que el estaba apoderado, desmereciendo por esta causa su partido, arbitró para atajar el daño que se le seguia, no solo impedir la nueva fundacion, sino tambien aniquilar la de San Diego (que habia sido la primera de estos Establecimientos) y vengarse de los Ministros.

Para conseguir estos diabólicos intentos se valió de dos Neófitos de los anteriormente bautizados, que despues de la fiesta de N. P. San Francisco salieron á pasear por las Rancherias de la Sierra, influyendoles á que publicasen entre los Gentiles de aquellos territorios la noticia de que los Padres querian acabar con toda la Gentilidad, haciendolos Christianos á fuerza, para lo qual daban por prueba los muchos que en un dia habian bautizado. Qu daban los que lo oían suspensos, creyendolo unos, y d dandolo otros, los quales decian, que los Padres á nadie hacian fuerza, y que si aquellos se habian bautizado era porque ellos habian querido. Pero la mayor parte daba crédito al dicho de los dos apóstatas; y teniendolos el enemigo asi dispuestos les engendró la pasion de ira contra los Padres, de que resultó el cruel intento de quitarles la vida, como tambien á los Soldados que los resguardaban, y pegar fuego á la Mision para acabar con todo.

Ape-

Apenas se hablaba por aquellos contornos de otra cosa, convidandose unos á otros para el hecho; aunque muchas de las Rancherias no convinieron, diciendo que ni los Padres les habian hecho daño, ni hacian fuerza á ninguno para que se hiciese Christiano.

Nada de esto se sabia en San Diego, ni se recelaba de lo mas mínimo, porque habiendo echado de ver la falta de los citados dos Neófitos, que salieron sin licencia, y habiendo salido el Sargento con Soldados en busca de ellos, no los pudieron encontrar, y solo adquirieron la noticia de que se habian internado mucho por la Sierra que guia al Rio Colorado; y en ninguna de quantas Rancherias transitaron con este fin, advirtieron la menor novedad ni indicio alguno de guerra; pero el hecho manifestó el intento que tenian, y el sigilo con que se manejaban.

Convocáronse mas de mil Indios (no conocidos entre sí, ni vistos jamás, sino convidados de otros muchos de éllos) los quales pactaron el dividirse en dos trozos, para caer uno á la Mision y otro al Presidio, convenidos en que luego que estos últimos viesen arder la Mision, prendiesen fuego al Presidio, y matasen á toda la gente; y que los destinados para la Mision harian lo mismo. Asi pactados, y bien armados de flechas y macanas se encaminaron á poner en execucion su depravado designio.

Llegaron á la Cañada del Rio de San Diego la noche del dia 4 de Noviembre, y se dividieron caminando la mitad de ellos para el Presidio los destinados á él; llegaron sin ser sentidos á las casas de los Neófitos de la Mision, y se pusieron en cada una de ellas unos Gentiles armados para no dexarlos salir ni gritar, amenazándoles de muerte; y se fué el mayor golpe de ellos á la Iglesia y Sacristia á hurtar las ropas, ornamentos, y demas que quisieron; y otros con tizones de la lumbrada que tenian en el Quartel los Soldados (que se reducian á tres y un Cavo, que segun parece estaban totos durmiendo) empezaron á pegar fuego al Quartel, y á todas las piezas: con esto, y los funestos alaridos de los Gentiles dispertaron todos. Pusie-

Pusieronse los Soldados al arma, quando ya los Indios habian empezado á descargar flechas. Los Padres dormian en distintos Quartos: salió el P. Fr. Vicente, y viendo el incendio se encaminó para donde estaban los Soldados, como tambien dos muchachitos, hijo y sobrino del Teniente Comandante del Presidio: en otro Quarto vivian Herrero y Carpintero de la Mision, y el Carpintero del Presidio que habia pasado á la Mision por enfermo, llamado Urselino, digno de que se lea su nombre por el acto tan heroico de verdadero Católico que practicó, como diré luego.

El P. Fr. Luis, que dormia en otro Quartito, al ruido de los alaridos, y del fuego salió, y viendo un gran peloton de Indios, se arrimó á ellos saludándolos con la acostumbrada salutacion: *amar á Dios hijos*; y conociendo que era el Padre lo agarraron como Lobos á un Corderito, y portóse como mudo sin abrir sus labios: lleváronlo para la espesura del Arroyo, allí le quitaron el santo hábito, y desnudo el V. Padre empezaron á darle golpes con las macanas, y le descargaron innumerables flechas, no saciando su furor y rabia con quitarle con tanta crueldad la vida, pues despues de muerto le machacaron la cara, cabeza y demas del cuerpo, de modo que desde los pies hasta la cabeza no le quedó parte sana mas que las manos consagradas, como asi se halló en el sitio donde lo mataron.

Quiso Dios preservarle las manos para manifestar á todos, que no habia obrado mal para que le quitasen la vida con tanta crueldad; sino que con toda limpieza habia trabajado tanto á fin de encaminarlos á Dios, y salvar sus almas, y no dudamos todos los que lo conocimos y tratamos, que gustoso y alegre daria su vida, y derramaria su sangre inocente para regar aquella mistica Viña, que con tantos afanes habia cultivado, y aumentado con tanto número de almas que bautizó: confiado en que por medio de este riego se cogerian con mas abundancia zazonados frutos, como asi en breve se experimentó, viniendo despues muchos á pedir el Sagrado Bautismo. Hasta Rancherias enteras de mucho gentio,

y

y bien distantes del Puerto ocurrieron á la Mision pidiendo el ser bautizados, aumentandose en gran número los Neófitos.

Al mismo tiempo que los Gentiles con grande griteria iban llevando al V. P. Fr. Luis al lugar del martirio, fueron los otros al otro Quarto en que dormian los Carpinteros, y Herrero, que al ruido dispertaron: iba á salir el Herrero con una espada en la mano, y al salir del Quarto le dispararon tan cruel flechazo, que quedó muerto. Viendo esto el Carpintero de la Mision, cogió una escopeta cargada, la disparó y tumbó á uno de los Gentiles que estaban cerca de la puerta, y retirandose asombrados y temerosos, pudo ir á juntarse con los Soldados. Al otro Carpintero del Presidio llamado Urselino, que estaba en cama enfermo, lo flecharon, biriendolo de muerte, y en quanto se sintió herido, dixo: *¡Há Indio que me has muerto! Dios te lo perdone.*

El mayor golpe de los Gentiles se ocuparon en guerrear con los Soldados que estaban en la casita que servia de Quartel, en cuya pieza se hallaban el P. Fr. Vicente Fustér, los dos muchachos arriba dichos, el Carpintero que no estaba herido, y el Cavo con los tres Soldados; y á los Gentiles en breve se les agregó toda aquella chusma de Gentiles que habian ido para el Presidio, que no se atrevieron á llegar, porque mucho antes de llegar á él vieron que ardia la Mision; y dando por supuesto que tambien lo verian los del Presidio, y que estarian prontos á defenderse, y que enviaran á la Mision socorro de gente, se volvieron atrás á unirse con los que estaban en la Mision; por lo que se libertó el Presidio, que sin duda estarian durmiendo; pues ni vieron el grande fuego que ardia en toda la Mision, ni oyeron tiro de tantos que se dispararon, siendo asi que se oye el tiro del Alva.

En quanto llegaron al sitio de la Mision los Gentiles que habian ido al Presidio, que supieron habian ya matado uno de los Padres, preguntando qual de los dos, luego que les dixeron el rezador (asi llamaban al P. Fr. Luis) celebraron con mucha alegria la noticia, y en el mismo sitio celebrabraron la muerte con un gran bayle á su usanza bárbara, y se juntaron con los demas para acabar con el otro Padre, y con toda la Mision. El corto número de Soldados de la Mision se supo defender de tanta multitud de Gentiles con gran valor por el grande que tenia el Cavo de Esquadra, que no cesaba de gritar, con que amedrentaba á los Gentiles, y de disparar matando á unos, é hiriendo á otros. Viendo los enemigos la fuerte resistencia, y el estrago que hacian los nuestros, valieronse del fuego, pegando fuego al Quartel que era de palizada, y los nuestros por no morir asados, salieron de él con todo valor, y se mudaron á un Quartito de adoves, que servia de cocina, reduciendose toda la fábrica, y resguardo á tres paredes de adove, de poco mas de una vara de alto, sin mas techo que unas ramas, que tenia puestas el Cocinero para resguardarse del Sol. Refugiados los nuestros en dicha cocina, hacian fuego continuo, defendiendose de tanta multitud, que los molestaba mucho por el lado que estaba descubierto sin pared, por donde les tiraban ya flechas, ya macanas.

Viendo el daño que por aquel portillo les hacian, se animaron á ir á la casa que se estaba abrasando á traer unos fardos y caxones para ponerlos de parapeto; pero en esta faéna (que lograron hacer á satisfaccion para el resguardo) quedaron heridos dos de los Soldados, é imposibilitados por entonces á accion alguna; y solo quedó para la defensa el Cavo con un Soldado y Carpintero. El Cavo, que era de gran valor y buen tirador, mandó al Soldado y Carpintero que no hiciesen otra cosa que cargar, y cebar escopetas, ocupandose él en solo tirar, con que mataba, y heria á quantos se le arrimaban.

Viendo los Gentiles que las flechas ya no servian, por el resguardo de los adoves que tenian los nuestros, pegaron fuego á las ramas que servian de techo; pero como eran pocas, no les obligó el fuego á desamparar el sitio: vieronse en peligro de que se pegase fuego á la pólvora, lo que hubiera sucedido á no tener la advertencia el P. Fr. Vicente de ta-
par

par la talega con las faldas del hábito, sin atender al peligro á que se exponia. Viendo los Indios que el fuego del techo no los hizo salir, tiraron á obligarles á la salida, echándoles adentro tizones encendidos, y pedazos de adove, que de uno de ellos quedó herido el Padre, aunque por entonces no lo sintió mucho, pero si despues, aunque no fué cosa de cuidado. Asi estuvieron peleando hasta la aurora, que su hermosa luz ahuyentó á los Gentiles, que rezelosos viniese gente del Presidio, se marcharon llevandose los muertos y heridos, que no se supo sino en general que habian sido muchos, segun las declaraciones que se tomaron.

En quanto amaneció el dia 5 de Noviembre, que desapareció la gran multitud de Gentiles, salieron de sus casitas los Neófitos, y fueron luego á ver al Padre, que estaba en el fuerte de la Cocina con el Cavo y tres Soldados, todos heridos, y el Cavo aunque herido no quiso decir que lo estaba, para que no descaeciesen los demas. Los Indios Christianos llorando refirieron al Padre como los Gentiles no los dexaron salir de sus casas, ni gritar, amenazándoles de muerte si se meneaban. Preguntóles por el P. Fr. Luis, que toda la noche lo habia tenido con cuidado por no haber sabido de él, aunque los Soldados lo consolaban, diciendole que se habria metido dentro del Sauzal: mandó á los Indios lo buscasen, y despachó un Indio Californio á avisar al Presidio, y á los Neófitos mandó apagasen el fuego de la troxe para lograr algo del bastimento.

Hallaron los Indios en el Arroyo á su V. P. Fr. Luis ya muerto, y tan desfigurado, que apenas lo conocieron. Cargaronlo y llevaron con grande llanto para donde estaba el P. Fr. Vicente, quien al oir el llanto de los Indios, le dió en el corazon lo que habia sucedido á su Compañero: fué luego el Padre hácia ellos, y le pusieron á la vista á su amado Compañero muerto, y tan desfigurado que segun escribió al R. Padre Presidente, estaba tan herido su cuerpo, que no tenia mas parte sana que las consagradas manos; pero que todo lo demas del cuerpo estaba golpeado y flechado, y la cara

ra aplastada de los golpes de macana, (porras de madera) ó de alguna piedra, y ensangrentado de pies á cabeza; que solo conoció ser su cuerpo por la blancura, que en pocas partes estaba sin sangre, que era el único vestido que cubria su cuerpo. Al ver el P. Fr. Vicente aquel espectáculo, quedó fuera de sí, hasta que el llanto de los Neófitos, que tan de corazon amaban á su difunto Padre le hizo prorrumpir en lágrimas.

En quanto la pena y dolor dió lugar al P. Fr. Vicente para deliberar, dispuso se hiciesen unos tapestles para llevar á los dos difuntos cuerpos del V. P. Fr. Luis y al Herrero Joseph Romero, y á los heridos, que fueron el Cavo y los tres Soldados y el Carpintero Urselino. En quanto recibieron la noticia en el Presidio, se pusieron en camino para la Mision, y con este auxilio se mudaron todos llevando en procesion á los difuntos para el Presidio, dexando en la Mision algunos Neófitos para que apagasen la lumbre de la troxe. Llegados al Presidio se dió sepultura á los difuntos en la Capilla del Presidio, y dieron mano á curar los heridos, que todos sanaron, menos el Carpintero Urselino, que murió el quinto dia. Este tuvo tiempo para prepararse y disponer sus cosas: tenia de su sueldo de algunos años que habia servido bastante alcanze en el Real Almacen; y no teniendo heredero forzoso, hizo testamento, y dexó por herederos á los mismos Indios que le quitaron la vida; accion tan exemplar y heroica de verdadero Discípulo de Jesu Christo. Recibidos todos los Santos Sacramentos entregó su alma al Criador.

El Cavo que habia quedado mandando el Presidio, despachó aviso al Teniente, que se hallaba en la Fundacion de San Juan Capistrano, quien luego que tuvo la noticia de lo acaecido se puso en camino para San Diego, y tras de él los Padres. En quanto estos llegaron al Presidio, hicieron las honras al V. Padre difunto, y resolvieron mantenerse en el Presidio hasta nueva órden del V. Padre Presidente, á quien escribieron todo lo que queda expresado, que he sacado de las mismas Cartas. Igualmente con acuerdo del Comandan-

dan-

dante del Presidio determinaron que los Neófitos se mudasen arrimados al Presidio por de pronto para evitar el peligro de que volviesen á darles los Gentiles: asi mismo mudaron el poco de maiz, y trigo que libertaron del fuego: quedando todo lo demas de Iglesia, y casa consumido por el fuego, salvo la ropa y alhajas que hurtaron.

El Comandante del Presidio dió luego sus providencias despachando partidas de Soldados por las Rancherias de los Gentiles á explorar si se percibia otro atentado, como tambien de indagar los que habian concurrido: llevaron presos á muchos para las averiguaciones, y hallando que no amenazaba asalto al Presidio, despachó Correo á Monterey.

CAPITULO XLI.

Llega á Monterey la funesta noticia de San Diego, y lo que en su vista se practicó.

Llegó á Monterey el Correo de San Diego con la noticia del martirio del V. Padre Fr. Luis Jayme y del incendio de la Mision, y en quanto el Comandante Rivera recibió las Cartas, que fué á entrada de noche del dia 13 de Diciembre, enterado de lo sucedido, fué en persona á la Mision de San Carlos (en donde me hallaba) á dar la noticia y las Cartas de los Padres que se hallaban en San Diego al R. P. Presidente, quien en quanto oyó la novedad prorrumpió con estas palabras: *Gracias á Dios ya se regó aquella tierra: ahora sí se conseguirá la reduccion de los Dieguinos.* Mañana (prosiguió su Reverencia) haremos las honras al difunto Padre: convido á Vm. y á la gente del Presidio: á lo que respondió no podia asistir porque iba á disponer su salida para S. Diego; y diciendole el Padre que tambien él intentaba baxar á San Diego, le respondió que no podia ser el baxar juntos, por la mucha prisa que llevaba, por lo que importaba su presencia quanto antes en San Diego para la seguridad de aquel
Pre-

Presidio, hacer averiguaciones, y dar cuenta á su Excâ. que en breve saldria otra partida de Soldados para San Diego, y que con ellos podria baxar mas despacio S. R. Con esto se despidió y retiró para el Presidio.

El siguiente dia dispuso el V. P. Presidente hacer las honras al difunto Padre, las que hicimos con Vigilia y Misa cantada con asistencia de seis Sacerdotes, el V. P. Presidente con su Padre Compañero, y los quatro que estabamos para las fundaciones de este Puerto de N. P. S. Francisco, á las que asistieron todos los Neófitos de la Mision y la Tropa de la Escolta: aunque al juicio de todos los que conocemos al V. Padre difunto, que lo tratamos, y experimentamos su religioso porte y fervoroso zelo de la salvacion de las almas, no necesitaria rogásemos á Dios, sino que mejor podriamos pedirle rogase á Dios por nosotros, pues piamente creíamos que su alma iria en derechura á recibir la corona de la Gloria que tenia merecida por sus virtudes, y laboriosa vida, anhelando por la conversion de todo aquel Gentilismo. No obstante, por ser inexcrutables los juicios de Dios, dispuso el V. Padre Presidente que le aplicase cada uno de los Misioneros las veinte Misas del Concordato hecho por los Misioneros de estas Conquistas.

Ya que veia el V. Prelado que no podia prontamente baxar á S. Diego, escribió á los Padres lo que debian practicar mientras baxaba S. Rev. . Escribió al R. P. Guardian dándole noticia de lo sucedido con las mismas Cartas que recibió de los Padres de S. Juan Capistrano, y de la de S. Diego, que quedó con vida. Asimismo escribió al Exmô. Señor Virey comunicándole la noticia, añadiendole, que no por lo sucedido descaecian de ánimo los Misioneros; antes bien los animaba envidiando la dichosa muerte que habia logrado el dichoso V. Hermano y Compañero el P. Fr. Luis Jayme.

Que solo sentia S. R. las resultas de dicho acaecimiento asi de los castigos que tal vez se intentarian con los pobres é ignorantes Indios que hubiesen concurrido al hecho, como tambien el que se dilatase el volver á poner la Mision de S.

Diego en el proprio sitio, é igualmente sentiria se difiriese la fundacion de S. Juan Capistrano; pero que esperaba de su experimentada-clemencia que usaria de misericordia con los Indios Dieguinos que hubiesen concurrido á la muerte del difunto Padre, que no dudaba fuese influjo del infernal enemigo, y por falta de conocimiento: que juzgaba conduciria mucho el usar de misericordia para atraerlos á nuestra Religion Católica tan piadosa y benigna.

Y que igualmente confiaba en el fervoroso y Católico zelo de S. Excâ. que tomaria con mas fervor la reedificacion de la incendiada Mision, y la fundacion de la de San Capistrano, para que el enemigo no saliese con sus infernales intentos. Que lo dicho se podria conseguir, y evitar semejantes atrasos, aumentando las Escoltas de las Misiones: que viendo los Indios mas fuerzas para la defensa, se contendrian, y se conseguiria con toda paz el intentado fin de su reduccion, y eterna salvacion de sus almas. Estas Cartas remitió S. R. al Presidio, suplicando al Comandante que desde San Diego las despachase con sus pliegos á México, interin lograba el baxar á San Diego, que mucho lo deseaba.

Salió de Monterey el Comandante Rivera con Tropa el dia 16 de Diciembre, visitando de paso las dos Misiones de San Antonio y San Luis; y aunque en ellas no halló novedad en los Indios, añadió en cada una un Soldado mas de Escolta por lo que podia suceder; y siguiendo su viage llegó á la de San Gabriel dia 3 de Enero de 1776.

Quiso nuestro Dios y Señor de los Exércitos, que el dia siguiente 4 de Enero llegase á aquella Mision el Teniente Coronel D. Juan Bautista de Anza, que venia de Sonora de órden de S. Excâ. cruzando el Rio Colorado, conduciendo la Tropa y Familias para poblar el Puerto de N. P. S. Francisco, (de que hablaré despues) con cuya llegada se vió el Comandante Rivera con el socorro de quarenta Soldados con un Oficial Teniente Capitan, y el Comandante de la Expedicion del Señor Anza. Trataron los dos Comandantes de lo sucedido en San Diego, y resolvieron de pasar ambos con
la

la Tropa (dexando en San Gabriel el Teniente con algunos
Soldados y todos los Pobladores agregados y Arrieros con las
Requas) á S. Diego á pacificar, y á prender las cabecillas. Asi
lo practicaron: y desde alli dieron cuenta á S. Exâ. con cuyos
pliegos fueron las Cartas del V. P. Presidente. Y viendo que
no habia necesidad de la Tropa, determinaron los Comandantes el que siguiese la Expedicion para Monterey, y que solo quedasen doce Soldados de los venidos de Sonora, para subir despues con el Comandante Rivera, y con todos los demas Soldados se volvió el Señor Anza para San Gabriel, y
de allí subió para Monterey, como diré con mas extension en
su lugar. Interin paso á referir (adelantando la noticia por
el hilo de la Historia) las eficaces providencias que dió el
Exmô. Señor Virey en quanto recibió la noticia de lo acaecido en San Diego.

En quanto S. Excâ. recibió las Cartas de los Comandantes, que le escribieron de San Diego lo sucedido en la
Mision, y obrado por ellos, echó menos la Carta del R. Padre
Presidente; pero lo atribuia á la distancia de ciento setenta
leguas que se hallaba S. R. de San Diego, de donde salió el
Correo, aunque despues vió no habia sido la causa sino el haberse adelantado unos dias á la Carta del V. P. Presidente, que
tenia la fecha dos meses antes que las de los Comandantes;
pero no obstante que dichô Exmô. Señor no habia recibido
dicha Carta, le escribió una Consolatoria con la noticia de
las providencias que tenia dadas, de cuya original saco esta

COPIA.

„ NO puedo expresar á V. R. el sentimiento con que me
„ dexan los tristes sucesos de la Mision de San Diego,
„ y la trágica muerte del Padre Mtrô Fr. Luis Jayme, de
„ que me han dado cuenta desde aquel Presidio el Comandan-
„ te Don Fernando Rivera y Moncada, y el Teniente Coro-
„ nel Don Juan Bautista de Anza, los quales hubieran sido
„ mayores acaso, á no haber acaecido la oportuna llegada á
„ San

» San Gabriel de este Oficial con las Familias destinadas para
» Monterey.

» Las disposiciones que estos Oficiales dieron entonces
» asi para el seguro de San Diego, como para la de San Ga-
» briel y San Luis fueron prudentes, y las que debian dic-
» tarse con respecto á los daños futuros, y asi se lo manifies-
» to al Comandante Moncada. Este me dá noticia de la
» aprehension de algunos de los sindicados en la maldad,
» y me hace confiar de volverlo á dexar todo pacífico con
» el escarmiento de los mas agresores, de que ya habia co-
» gido alguno. Yo lo espero asi; pero como este atentado
» me hace conocer lo poco que puede fiarse de los Indios ca-
» tequizados, quanto mas de los Gentiles, quando unos y
» otros se unen á cometer daños; he dado órden á D. Felipe
» Neve, Gobernador de la Península, reclute en ella si fuere
» posible, veinte y cinco Hombres que pide D. Fernando de
» Rivera, para reforzar las Tropas de su cargo, que los re-
» mita luego armados.

» El arribo de los Paquebotes el Príncipe y San Car-
» los, que navegan á esos destinos desde el dia 10 de este
» mes, no podrán menos que contribuir al sosiego y tranqui-
» lidad de los Naturales, al paso que faciliten la ocupacion
» del Puerto de San Francisco; y como de ellos querrán acaso
» so quedarse algunos individuos con plazas de Soldados,
» he dispuesto tambien se les asiente con destino á reforzar
» el Presidio de San Diego; y para que no lo impidan los res-
» pectivos Comandantes, acompaño á D. Fernando Rivera
» Carta credencial, en cuya vista se presentarán con gusto
» ambos Oficiales á este servicio.

» Además de lo dicho debe el Comisario de San Blas
» Don Francisco Hijosa hacer diligencia en aquellas inme-
» diaciones de otras Reclutas, y si los consigue, han de re-
» mitirse habilitados de armas y lo necesario al citado Go-
» bernador Neve en la misma Lancha que lleva estos pliegos
» para que por sí disponga los auxilios que le prevengo.

» Yo no me olvido sin embargo de otros que se presen-
» ten

„ ten oportunos, y quedo en dar al efecto quantas disposicio-
„ nes convengan; y en este supuesto espero que V. R. ofre-
„ ciendo á Dios la desgracia, en nada altere su Apostólico
„ zelo, antes bien confie de ver mejorada por ella la consti-
„ tucion de estos Establecimientos, á que no dudo contribui-
„ rá V. R. animando á los demas Padres á no temer los ries-
„ gos con presencia de la Tropa que se aumenta. = Dios
„ guarde á V. R. muchos años. = México 26 de Marzo de
„ 1776. El Baylio Frey D. Antonio Bucareli y Ursua = R.
„ P. Fr. Junípero Serra. „

A los ocho dias de haber escrito S. Excâ. la antecedente Carta, recibió la del R. P. Presidente, que dixe al principio, le sirvió de gran consuelo á S. Excâ. y luego le respondió concediendole quanto pedia, como se ve en el contenido que dice:

Copia de la Carta del Señor Virey.

„ EN fecha de 26 de Marzo anterior manifesté á V. R.
„ (sin presencia de su Carta de 15 de Diciembre últi-
„ mo, que ha entregado despues el R. P. Guardian de este
„ Colegio Apostólico) el sentimiento grande que me habia in-
„ ferido el triste desgraciado suceso de la Mision de S. Diego,
„ y las disposiciones que por de al pronto dicté para ocurrir al
„ remedio posible de los daños que pudieran subseguirse de
„ no reforzar con Tropa aquel Presidio y Misiones: y ahora
„ con vista de ella y de las prudentes christianas reflexîones
„ que V. R. expone, inclinandose á que conviene mas tratar
„ de atraer los Neófitos revelados que de castigarlos, contex-
„ to á V. R. que asi lo he dispuesto, mandando en esta propia
„ fecha al Comandante D. Fernando Rivera y Moncada que
„ lo practique, atendiendo á que es el medio mas oportuno á
„ la pacificacion y tranquilidad de los ánimos, y acaso tam-
„ bien á que se reduzgan los Gentiles vecinos, viendo que ex-
„ perimentan afabilidad y buen trato, quando por su exceso
„ no dudaran ver el castigo y la desolacion de sus Ranche-
„ rias.   „ Pre-

" Prevengo tambien á ese Gefe que el principal objeto " del dia es el restablecimiento de la Mision de San Diego, " y la nueva fundacion de San Juan Capistrano: aquella en " su propio parage de su situacion, y esta en el que se habia " ya proyectado antes del indicado suceso: en el concepto de " que los veinte y cinco hombres mandados reclutar en la " antigua California con destino á la mejor custodia de aque- " llos Establecimientos, deben servir para refuerzo del Pre- " sidio, y para que segun lo gradúe oportuno en la actual " constitucion, ponga competente Escolta en las dos citadas " Misiones de San Diego y San Capistrano, interin que res- " tituido el Teniente Coronel D. Juan Bautista de Anza, y " que me lleguen nuevos avisos, se dan las demas disposicio- " nes convenientes.

" De todo lo qual hago partícipe á V. R. para satisfac- " cion y consuelo, esperando que á impulsos del Apostólico " zelo que le anima por el bien de esas reducciones, contribui- " rá V. R. á hacer efectivas mis providencias; seguro de que " estoy dispuesto á franquear por mi parte quantos auxilios " sean posibles, porque hasta ahora se han continuado en " esas distancias con tanto fruto y ventajas. Dios guarde á " V. R. muchos años. = México 3 de Abril de 1776. = El " Baylio Frey D. Antonio Bucareli y Ursua. = P. Fr. Juní- " pero Serra. "

Si estas dos Cartas las hubiese recibido el V. P. Juníne-ro luego de escritas, no habria tenido tanto que padecer, co-mo veremos en el siguiente Capítulo, pues la mucha distan-cia, é indispensable demora le sirvieron de un prolongado é incruento martirio.

CAPI-

CAPÍTULO XLII.

Baxa el V. P. Junípero á San Diego: trata de restable-
cer su Mision, y se le frustran los deseos y
diligencias.

DEsde el mismo instante que llegó la noticia de lo acaecido en la Mision de San Diego, estaba el V. P. Presidente con vivas ansias de baxar á dicho Puerto; pero se le
frustraron los deseos por lo que queda expresado en el Capítulo anterior último, ya por la prisa del Comandante Rivera,
como por la venida de la Expedicion de Sonora; siendo el fin
de su s anhelos el volver á reedificar la Mision incendiada.
Medio año estuvo privado de poder cumplir sus deseos, hasta que dispuso Dios que los Paquebotes viniesen á Monterey,
y que el Paquebot el Príncipe, dexada parte de la carga, ba-
xase con la demas para San Diego, y en él se embarcó el 30
de Junio y con doze dias de navegacion llegó á S. Diego, y
desembarcó S. R. con otro Misionero el P. Fr. Vicente Santa
Maria, que habiendo venido con los Barcos, lo llevó consigo
para ocuparlo en una de aquellas Misiones.

Encontró el V. Prelado que vivian en el Presidio los tres
Padres, los dos de San Capistrano, y el que habia quedado
con vida de la de S. Diego. Despues de haberlos consolado y
animado, le expresaron no tener mas desconsuelo que el ver
no se daba mano á nada, y que se estaban ociosos. Preguntóles como estaban los Indios, si habia habido mas novedad? y le respondieron que no, pues el Señor Comandante
ya habia escrito á S. Excâ. que ya todo estaba pacificado,
que ya tenian aseguradas las cabecillas, y los querian despachar para San Blas con el Barco, para que alli se les diese
el merecido castigo.

Enterado S. R. de todo, procuró consolar á los Padres,
y con su gran paciencia y mucha prudencia esperó que se
fuese acabando la descarga del Barco, y quando vió se iba

con-

concluyendo habló al Comandante del Navio Don Diego Choquet diciendole, si los Marineros podrian ir á ayudar á trabajar á la Mision del Santo de su nombre? Que de Dios recibiria él y los Marineros el premio: que S. Excâ. lo tendria muy á bien. Respondió como Caballero, que con mucho gusto, que no solo los Marineros, sino que él tambien de Peon. Conseguida esta respuesta tan christiana, habló por papel (para mas facilitarlo) al Comandante de tierra, diciendole, que en atencion á la detencion del Barco hasta mediados de Octubre, y de ofrecerle el Señor Capitan la Tripulación para la reedificacion de la Mision, le suplicaba por la Escolta de la Mision para pasar á dar mano á la obra. En vista de él, aprontó un Cavo y cinco Soldados dispuestos, y todo para la marcha, que fué el dia 22 de Agosto de dicho año de 76.

Fué á dar principio á la obra el V. P. Presidente con dos de los Misioneros, el Capitan del Barco con uno de los Pilotos, el Contramaestre, y veinte Marineros, todos armados con armas blancas y de fuego para qualquiera evento. Fueron tambien todos los Indios Neófitos capaces de trabajar, y fué el Cavo con los cinco Soldados. Llegados al sitio, distribuyeron la gente, que completó el número de cincuenta Peones, á mas de Rancheros y Cocineros. Empezaron unos á acarrear piedra, otros á abrir cimientos, y otros á hacer adoves, sirviendo de Sobrestantes no solo el Piloto y Contramaestre, á cuyo fin habian ido, sino tambien los Padres y el Capitan del Paquebot.

Iba la otra con tanto calor y trabajaban con tanto gusto, que segun lo que hicieron en dos semanas, todos daban por cierto que antes de la salida del Barco quedaria concluida la obra, amurallada con pared de adoves; pero el enemigo tiró á impedirlo no por medio de los Gentiles, pues ni siquiera uno se asomó por todos los contornos, sino que el Comandante de tierra, el dia de la Natividad de Ntrâ. Señora 8 de Septiembre, que estaba el V. P. Presidente en el Presidio, sin que el Comandante Rivera le hablase lo mas minimo, salió

lió para el sitio de la Mision, y llamando á solas al Comandante del Barco, le dixo, que corrian voces de que los Gentiles querian dar otra vez á la Mision, y asi que convenia se retirase con su gente abordo, que él daba la órden al Cavo para que con los Soldados se retirase al Presidio. Me hará favor (prosiguió) de avisar á los Padres, que yo no se los digo, porque conozco lo han de sentir.

No pudo el Capitan del Barco con toda su viveza, alcances y eficacia hacerlo desistir, preguntándole si ya habia hecho la diligencia para indagar la verdad; y diciendole que no, que solo viendo se repetia el dicho de los Indios, sin duda seria verdad: Pues Señor, le replicó, la otra vez que corria dicha voz antes de venir á la obra, mandó hacer la diligencia por el Sargento, y se halló ser mentira, pues se hallaron las Rancherias muy quietas, los Indios muy compungidos y arrepentidos del hecho: que mandase hacer la diligencia; que con tanta Gente armada que alli estaba, no habia que temer: que le parecia mas al caso, si se hallaba algun recelo, el que se aumentase la Escolta con mas Tropa, que no retirarla en descrédito de las armas Españolas. Estas razones en lugar de convencerlo, lo enconaron mas, y dexando la órden estrecha para que se retirasen, se marchó para el Presidio.

Comunicó el Señor Capitan del Barco á los Padres la órden que habia dado el dicho Comandante de tierra, refiriéndoles las razones que le habia propuesto para que desistiese; pero que no habia podido convencerlo. Ya veo, dixo, que no hay motivo para la retirada, y que es un grande bochorno; pero no quiero pleytos con este hombre, y asi determino que nos vayamos. Mucho lo sintieron los Padres, y mas que todos el V. P. Presidente. Luego que vió la retirada, quedandose como fuera de sí, sin tener mas voces ni palabras con que desahogar la pena del corazon, que el decir: hagase la voluntad de Dios, quien solo lo puede remediar, encargó á los Padres lo encomendasen á nuestro Señor.

No fué menor el sentimiento que tuvo S. Excâ. en quan-

to

to tuvo la noticia del hecho, que se la comunicó el Capitan del Barco en quanto llegó á San Blas. De modo que luego despachó S. Excâ. órden al Gobernador de la Provincia, que residia en Loreto en la antigua California, para que luego mudase su residencia á Monterey, y el Capitan Rivera se retirase á Loreto; lo que comunicó S. Excâ. al V. P. Presidente con Carta larga y extensiva con fecha de 25 de Diciembre del propio año de 76, de la que saco las siguientes clausulas, con las que comunica á S. R. los estrechos encargos que hace al Señor Gobernador.

Copia de la Carta.

"NO dudo que la suspension del restablecimiento de la " Mision arruinada de San Diego causaria á V. R. mu- " cha pena respecto de que á mí me ha causado displicencia el " saberlo solo: quanto mas los frívolos motivos que coincidie- " ron, de que me ha insinuado la Carta del Teniente de Na- " vio Don Diego Choquet Comandante del Paquebot el Prín- " cipe.

" Supongo que con el arribo de los veinte y cinco hom- " bres mandados por mí reclutar para refuerzo de la Tropa " de aquel Presidio, se dedicaria Don Fernando de Rivera á " evacuar esta importancia, y á erigir al proprio tiempo la " Mision de S. Juan Capistrano en el parage antes elegido; pe- " ro si no se hubiere verificado, no dude V. R. que el Gober- " nador de esas Provincias, á quien va el encargo de residir " en ese Presidio de Monterey, hará todo esto, si no lo ha " executado, muy á gusto de V. R. por el zelo que le anima " del servicio, y por las demás qualidades que le adornan.

" Le instruyo y prevengo de quanto debe procurar pa- " ra fomento de esas adquisiciones, encargándole estrecha- " mente que no estando verificado el restablecimiento de la " Mision de San Diego, y la fundacion de San Capistrano, se " dedique luego á hacerlo efectivo, y le prevengo lo mismo " que antes á D. Fernando de Rivera en quanto á que no se

" cas-

» castiguen las cabecillas ó autores del pasado movimiento,
« por si la piedad con que se les trata, quando merecian la
» última pena, les escarmienta, y hace entrar en conocimien-
» to para virvir dóciles y quietos.

» Una de las cosas que tambien encargo estrechamente,
» es la ereccion de la Mision de Santa Clara en la cercania
» del Présidio de San Francisco con esta advocacion; y aun-
» que doy la órden para que á estas subsigan las dos que
» V. R. pide como precisas en el Canal de Santa Bárbara, y
» otra en el terreno que intermedia entre ese Estableci-
» miento y aquel, para asegurar la comunicacion; convendrá
» suspenderlo para mas adelante, y quando las otras se ha-
» llen perfectamente establecidas: baxo cuyo concepto pue-
» de decirme V. R. por el regreso de los Buques los utensi-
» lios que sean necesarios para ellas, á fin de determinar su
» envío, acordando en el interin la ereccion de las demas,
» con preferencia, que desde luego concibo deben tener las
» de Santa Bárbara ya meditadas, para reducir la mucha
» Gentilidad que puebla el terreno.

» El Gobernador D. Felipe Neve está encargado de
» consultarme y proponerme quanto conciba conveniente y
» preciso á hacer felices esos Establecimientos; y como tam-
» bien lo está de que para todo use de los acuerdos de V. R.
» espero que continuando con aquel fervoroso zelo que preo-
» cupa el ánimo de V. R. por la propagacion de la Fé, con-
» version de las almas, y extension del dominio del Rey en
» esas remotas distancias, se disponga quanto parezca ase-
» quible, consultandome lo que se necesite para proporcio-
» nar con mis providencias su efectivo logro, Dios guarde á
» V. R. muchos años. México 25 de Diciembre de 76. = El
» Baylio Frey Don Antonio Bucareli y Ursua. = R. P. Fr.
» Junípero Serra. »

Si estas providencias tan favorables para la propagacion
de la Fé, y Cartas tan consolatorias de S. Excâ. hubieran
llegado á manos del fervoroso P. Junípero tan breve y tan á
continuacion como aqui las inserto (para llevar el hilo de la
His-

Historia) no habria S. R. padecido tanto como padeció; pues la demora de ellas, por la mucha distancia de México, le afligia en gran manera su corazon; aunque siempre muy resignado á la divina voluntad, en cuyo servicio y para gloria del Señor padecia un incruento martirio; pues qualquiera providencia que veia dar por el Comandante de estos Establecimientos que impedia ó retardaba la conversion de los Gentiles, era una saeta mas aguda que las que quitaron la vida al V. P. Fr. Luis Jayme; y la que se dió para que suspendiese la reedificacion de la Mision de San Diego, no fué de las menores que recibió en su corazon el Venerable y fervoroso Prelado; pero viendo que en lo humano ya no hallaba recurso, ocurrió á Dios, como Señor de esta Viña, para que lo remediase, pidiéndoselo en los Santos Sacrificios y oraciones, encargando á los Padres hiciesen lo propio; y en breve le dió el Señor el consuelo, como veremos en el siguiente Capítulo.

CAPITULO XLIII.

Llega socorro de Tropa, y favorables órdenes con que se logra el restablecer la Mision de San Diego, y la fundacion de S. Juan Capistrano.

A Los 21 dias de suspendida la obra de la reedificacion de la Mision de San Diego llegaron por tierra á aquel Presido por la antigua California los veinte y cinco Soldados que remitia S. Excâ. para reforzar la Tropa, y por el cavo de ellos recibió el V. P. Presidente las dos Cartas tan consolatorias de S. Excâ. que quedan ya copiadas en el Capitulo 41 folio 187. y 189. Estas felices noticias que recibió el V. P. Presidente el dia 29 de Septiembre, Fiesta del Príncipe Gloriosísimo San Miguel (concedido nuevamente por su Santidad Patron de todas las Misiones del Colegio) causaron suma alegria al fervoroso Padre, que quiso expresarlo con un solemne repique de campanas, y el dia siguiente con Misa

can-

cantada en accion de gracias por este beneficio, encargando
á los Padres hiciesen lo mismo en las Misas rezadas, y que
pidiesen á Dios por la salud y vida del Exmô. y fervoroso
Señor Virey.

Enterado el Comandante D. Fernando Rivera de los superiores órdenes de S. Excâ. puso luego en libertad á los Indios presos que queria con el Barco despachar para S. Blas, y
aprontó la Escolta de doce Soldados para la Mision de San
Diego, para que se fuese á la reedificacion de dicha Mision;
y para la fundacion de San Capistrano nombró diez, y un
Cavo, y añadió dos á la de San Gabriel, y los restantes quedaron para el Presidio, que quedó con la fuerza de treinta
Hombres; y no queriendo presenciar dichas fundaciones, subió para Monterey con los doce Soldados de las Misiones de
N. P. S. Francisco.

En quanto el fervoroso P. Junípero se vió con los auxílios que necesitaba, sin pérdida de tiempo pasó á la reedificacion de la Mision de San Diego con otros dos Misioneros,
mudandose al sitio con todos los Neófitos de dicha Mision, y
empezó con todo empeño la obra, trabajando los Neófitos
con mucha alegria, y con tal esfuerzo, que en breve dieron
muestras de que no tardarian en poner en buen estado la
Mision. Puestos en corriente, dexando en la obra á los dos Misioneros, se retiró S. R. al Presidió á disponer para la de San
Capistrano: y supuesto que en breve saldria el Barco, se puso
á escribir á S. Excâ., dándole las gracias asi del perdon de
los Indios que habia enviado para que se pusiesen en libertad,
como del aumento de la Tropa, y de las demás órdenes y providencias que habia enviado, y que en cumplimiento de ellas
quedaba ya corriente la obra de San Diego con mucho
gusto de los Indios; y que luego de salido el Barco pasaria á
fundar la de San Juan Capistrano.

Asi lo practicó, llevando consigo los dos Misioneros el
P. Lector Fr. Pablo Mugartegui y el P. Fr. Gregorio Amurrio,
y todos los avíos pertenecientes á ella, escoltados de un Cavo con diez Soldados, llegaron al sitio en donde hallaron en-

ar-

arbolada la Cruz, y desenterraron las campanas, á cuyo repique ocurrieron los Gentiles muy festivos de ver volvian á su tierra los Padres. Hízose una enramada, y puesto el Altar, dixo en él el V. Padre Presidente la primera Misa. Deseoso de que se adelantase la obra tomó el trabajo de pasar S. R á la Mision de San Gabriel á fin de traer algunos Neófitos para ayuda de la obra, algun socorro de víveres para todos, y el ganado bacuno que alli estaba.

Regresando para la nueva Mision con dicho socorro, quiso adelantarse de las cargas para llegar mas breve, y se fué con un Soldado, que conducia el ganado, y con un Neófito de San Gabriel. A la mediania del camino, como diez leguas de la Mision se vió en evidente peligro de que lo matasen los Gentiles, y segun S. R. me contó la primera vez que despues nos vimos, creyó ciertamente que lo mataban: porque les salió al camino un gran peloton de Gentiles, todos embijados, y bien armados con sus espantosos alaridos enarcando sus flechas en ademan de matar al Padre y al Soldado, con el interés sin duda de quedarse con el ganado. Librólos Dios por medio del Neófito, que viendo la accion de los Gentiles les gritó que no matasen al Padre, porque atrás venian muchos Soldados que acabarian con ellos. Oyendo esto en su propia lengua é idioma se contuvieron, los llamó el Padre, y se le arrimaron todos ya convertidos en mansos corderos, los persignó á todos, como siempre lo acostumbró, y despues les regaló con abalorios (cuentas de vidrio que estiman mucho) y los dexó ya hechos amigos, y prosiguió su camino sin la menor novedad, mas que la fatiga de el viage, y el dolor del pie. Llegó al sitio de la nueva Mision, y con el socorro de Peones y víveres, se dió mas calor á la obra material.

Es el sitio de la Mision muy alegre y con buena vista, pues desde las casas se vé la Mar, y los Barcos quando cruzan, pues dista de la Playa como media legua, con buen fondeadero para las Fragatas, y resguardadas en el tiempo que vienen los Barcos; que en este tiempo que reynan los Sures

no

no estarian muy seguras por estar abierto y descubierto por dicho rumbo; pero por el Norte y demas laterales están seguros los Barcos por una tierra alta que sale muy afuera formando una ensenada nombrada de los Marítimos de San Juan Capistrano, la que tiene un Estero mediano, al que vacia el Arroyo de agua buena que corre por el lado de las casas de la Mision: cerca del Estero desambarcan las cargas de dicha Mision, y las de S. Gabriel, con lo que se ahorran de haber de ir hasta el Puerto de San Diego á trasportar con Mulas los avíos.

Hallase situada la Mision en la altura del Norte de 33 ½ grados, distante de la Mision y Puerto de San Diego veinte y seis leguas, y de la de San Gabriel rumbo al Noroeste diez y ocho leguas. El temperamento es bueno, logrando sus calores en el Verano, y sus frios en el Invierno, y hasta ahora se ha experimentado sano; á su tiempo hay lluvias, y ayudados del riego con el agua de dicho Arroyo, consiguen abundantes cosechas de Trigo y Maiz, legumbres de Frijol, &c. no solo lo suficiente para la manutencion de los Neófitos, sino que les sobra para socorrer á la Tropa, á trueque de Ropa, para ayudar á vestirse. Logra tambien buenos pastos para toda especie de ganados, que se han aumentado mucho.

Habiendo reparado desde el principio de la fundacion, que toda aquella tierra estaba matizada de Parras silvestres, que parecian unas Viñas, dieron en sembrar unos Sarmientos mansos, traidos de la antigua California, y han conseguido ya el lograr Vino, no solo para las Misas, sino tambien para el gasto, como asimismo de frutas de Castilla de Granadas, Duraznos, Melocotones, Membrillos &c. y logran muy buenas hortalizas &c.

Con el auxílio del Intérprete que de San Gabriel llevó el V. P. Presidente y Fundador, como desde luego se les pudo decir el fin principal que los atraía á venir á vivir entre ellos; que era á enseñarles el camino del Cielo, á hacerlos Christianos, para que se salvasen &c. que de tal manera lo en-

entendieron, y se les impresionó que luego empezaron á pedir el Bautismo, de modo, que segun escribieron al principio los Padres, que asi como los Gentiles de las otras Misiones habian sido molestos en pedir á los Padres cosas de comer y otros regalitos, los de San Juan Capistrano eran molestos en pedir el Bautismo, haciendoseles largo el tiempo de la instruccion; y por esto, y con dicho auxilio se dió calor á la obra espiritual, y en breve lograron los primeros Bautismos, y se fué aumentando el número de ellos de modo, que quando murió el V. P. Fundador Fr. Junípero contaban ya quatrocientos y setenta y dos Naturales de aquel sitio y Rancherias comarcanas, y luego despues de su exemplar muerte fué en gran manera aumentandose el número.

Pues habiendo Yo escrito á todos la noticia de la muerte de nuestro V. Prelado, y que poco antes de morir me habia prometido que si lograba el ir á ver á Dios le pediria por todos nosotros, y para que se logre la conversion de los Gentiles: me respondió el dicho P. Lector Fr. Pablo Mugartegui: ,, Parece que ya veo se va cumpliendo la promesa de nues-,, tro V. P. Junípero, pues en estos tres meses últimos hemos ,, logrado mas Bautismos que en los tres años, y continúan ,, en el catequismo gracias á Dios, y confiamos en el Señor se ,, logrará la conversion de los demás. ,,

Era tanta la sed del V. Padre Junípero de la conversion de las almas, que ni el ver radicada la Mision de San Diego, ni la fundacion de la de San Capistrano lo saciaban, y lo tenian con mucho cuidado las fundaciones de este Puerto de Ntrô. P. S. Francisco, de las que por la mucha distancia de cerca de doscientas y setenta leguas, no habia tenido la menor noticia; y para salir de este cuidado, y dar mano á su fundacion en caso de no haberse efectuado, se encaminó para Monterey, visitando de paso las tres Misiones de San Gabriel, San Luis y San Antonio, teniendo el gusto de verlas con grandes aumentos en lo espiritual y temporal, y á sus Ministros muy contentos; y logró la ocasion de bautizar algunos Catecúmenos para dexar en todas partes hijos; y gastando

tando en dichas tareas Apostólicas seis meses, llegó á su Mision de San Carlos con el mérito de tantos trabajos por el mes de Enero de 1777, y tuvo á la llegada el complemento de sus deseos con la noticia de quedar ya fundadas las dos Misiones de este Puerto, de las que hablaré en el Capítulo siguiente.

CAPITULO XLIV.

Providencias que para las Fundaciones de N. P. San Francisco dió el Exmô. Señor Virey.

UNO de los puntos que el V. P. Junípero pidió á S. Excâ. estando en México, fué, que tuviesen efecto las dos Misiones de N. P. S. Francisco y Santa Clara, proyectadas desde el año de 70. Y viendo S. R. que en el Provisional Reglamento que se habia formado, no solo no se hablaba de tales Misiones, antes parecia se cerraba la puerta á nuevas fundaciones, se estrechó con S. Excâ. haciendole presente las muchas conversiones que se lograrian con dichas Fundaciones. Como ya por la freqüente conversacion que dicho Señor habia tenido con el fervoroso Padre, se le habia prendido en su noble corazon el fuego de la caridad acerca de la conversion de los Gentiles, lo consoló diciendole, que descuidase, que dichas Misiones corrian á su cuenta: que la Real Junta tuvo presente el corto número de Tropa que habia en los Establecimientos, y la dificultad de transportarla: que encomendase á Dios se lograse el abrir paso por el Rio Colorado, que conseguido, se lograrian no solo las dos dichas, sino las demas que se juzgasen convenientes. Quedó con esto consolado, pidiendo á Dios el feliz exito de la Expedicion de D. Juan Bautista de Anza, y quiso Ntrô. Señor que viese el paso abierto, aun antes de llegar S. R. á su Mision de San Carlos, como queda dicho en el Capítulo 31.

En quanto llegó á México el Capitan Anza, que dió

cuen-

cuenta á S. Excâ. de su Comision, y de que quedaba descubierto el paso del Rio Colorado, y abierto camino desde Sonora á Monterey entre muchas Naciones de Gentiles, que todas se habian manifestado amigas. Enterado de todo el viage el Exmô. Señor Virey, mandó al mismo Capitan se dispusiese para segunda Expedicion, y que pidiese todo lo necesario para reclutar en las Provincias de Cinaloa y Sonora treinta Soldados de Cuera que fuesen casados, para llevar todas sus familias, y que á mas de los dichos habia de reclutar otras familias de casados para Pobladores, que llegados á estos Establecimientos pudiesen formar Pueblo; y que los gastos que se ofrecian para el efecto de la Recluta y transporte desde sus Provincias y casas hasta Monterey, libró á las Caxas Reales, que le franquearon quanto pidió, y salió de México para dar cumplimiento á esta segunda Expedicion á principios del año de 1775.

No quiso el Exmô. Señor Virey privar de esta noticia al V. P. Presidente, asi para que la tuviese adelantada, como para que encomendase á Dios el feliz exíto de la Expedicion; y asi se lo comunicó por Carta de 15 de Diciembre de 1774, encargandole nombrase quatro Misioneros para Ministros de las dos Misiones que se habian de fundar de N. P. S. Francisco y Santa Clara, baxo la sombra de un Presidio que se habia de establecer en el Puerto de San Francisco.

Recibió el V. Prelado esta alegre noticia el 27 de Junio de 75 por el Paquebot San Carlos, cuyo Capitan era el Teniente de Navio de la Real Armada D. Juan de Ayala: traía la órden de que dexada en Monterey la carga de víveres y memorias, pasase al Puerto de S. Francisco á registrarlo, á fin de ver si tenia entrada por la Canal ó garganta que de tierra se habia visto. Asi lo practicó, con la felicidad de que á los nueve dias de salido del Puerto de Monterey, llegó al Puerto de N. P. San Francisco: halló en la Canal bastante fondo, que entraron de noche con toda felicidad. Tiene la garganta de largo una legua corta, y de ancho un quarto de legua, y en partes mas: la entrada sin barra, y con fuertes cor-

rien-

rientes para entrar y salir segun la creciente ó menguante
del mar.

Adentro hallaron un Mar mediterraneo con dos brazos,
el uno que interna rumbo al Sueste como quince leguas, de
tres, quatro y cinco leguas hácia el Norte; y dentro de este
hallaron una grande Bahia quasi de diez leguas de ancho de
figura redonda, en la que vacia el grande Rio de N. P. San
Francisco, que tiene de ancho un quarto de legua, que se
forma de unos cinco Rios todos caudalosos, que culebreando
por una grande llanada, tan dilatada que forma Orizonte, todos se juntan y forman dicho Rio grande, y toda esta inmen-
sidad de agua va á vaciar por la dicha garganta al mar Pacífico, que es la Ensenada llamada de los Farallones.

Mantúvose el Paquebot en este Puerto quarenta dias, y
lograron hacer el registro á toda satisfaccion con la Lancha,
comunicando con muchas Rancherias de Gentiles todos mansos, de paz, y muy afables. Formaron sus Planes de todo lo
visto y registrado, observando estar en la entrada del Puerto
en la altura de 38 grados menos pocos minutos, aunque adentro por el brazo que corre al Norte en breve se halla mayor
altura. Concluido el registro volvieron al Puerto de Monterey á mediados de Septiembre, y nos refirieron todo lo dicho:
y preguntando al Capitan, ¿si le parecia buen Puerto? respondió: Que no era Puerto, sino un estuche de Puertos, que
podrian estar en él muchas Esquadras sin saber la una de la
otra; solo á la entrada y salida se pueden ver por la angos-
tura de ella, y que dentro estarian seguras.

De todo lo dicho dió cuenta á S. Excâ. con el Mapa que
de dicho Puerto formó el Señor Comandante del Barco; y el
V. P. Presidente las gracias y parabienes por las providencias dadas á beneficio de estas espirituales Conquistas, dándole noticia de haber nombrado por Ministros de las dos Misiones, para la de Santa Clara á los Padres Fr. Joseph Murguia, hijo del Apostólico Colegio, y Fr. Tomás de la Peña de
la Provincia de Cartabria; y para esta de N. P. San Francisco al P. Fr. Pedro Benito Cambon de la Provincia de Santiago

go de Galicia, y á mí el menor Hijo de esa Santa Provincia de Mallorca: y que nos estabamos previniendo para pasar á las nuevas Fundaciones, en quanto se verificase la llegada de la Expedicion de Sonora, para cuya felicidad quedabamos todos haciendo rogativas al Señor.

La noticia que recibió S. Excâ. del registro de este Puerto, y las buenas calidades de él, eran mas incentivo para desear la fundacion de estos Establecimientos. Pero como es tanta la distancia por tierra desde México, que en sentir del Comandante de la Expedicion el Señor Anza, que lo anduvo varias veces, pasa de mil leguas, y los varios accidentes para una Recluta de Soldados, y Pobladores causan precisamente demora; ademas que una Expedicion de tanta Gente, y de todas edades, que venia, no podian hacer las jornadas largas; fué preciso gastar mas tiempo del que quisieran los deseos de S. Excâ. de modo que habiendose juntado toda la Gente de dicha Expedicion por Septiembre del año de 75 en el Presidio de S. Miguel de Orcasitas de la Provincia de Sonora, y salido toda la Expedicion de dicho Presidio de San Miguel el 29 de dicho mes, dia del Santo Príncipe, por la tarde, no llegaron á la Mision de San Gabriel, á donde fueron á salir, hasta el dia 4 de Enero del siguiente año de 76, habiendo gastado en el despoblado de Christianos, y muy poblado de Gentiles, noventa y ocho dias, inclusos algunos que dieron en el camino de descanso á las gentes y á las bestias.

En dicha Mision de San Gabriel tuvieron la demora, por lo que ya queda insinuado en el Capítulo 36 folio 157 de la ida del Comandante con la Tropa para San Diego, y concluida la diligencia dexando al Señor Comandante Rivera doce Soldados, subió para Monterey con toda la demas gente, á donde llegó con toda felicidad el dia 10 de Marzo, y el siguiente fuimos á cantar Misa de gracias, que cantó el P. Predicador Fr. Pedro Front, Misionero del Apostólico Colegio de la Santa Cruz de Querétaro, Ministro de las Misiones de Sonora, que vino como Capellan de dicha Expedicion;

dicion; y en dicho Presidio tomó asiento, y descansó la gente hasta Junio, como diré despues.

Traia el Señor Comandante Anza encargo de S. Excâ. de que verificada la llegada á Monterey, pasase con el Comandante Moncada al registro de las cercanias del Puerto, para señalar los sitios para la ubicacion del Presidio y Misiones; pero habiendosele escusado el Comandante Rivera, por decir ser precisa su asistencia en San Diego por las ocurrentes circunstancias, cediendo su parecer al del Comandante Anza en todo y por todo, pasó éste al registro, llevando consigo á Don Joseph Moraga Teniente Capitan, nombrado Comandante para el nuevo Presidio, y una Partida de Soldados; y concluido el registro, y señalados los sitios, se regresó á Monterey, comunicando lo practicado al Comandante Rivera por Carta en que le decia, que procurase quanto antes verificar las Fundaciones, como encargaba S. Excâ. y que si no podia desocuparse tan breve, que diese la comision al dicho Teniente Moraga, que habia asistido en el registro; y que convenia no hubiese demora, por lo disgustada que se hallaba la gente en Monterey por no ser aquel su destino. Con estas diligencias dió por concluida su Comision el Señor Teniente Coronel Don Juan Bautista de Anza, y se regresó para Sonora con los diez Soldados que habia traido para el efecto de su regreso, y pasó á México á dar cuenta al Exmô. Señor Virey de su Comision, que le habia encomendado.

CAPITULO XLV.

Fundacion del Presidio y Mision de Nuestro P. San Francisco.

EN quanto el Comandante recibió la Carta del Señor Anza, envió desde San Diego la Orden al Teniente Moraga, para que pasase con toda la gente venida de Sonora á la

fun-

fundacion del Presidio de este Puerto de Ntrô. Padre San Francisco; la que recibida, hizo saber á todos, á fin de que se dispusiesen para el dia 17 de Junio. A los pocos dias de publicada la órden, entraron al Puerto de Monterey los dos Paquebotes con los víveres, memorias y avíos. Traía la órden el Capitan del Príncipe de dexar parte de la carga, y baxar con la demas al Puerto de San Diego; con el que determinó baxar el V. Prelado, logrando la ocasion, como ya queda dicho en el Capítulo 42.

Asimismo el Comandante y Capitan del Paquebot San Carlos, que lo era el Teniente de Navío Don Fernando de Quirós traía la órden de S. Excâ. de dexar en Monterey lo perteneciente á dicho Presidio, y con la demas carga subir á este Puerto para auxiliar las fundaciones. Determinó el V. P. Presidente que los dos Misioneros para la Mision de N. P. San Francisco viniesemos con la Expedicion de tierra, que aunque no habia el Comandante Rivera enviado la órden para la fundacion de las Misiones, conseqüente á que tenia en San Diego los doce Soldados, que era la Escolta perteneciente á las Misiones; pero que no podia ser mucha la demora, y que en fin puestos con todos los avíos en este Puerto, obrariamos segun nos dictase la prudencia. En vista de esta determinacion, embarcamos en el Paquebot todo lo perteneciente á esta Mision de N. Padre, dexando solo el ornamento y Capilla de campo, y lo muy preciso para el viage de quarenta y dos leguas por tierra para caminar con la Expedicion, sin tanto embarazo de cargas.

Salió dicha Expedicion de tierra del Presidio de Monterey el dia señalado 17 de Junio de dicho año de 76, la que se componia del dicho Teniente Comandante D. Joseph Moraga, de un Sargento y diez y seis Soldados de Cuera, todos casados, y con crecidas familias de siete Pobladores tambien casados, y con familias de algunos agregados y sirvientes de los dichos, de Baqueros y Arrieros que conducian el ganado bacuno del Presidio, y la requa con víveres y útiles precisos para el camino, dexando la demas carga en el Paquequebot que se iba á hacer á la vela. Y por lo perteneciente á la Mision, nos agregamos los dos Misioneros arriba dichos, dos Mozos sirvientes para la Mision, dos Indios Neófitos de la antigua California, y otro de la Mision de San Carlos, á fin de ver si podria servir de Intérprete; pero como se halló ser distinto el idioma, solo sirvió de cuidar las Bacas que se traxeron para poner pie de ganado mayor. Siguió toda la dicha Expedicion para este Puerto.

Quatro jornadas antes de llegar al Puerto, en el grande Llano nombrado de S. Bernardino, caminando la Expedicion acordonada, divisaron una punta de ganado grande que parecia bacuno, sin saber de donde podia ser, ó haber salido: fueron luego unos Soldados á cogerlo para que no se alborotase el ganado manso que llevabamos, y acercandose vieron no ser ganado bacuno, sino Venados, ó especie de ellos, tan grandes como el mayor Buey ó Toro, con una cuernamenta de la misma hechura ó figura que la del Venado; pero tan larga que se le midieron de punta á punta diez y seis palmos. Lograron los Soldados matar á tres, que cargaron en mulas hasta la parada en donde habia agua, que distaba como media legua, y queriendo llevar uno entero, no pudo una mula solo cargarlo, y fué preciso á trechos remudar mulas, y así pudo llegar entero, y tuvimos el gusto de ver aquel animal, que parecia un Monstruo con tan grandes astas; y tuve la curiosidad de medirlas, y hallé que tenian de largo las quatro varas dichas: reparé que abajo de cada ojo tenia una abertura, que parecia tenia quatro ojos, pero vacios los dos de abaxo, que parece ser por donde lacrimean: dixeronme los Soldados que los corrieron, que habian observado que su correr es siempre por donde viene el viento; sin duda será porque el mucho peso de tan grandes astas, que estendidas con tantas puntas forman como un abanico, si corriesen contra el viento los habia ó de tumbar, ó de impedir el correr con tanta ligereza como corren, de modo que de quince que divisaron solo pudieron los Soldados con buenos caballos alcanzar á tres. Con lo que tuvo la gente que comer para algu-

gunos dias de la que hicieron cecina, y á muchos les duró
hasta el Puerto. Es la carne muy sabrosa y sana, y tan gorda que del que llegó entero sacaron un costal, y medio
de manteca y sebo. Llaman á estos animales Ciervos, para
diferenciarlos de los demas ordinarios como lós de España,
que aqui llaman Venados, que los hay tambien por las cercanias de este Puerto con abundancia y grandes, y algunos de
ellos que tira el color á amarillo ó alazán.

En dichos llanos de San Bernardino, que estan en la
mediania de los dos Puertos de Monterey y San Francisco,
como tambien en los Llanos mas inmediatos al de Monterey,
hay otra especie de Ciervos ó Venados del tamaño de unos
Carneros de tres años: son de la misma figura que los Venados, con la diferencia de tener las astas chicas, y de pierna
tambien corta, como el Carnero: estos se crian en los Llanos,
y van en bandadas de ciento, doscientos y mas, corren por
los llanos todos juntos, que parece que vuelan, y siempre
que ven Pasageros van las bandadas á cruzar por delante;
pero no es facil el cogerlos en el llano, no obstante que los
Soldados no dexan de hacer la diligencia, y logran algunos
con lo que han ideado de dividirse los Cazadores todos con
buenos caballos tirando la carrera unos arriba, y otros abaxo espantandolos para cansarlos sin cansar los Caballos, y
en quanto observan que alguno de ellos se queda atrás de
la manada, que es señal de cansancio, salen á caballo, y logrando el apartarlo de la manada, lo tienen seguro, y lo mismo sucede quando logran el meterlos en las lomas altas, ó
cerros, porque solo en los llanos son ligeros, al contrario
del Venado. Llaman á los dichos animales Berrendos: de estos hay muchos tambien por las Misiones del Sur, en las que
tienen llanos; pero de los Ciervos grandes solo se han hallado desde Monterey exclusive por arriba, de lo que se ale-
graron mucho los Soldados, y vecinos que componian la Expedicion; y habiendo descansado un dia en el parage nombrado de las Llagas de N. P. S. Francisco, siguió la Expedicion para este Puerto.

Dia

Dia 27 de Junio llegamos á la cercania de este Puerto, y se formó el Real, que se componia de 15 Tiendas de Campaña á la orilla de una grande Laguna que vacía en el brazo de mar del Puerto que interna quince leguas al Sueste, á fin de esperar el Barco para señalar el sitio para el Presidio, segun el fondeadero. En quanto paró la Expedicion ocurrieron muchos Gentiles de paz, y con expresiones de alegrarse de nuestra llegada, y mucho mas quando experimentaron la afabilidad con que los tratamos, y los regalitos que les haciamos para atraerlos, asi de abalorios, como de nuestras comidas. freqüentaron sus visitas trayendonos regalitos de su pobreza, que se reducian á almejas, y semillas de zacates (hiervas silvestres.)

El dia siguiente á la llegada se hizo una enramada, y se formó un Altar, en el que dixe la primera Misa el dia de los Santos Apóstoles S. Pedro y San Pablo, y mi Padre Compañero inmediatamente celebró, y continuamos diciendo Misa todos los dias del mes entero que nos mantuvimos en dicho sitio, en cuyo tiempo, que no pareció el Barco, nos empleamos en explorar la tierra, y visitar las Rancherias de los Gentiles, que todos nos recibieron de paz, y se expresaban alegres de nuestra llegada á su tierra; se portaron corteses volviendonos la visita, viniendo Rancherias enteras con sus regalitos, que procuramos recompensar con otros mejores, á los que se aficionaron luego.

En el registro que hicimos vimos que nos hallabamos en una Península, sin mas entrada ni salida que por el rumbo entre Sur y Sur-Sueste, que por todos los demas vientos estabamos cercados del Mar. Por el Oriente tenemos el brazo de mar que interna al Sueste, aunque por no tener este mas que unas tres leguas de ancho, se ve la tierra y Sierra de la otra banda muy clara. Por el Norte está el otro brazo de Mar, y por el Poniente y parte del Sur el mar grande ó Pacífico y Ensenada de los Farallones, en que está la boca y entrada de este Puerto.

Viendo la tardanza del Barco, se determinó empezar á

cor-

cortar madera para las fábricas del Presidio cerca de la entrada del Puerto, y para las de la Mision en este mismo sitio de la Laguna en el plan ó llano que tiene al Poniente. Viendo que al mes de llegados al sitio no parecia el Barco ni la órden del Comandante Rivera con la remesa de los Soldados, determinó el Teniente dexarnos seis Soldados para Escolta en este sitio señalado para la Mision, como tambien dexó dos Vecinos Pobladores, y él se mudó con toda la demas gente cerca de la entrada de el Puerto, para empezar á trabajar interin llegaba el Paquebot.

Este entró en el Puerto el 18 de Agosto, habiendo sido la causa de la demora los vientos contrarios, que lo hicieron baxar hasta los 32 grados de altura. Con la ayuda de los Marineros, que el Comandante del Paquebot repartió al Presidio y Mision, se hizo para el Presidio una pieza para Capilla y otra para Almacen para custodiar los víveres, y en la Mision otra pieza para Capilla, y otra con sus divisiones para vivienda de los Padres, y los Soldados hicieron sus Casas asi en el Presidio como en la Mision, todo de madera con su techo de tule.

Hízose la solemne posesion del Presidio el dia 17 de Septiembre, dia de la Impresion de las Llagas de N. S. Padre S. Francisco Patron del Presidio y Puerto. Canté dicho dia la primera Misa despues de bendita, adorada y enarbolada la Santa Cruz, y concluida la funcion con el *Te Deum*, hicieron los Señores el acto de posesion en nombre de nuestro Soberano, con muchos tiros de cañones de Mar y tierra, y de fusilería de la Tropa.

Dilatóse la posesion de la Mision, esperando llegase la órden del Comandante Rivera, é interin venia determinaron los Señores Comandantes del nuevo Presidio y Paquebot hacer una Expedicion por mar para registrar el gran brazo de agua que entra en el Puerto, y se interna rumbo al Norte, y entra por tierra, á fin de registrar el grande Rio de Ntrô. P. San Francisco, que vacia en la Ensenada de los Farallones del mar grande por la boca del Puerto. Salieron para el re-

registro, convenidos en el punto en que se habian de ver para seguir la Lancha para el Rio grande, y la de tierra caminando por la orilla de él.

Fué con la Lancha el Señor Capitan del Paquebot Don Fernando Quirós Teniente de Navio, con su primer Piloto D. Joseph Cañizares: con los dichos fué mi Padre Compañero Fr. Pedro Benito Cambon para tratar y comunicar con los Gentiles: navegaron para el Norte hasta ponerse en una punta de tierra en donde se habian de unir ambas Expediciones para seguir en conserva al registro. El mismo dia salió el Comandante del Presidio con la Tropa que juzgó necesaria, y caminaron para el Sueste á vista del grande Estero o brazo de mar hasta llegar al término de él, que tiene de largo quince leguas, en cuya punta hallaron un Rio mediano, aunque con bastante agua, el que se llamó de Ntrâ. Señora de Guadalupe. Subiendo algo hácia el Sueste les dió lugar para cruzarlo á caballo, y puestos á la otra banda del brazo de mar, viendo que tenian que desandar las quince leguas para ponerse á la vista y paralelo del Puerto, y despues tenian que subir para la Costa hasta la punta citada para el punto de union con la Expedicion de mar, para ahorrar viage, teniendo á la vista una abra que les ofrecia la Sierra con cañadas entre lomas, determinaron entrar por la Cañada, á fin de juntarse mas breve con la Expedicion de mar; pero les salió al contrario, pues fué esta la causa porque no se pudieron ver en todo el viage: porque siguiendo por las Cañadas que forman la Sierra, fueron á salir á una grande llanada muy lexos de la Playa, y mucho mas del punto de union para encontrar la Expedicion de mar; y considerando que para ir á buscarla se pasaria el tiempo señalado para la union, determinó seguir por aquel dilatado llano, por el que vió corrian cinco Rios, que conoció lo serian por las arboledas que de lexos veia, y juzgó correrian por ellas Rios, que todos culebreando, y viniendo de distintos rumbos, iban á dar hácia el Puerto. Caminaron para la primera calle de arboleda que veían, y hallaron era un grande Rio todo poblado de grandes

des

des y distintos árboles; subieron por su orilla, no atreviendose á cruzarlo por la mucha agua que traía; hallaron por las orillas algunas Rancherias de Gentiles, que se manifestaron todos de paz, con quienes comunicaron, y los regalaron con abalorios, á lo que correspondian con pescado, y algunos de ellos los acompañaron Rio arriba.

Habiendoles dado á entender por señas que deseaban cruzar el Rio, les dixeron que alli no se podia, que era menester subir mas arriba: asi lo hicieron, y lograron el cruzarlo, aunque con mucho trabajo, y solo por un vado que les enseñaron los Indios, que cruzaron con ellos: Caminando por aquel dilatado llano, que por ningun rumbo se divisaba Cerro, sino que por todos vientos se les hacia Orizonte, naciendo y poniendose el Sol, como si estuvieran en alta mar, hallando toda la tierra despoblada de Gentiles, sin duda por la falta de agua y leña: y solo encontraron Gentiles arrimados á la Caxa del Rio por el beneficio del agua y leña; y para librarse baxo la sombra de la grande arboleda de los excesivos calores que hace en aquellos inmensos llanos, como tambien para pescar en el Rio, que abunda de pescado, y para la matanza de Ciervos, que hay tantos, que parece haber estancias de Ganado bacuno que pastea no muy apartado del Rio, asi por estar mas verde el pasto, y tener á mano la agua, como para tener cerca el refugio (quando se ven perseguidos) de tirarse al Rio, y pasar á nado á la otra parte, aunque no les faltan ardides á los Gentiles para cogerlos, manteniendose mucha parte del año de dicha carne.

Viendo el Comandante serle imposible el pasar adelante en el registro de los demas Rios, ni de el que cruzó para poder ver de donde venia, se contentó con lo visto, y se volvió para este Presidio, y nos refirió todo lo dicho, y que segun le parecia venia dicho rio de los grandes Tulares, y de la mucha agua que se ha hallado tras de las Misiones de San Antonio, y San Luis rumbo al Oriente.

La Expedicion de mar navegó en derechura á la punta en donde se habia de ver con la de tierra; y habiendose de-

te-

tenido mucho mas tiempo del señalado, y que no parecia, registraron la Costa, trataron con los Gentiles de las Rancherias, y de las que viven entre los Tulares, que todos se manifestaron de paz, regalándoles de sus pescados, á que correspondieron los nuestros con abalorios y galleta. Navegaron por la gran Bahia redonda, que tiene como diez leguas de ancho, hasta donde llegan los Ballenatos. Llegaron al desemboque del Rio grande, que tiene un quarto de legua de ancho, y hallaron cerca del desemboque un grande Puerto, que llamaron de la Asuncion de Ntrâ. Señora, no menos famoso y seguro que el de San Diego: divisaron ya cerca la Sierra alta de Ntrô. P. San Francisco, y segun la altura en que se hallaban, por haber navegado en derechura al Norte, les pareció que el remate de dicha Sierra que corria al Poniente seria el Cavo Mendozino.

En el registro que hicieron de la Costa por el rumbo de Oeste vieron varios Esteritos, y entre ellos uno muy ancho que se internaba mucho, que no se veia el fin. Entraron en sospecha si iria á comunicar con el mar grande ó Pacífico por el Puerto de la Bodega; que siendo asi seria Isla toda la tierra de la punta de Reyes. Entraron al registro de este grande Estero, que llamaron de Ntrâ. Señora de la Merced, y habiendo navegado por él un dia y una noche entera, siempre al Poniente, el segundo dia llegaron al término de él, con lo que salieron de la duda, y quedaron cerciorados que todo este mar escondido Mediterraneo no tiene mas comunicacion con el Pacífico que por la boca en donde está el Fuerte y Presidio, que su anchura no pasa de media legua, y una de largo, con fuertes corrientes, llevando la mar hácia al Oriente, y vaciando hácia al Poniente en la Ensenada de los Farallones, que estan al Poniente de la boca del Puerto, y está en la altura de 37 grados y 56 minutos desde la punta de Reyes, que forma la Ensenada dicha de los Farallones hasta la entrada de este Puerto, hay fondeaderos buenos, en donde fondeados los Barcos pueden esperar la creciente para entrar. Lo mismo se ha hallado al lado del Sur, en donde es-

tá

tá la punta de Almejas, que es la que forma con la de Reyes la Ensenada, aunque no sale tanto como esta. En la dicha punta de Almejas, y la boca ó entrada del Puerto, hay unos grandes Méganos de arena, que desde la mar parecen lo mas altas de tierra blanca, y al pie de ellos hay tambien fondeaderos, como que en ellos han fondeado los Barcos, y han entrado las Fragatas al Puerto por entre los dos montones de Farallones, y por entre el monton del Norte, y punta de Reyes, que dista como ocho leguas de la entrada del puerto.

Concluido el registro, se volvió la Lancha al Puerto, y se comunicaron ambos Comandantes dichas noticias, y quanto habian visto y observado, para dar cuenta á S. Excâ. y atendiendo á que ya era tiempo de regresarse para San Blas el Paquebot, viendo que no venia la órden del Comandante Rivera para la fundacion de la Mision de N. P. S. Francisco, resolvieron se pasase á tomar posesion, y á dar principio á ella, como se executó el dia 9 de Octubre.

Despues de bendecido el sitio, y enarbolada la Santa Cruz, y hecha una Procesion con la Imagen de N. P. S. Francisco puesta en unas andas, y colocada despues en un Altar; canté la primera Misa, y prediqué de N. S. Padre como Patron de la Mision; á cuya fundacion asistió la gente del Presidio, del Barco, y Mision haciendo sus salvas en todas las funciones.

Ninguna de las funciones vieron los Gentiles, porque á mediados de Agosto desampararon esta Peninsula, y con balsas de Tule se marcharon unos á las Islas despobladas que hay dentro del Puerto, y otros á la banda pasando el Estrecho. Ocasionó esta novedad el haberles caído de sorpresa la Nacion Salsona, que eran sus capitales enemigos: viven unas seis leguas distantes rumbo al Sueste por las cercanias del brazo de mar; y pegandoles fuego á sus Rancherias, mataron é hirieron á muchos, sin poderlo nosotros remediar, porque no lo supimos hasta que se marcharon para la otra banda; y aunque hicimos lo que se pudo para detenerlos, no lo pudimos conseguir.

Es-

Esta ida de los Naturales fué causa de que se demorase la Conversion, porque no se dexaron ver hasta últimos de Marzo del siguiente año de 77, que poco á poco se les fué quitando el miedo de sus Enemigos, y se les fué entrando la confianza en nosotros. Con esto freqüentaron la Mision, y con alhagos y regalos se fueron atrayendo, y se lograron los primeros Bautismos el dia de San Juan Bautista de dicho año 77, y se fueron poco á poco reduciendo y aumentando el número de Christianos, de modo que vió el V. P. Presidente antes de morir ya bautizados 394, y va continuando el Catequismo.

Los Naturales de este sitio y Puerto son algo trigueños, por lo quemados del Sol, aunque los venidos de la otra banda del Puerto y del Estero (de los que han venido ya á avecindarse en la Mision, y quedan ya bautizados) son mas blancos y corpulentos. Todos acostumbran asi hombres como mugeres cortarse el pelo á menudo, principalmente quando se les muere algun pariente, ó que tienen alguna pesadumbre, y en estos casos se echan puñados de ceniza sobre la cabeza, en la cara y demas partes del cuerpo, lo que practican quasi todos los Conquistados, aunque no en quanto á cortarse el pelo, pues los de los Establecimientos del Sur parece que tienen su vanidad en él, así hombres, como mugeres, haciendo estas, que lo crian bastante largo, unas grandes trenzas bien peinadas; y los hombres forman como un turbante, que les sirve de bolsa para guardar en la cabeza los abalorios y demas chucherias que se les dá.

En ninguna de las Misiones que pueblan el tramo de mas de doscientas leguas desde esta Mision hasta la de San Diego, no se ha hallado en ellas idolatria alguna, sino una mera infidelidad negativa; pues no se ha hallado la menor dificultad en creer qualquiera de los Misterios: solo se han hallado entre ellos algunas supersticiones y vanas observancias, y entre los viejos algunos embustes, diciendo, que ellos envian el agua, hacen la bellota &c. que hacen baxar las Ballenas, el pescado &c. Pero facilmente se convencen, y quedan

cor-

corridos, y tenidos de los mismos Gentiles por **embusteros**, y que lo dicen por el interés de que los regalen. Siempre que enferman atribuyen á que algun Indio enemigo les ha hecho daño, y queman á los que mueren Gentiles, sin habérselos podido quitar, á diferencia de los del Sur, que los entierran, y muchas Rancherias, principalmente las de la Canal de Santa Barbara, tienen sus Cementerios cercados para el entierro.

Manteníanse los Gentiles de este Puerto de las semillas de las yerbas del campo, corriendo á cargo de las mugeres el recogerlas quando estan de sazon, las que muelen y hacen harina para sus atoles, y entre ellas tienen una especie de semilla negra, y de su harina hacen unos tamales, á modo de bolas, del tamaño de una naranja, que son muy sabrosos, que parecen de almendra tostada muy mantecosa. Ayudanse para su manutencion del pescado que de distintas especies cogen en las Costas de ambos mares, todo muy sano y sabroso, como tambien del marisco, que nunca les falta, de varias especies de Almejas, como tambien de la caza de Venados, Conejos, Anzares, Patos, Codornices, y Tordos. Logran alguna ocasion el que vare en la Playa alguna Ballena, lo que celebran con gran fiesta por lo muy aficionados que son á su carne, que es todo unto ó manteca; hacen de ella trozos, la asan baxo de tierra, y la cuelgan en los árboles, y quando quieren comer cortan un pedazo, y lo comen junto con otra de sus viandas: lo mismo hacen con el Lobo marino, que les quadra no menos que la Ballena porque es todo manteca.

Tienen Bellota, de la que molida, hacen sus atoles y bolas. Hay tambien por los montes inmediatos y Cañadas Avellanas segun y como las de España; y por las Lomas y Méganos de arena hay mucha Fresa muy sabrosa y mas grande que la de España, que se dá por los meses de Mayo y Junio, como tambien moras de zarza: tienen en todos los Campos y Lomas abundancia de amole, que es del tamaño de la Cebolla, de cabeza larga y redonda, y de esta hacen unas hornadas baxo de tierra, y sobre ella hacen lumbre tres ó

qua-

quatro dias, hasta que conocen está bien asada, la sacan, y la comen, que es dulce y sabrosa como la conserva. Tienen otra especie de amole, que no se come por no ser dulce; pero sirve de jabon, haciendo espuma, y quitando las manchas lo mismo que el jabon de Castilla.

Aunque los Gentiles poco lo necesitan por no tener mas ropa que la que les dió la naturaleza, y asi como Adamitas se presentan sin el menor rubor ni verguenza (esto es, los hombres) y para librarse del frio que todo el año hace en esta Mision, principalmente las mañanas, se embarran con lodo, diciendo que les preserva de él, y en quanto empieza á calentar el Sol se lavan: las mugeres andan algo honestas, hasta las muchachas chiquitas: usan para la honestidad de un delantar que hacen de hilos de tule, ó juncia, que no pasa de la rodilla, y otro atrás amarrados á la cintura, que ambos forman como unas enaguas, con que se presentan con alguna honestidad, y en las espaldas se ponen otros semejantes para librarse en alguna manera del frio.

Tienen sus casamientos, sin mas ceremonia que el convenio de ambos, que dura hasta que riñen y se apartan, juntandose con otro ó con otra, siguiendo los hijos á la madre de ordinario: no tienen mas expresion para decir que se deshizo su matrimonio que decir, ya la tiré, ó lo tiré; no obstante se han hallado muchos casamientos de mozos y viejos que viven muy unidos y con mucha paz, estimando mucho á sus hijos, y estos á sus padres. No conocen para sus casamientos el parentezco de afinidad; antes bien este los incita á recibir por sus propias mugeres á sus cuñadas, y aun á las suegras, y la costumbre que observan es, que el que logra una muger, tiene por suyas á todas sus hermanas, teniendo muchas mugeres, sin que entre ellas se experimente la menor emulacion, mirando á los hijos de sus hermanas segunda ó tercera muger con el mismo amor que á sus propios hijos, viviendo todos en una misma casa.

Ya hemos logrado en esta Mision el bautizar á tres párvulos nacidos dentro de dos meses, hijos de un Gentil, y de

tres

tres hermanas, todas mugeres suyas; y no contento con esto tenia tambien su propia suegra; pero quiso Dios se lograse su conversion, y la de sus quatro mugeres, quedandose solo con la hermana mayor, que habia sido su primera muger, y las demas despues de bautizadas se casaron con otros Neófitos segun el Ritual Romano: y con este exemplar, y con lo que se les va predicando y explicando, van dexando la multiplicidad de mugeres, y se van reduciendo á nuestra Santa Fé Católica, y todos los reducidos viven en Pueblo baxo de campana, asistiendo dos veces al dia á la Iglesia á rezar la Doctrina Christiana, manteniendose de comunidad de las cosechas que llevan de Trigo, Maiz, Frixol &c. Logran ya frutas de las de Castilla de Duraznos, Melocotones, Granadas &c. que los sembraron desde el principio. Visten todos de comunidad de las ropas que les solicitan los Padres de México de cuenta del Señor Síndico, y de limosna de algunos Bienhechores. Y es digno de reparo, que no teniendo antes del Bautismo el menor rubor ni verguenza, lo mismo es quedar bautizados, que ya les entra tal rubor acabados de bautizar, que si es menester mudar calzones ó paños de honestidad por ser chicos, se esconden, y ya no se descubren delante de otros, y mucho menos delante del Padre. Todo lo expresado de los Naturales de este Puerto y sus cercanias se halla en los demas de las otras Misiones con poca diferencia, no obstante de ser distintos idiomas.

CAPÍTULO XLVI.

Fundacion de la Mision de la Madre Santa Clara.

LA Carta que recibió por el mes de Septiembre de 76 en San Diego el Comandante D. Fernando Rivera del Exmô. Señor Virey, que daba ya por fundadas estas dos Misiones del Puerto de S. Francisco N. Padre, siendo asi que no solo no habia dado paso á ello, sino que tenia consigo los doce Soldados pertenecientes á ellas, teniendo mucho cuidado,

do, y para salir se puso en camino con dicha Tropa para verificar dichas fundaciones; y llegado á Monterey tuvo la noticia de estar ya fundada esta de N. P. San Francisco; y para
dar mano á la segunda, vino á hacer el registro con el P. Fr.
Tomas de la Peña, uno de los dos Ministros señalados; y llegando á unos grandes llanos nombrados de San Bernardino,
caminaron por ellos hasta llegar al remate del brazo de
mar del Puerto de San Francisco, que corre al Sueste.

Hallaron en él un Rio con mucha agua, que tiene su nacimiento como tres leguas del remate del grande Estero ó
brazo de mar dicho del Sueste, en el que vacia dicho Rio; y
por las cercanias encontraron varios ojos de agua corriente,
que podian servir para beneficiar las muchas y buenas tierras
de dicho llano, todas pobladas de Rancherias de Gentiles,
y de muchos y grandes Robles. Pareció asi al Comandante
Rivera, como al P. Peña el sitio muy al propósito para una
grande Mision: con este gusto se vinieron para esta de N.
Padre, en donde llegaron el 26 de Noviembre; y convenidos
en que en dicho sitio se pondria la Mision, se quedó el P. Fr.
Tomas, y el Comandante se fué á visitar el nuevo Presidio
de N. Padre, que no habia visto; y de alli el dia 30 se volvió
para el de Monterey, á fin de embiar la Tropa, y que viniese
con ella el P. Fr. Joseph Murguia con los avíos, que estaban en la Mision de San Carlos, pertenecientes á la nueva
Mision.

A últimos de Diciembre llegó la Tropa con sus familias, y salió el P. Fr. Tomas con el Teniente Comandante del
Presidio y demas Gente para la fundacion el dia 6 de Enero
de 77: y habiendo llegado al registrado parage, que dista
quince leguas rumbo al Sueste de esta Mision, hicieron una
Cruz, que bendita y adorada enarbolaron, y baxo de enramada formado el Altar, dixo el P. Peña la Misa primera, el
dia 12 de Enero, y á pocos dias se le juntó su P. Compañero, que llegó con los avios de la Mision.

En breve freqüentaron los Gentiles á visitarlos y regalarlos. Lograron por Mayo del dicho año los primeros Bau-
tis-

tismos, porque habiendo entrado una grande epidemia en los párvulos, lograron el Bautismo muchos con el trabajo de ir los Padres por las Rancherias; con lo que consiguieron el embiar á muchos párvulos (que acabados de bautizar murieron) al Cielo, como primicia, para que pidiesen á Dios por la conversion de sus parientes y conterraneos, de los que se van logrando muchos, gracias á Dios, pues vió el V. Padre Presidente antes de morir ya bautizados en sola esta Mision 669, continuando sin novedad en el catequismo, y aumentandose el número de Christianos.

Esta Mision logra quasi el mejor sitio de todo lo conquistado, pues está fundada en los grandes llanos de S. Bernardino, que tienen mas de treinta leguas de largo, y de ancho tres, quatro y cinco: tiene buenas tierras para labores, y logran grandes cosechas de Trigo y Maiz, y toda especie de legumbres, no solo para que se mantengan los Neófitos, sino para regalar á los Gentiles para atraherlos al Gremio de la Santa Iglesia, como tambien para proveer á la Tropa de los Presidios á trueque de ropa para vestir á los Neófitos. Logra abundancia de agua, no solo del Rio de Ntrâ. Señora de Guadalupe, que dista como un quarto de legua de las casas de la Mision, del que logran buenas Truchas por el Verano, que he visto pesar una quatro libras, de la que comí, y me pareció ser Trucha asalmonada, muy sabrosa. A mas de la abundancia de agua del Rio, tiene varios manantiales que corriendo por zanjas la conducen á las sementeras para regarlas: logran ya con abundancia de las frutas de España de quantas se han sembrado, nacidos todos los frutales de los huesos y pepitas que se sembraron al principio, hasta de la Uba.

Tiene aquel grande llano muchos manchones de arboledas de Robles, que cargan de Bellota, con que se mantienen los Gentiles, ayudandose con las semillas del Campo, como queda dicho de los de San Francisco N. Padre. Logran asimismo la Abellana, que baxan de la Sierra del Poniente, cómo tres leguas de la Mision; pero carecen de la Fresa, y del Ma-

Marisco y Almeja, por estar muy apartados de la Playa, como tan bien del pescado, no logrando mas que la Trucha en el Verano, y no con mucha abundancia. Los Naturales son de la misma lengua que los del Puerto de San Francisco, pues es muy poca la diferencia en los términos. Son de las mismas costumbres que los del Puerto, del que dista esta Mision como quince leguas, del de Monterey veinte y siete, y del remate del brazo de mar, ó Estero grande como dos leguas: tiene al Poniente el mar Pacífico, como doce leguas de Sierra, toda poblada de Gentilidad, y en su Costa, quasi en frente de esta Mision, viene á caer la Punta de Año nuevo, que con la de Pinos, forma la grande Ensenada del Puerto de Monterey.

Estan los Llanos de San Bernardino muy poblados de Rancherias de Gentiles, y muchos de ellos ocurren á esta Mision de Santa Clara, asi hombres como mugeres, principalmente en tiempo de cosechas, por lo mucho que comen y llevan para sus Rancherias. En una de estas ocasiones repararon los Padres Ministros de esta Mision, que entre las Mugeres Gentiles (que siempre trabajan separadas sin mezclarse con los hombres) habia una, que segun el trage que traia de tapada honestamente, y segun el adorno gentílico, que cargaba, y en el modo de trabajar, sentarse &c. era indicio de ser muger; pero segun el aspecto de la cara, y sin pechos, teniendo bastante edad, y llamando esto la atencion, preguntaron los Padres á algunos Christianos nuevos, y les dixeron, que era hombre, que iba como muger, y siempre iba con ellas, y no con los hombres, y que no era bueno que anduviese asi.

Juzgando los Padres en ello alguna malicia, quisieron averiguarlo: valieronse del Cabo de la Escolta, encargándole estuviese á la vista, y tomase algun pretexto para llevarlo á la Guardia; y si hallase ser hombre, le quitase todo el trage de muger, y lo dexase con el de los hombres Gentiles, que es el que traía Adan en el Parayso antes de pecar: asi lo practicó el Cabo, y quitandole las naguitas, quedó mas avergongonzado, que si hubiera sido muger. Tuvieronle asi tres dias en la Guardia, haciendole barrer la plazuela, dandole bien de comer; pero se mantuvo siempre muy triste, avergonzado, y despues de haberle expresado que no estaba bueno el ir con aquel trage, y menos el meterse entre las mugeres, con quienes se presumia estaria pecando, le dieron libertad, y se marchó, y jamas se ha vuelto á ver en la Mision; y por los Neófitos se ha sabido está en las Rancherias de los Gentiles, como antes, con el trage de muger, sin poder averiguar el fin, pues no se les pudo sacar otra cosa á los Neófitos, sino la expresion de que no estaba bueno.

Pero en la Mision de S. Antonio se pudo algo averiguar, pues avisando á los Padres, que en una de las casas de los Neófitos se habian metido dos Gentiles, el uno con el traje natural de ellos, y el otro con el trage de muger, expresándolo con el nombre de Joya (que dicen llamarlos asi en su lengua nativa) fué luego el P. Misionero con el Cabo y un Soldado á la casa á ver lo que buscaban, y los hallaron en el acto de pecado nefando. Castigáronlos, aunque no con la pena merecida, y afearonles el hecho tan enorme; y respondió el Gentil, que aquella Joya era su muger; y habiendoles reprehendido, no se han vuelto á ver ni en la Mision, ni en sus contornos, ni en las demas Misiones se ha visto tan exêcrable gente. Solo en el tramo de la Canal de Santa Bárbara se hallan muchos Joyas, pues raro es el Pueblo donde no se vean dos ó tres; pero esperamos en Dios, que asi como se vaya poblando de Misiones, se irá despoblando de tan maldita gente, y se desterrará tan abominable, vicio, plantandose en aquella tierra la Fé Católica, y con ella todas las demas virtudes para mayor gloria de Dios, y bien de aquellos pobres ignorantes.

CAPI-

CAPITULO XLVII.

Visita el V. P. Junípero estas Misiones del Norte, y se funda un Pueblo de Españoles.

QUeda dicho en el Capitulo 43, como habiendo llegado á su Mision de San Carlos por el mes de Enero de 77 el V. P. Presidente, tuvo la alegre noticia de las fundaciones de estas dos Misiones las mas Septentrionales del Puerto de San Francisco N. Padre, las que desde luego habria venido á visitar supuesto que no pudo asistir á su fundacion. Pero se le dilataron sus deseos con la noticia de que subia el Señor Gobernador D. Felipe Neve á poner su residencia en el Presidio de Monterey, á donde llegó el dia 3 de Febrero del dicho año de 77; por cuya razon y de tratar entre los dos los negocios de esta espiritual Conquista, y cotejar los órdenes que ambos tenian del Exmô. Señor Virey para sus adelantamientos, se hubo de detener en su Mision de San Carlos, interin dicho Señor concluía la visita, como en efecto subió hasta el Presidio de San Francisco á últimos de Abril.

A vuelta de la dicha visita acordaron ambos lo importante que era la fundacion de tres Misiones en la Canal de Santa Bárbara para la reduccion de tanta Gentilidad como la puebla, y para asegurar el giro de la comunicacion de los Establecimientos del Norte con las del Sur; y así convenidos de acuerdo lo consultaron á S. Excâ. por Junio de 77 con la Fragata que conduxo los víveres y memorias, y se regresó para San Blas.

Evacuadas estas precisas diligencias de oficio, sin olvidar las del ministerio Apostólico de catequizar y bautizar á los Gentiles, y educar á los Neófitos, en que se empleaba el tiempo que residia en su Mision, luego que se halló con hueco para salir á la visita, vino á la Mision de Santa Clara, ra, á donde llegó el dia 28 de Septiembre; y el siguiente dia del Príncipe y Arcangel San Miguel cantó la Misa y predicó; y habiendo permanecido v descansado el siguiente, siguió su camino para esta última Mision de N. Padre el dia 1. de Octubre, que siendo la jornada de quince leguas, la hizo en un dia con parte de la noche, por lo que llegó muy fatigado.

Celebró en esta Mision el dia de N. S. P. S. Francisco Patron de la Mision, Presidio y Puerto, cuya fiesta se hizo con la solemnidad posible: cantó S. R. la Misa, y predicó en ella con alegria de todos, asi Misioneros, que nos juntamos quatro, como de la Tropa de la Mision y la del Presidio que vino (la que no fué precisa para la Guardia de él) y con mucho júbilo de los nuevos Christianos, que ya contabamos diez y siete todos adultos.

Mantúvose en esta Mision hasta el dia 10 de dicho mes, en cuyo tiempo descansó de la caminata de quarenta y dos leguas que dista Monterey: fué á ver el nuevo Presidio, y el Puerto que jamas habia visto; y mirando que ya no se podia pasar adelante sin Embarcacion, prorrumpió con él gracias *á Dios* (que era muy freqüente en sus labios) *Ya N. P. San Francisco con la Santa Cruz de la Procesion de Misiones, llegó al último término del continente de la California, pues para pasar adelante es necesaria Embarcacion.*

En esta nueva California habia quando el V. P. Presidente hizo la primera visita á esta Mision solo ocho Misiones; y quedando grandes tramos entre una, y otra, decia el fervoroso Padre: » Esta Procesion de Misiones está muy trun- » ca, es preciso que sea vistosa á Dios y á los hombres, que » corra seguida; ya tengo pedida la fundacion de tres en el » Canal de Santa Bárbara: ayudenme á pedir á Dios se consi- » ga, y despues trabajaremos para llenar los otros huecos. » De modo que los fervorosos deseos del V. Prelado eran de que se convirtiese toda la Gentilidad que puebla las doscientas diez leguas de Costa, que poblandose de Misiones en proporcionadas distancias, cayesen todos en la red Apostólica, sino en la de una Mision, cayese en la otra, y con esto se au-

men-

mentasen en gran manera los hijos de Dios y de la Santa Iglesia. Con estos fervorosos y abrasados deseos salió de esta Mision, pasó á la de Santa Clara, y descansando un par de dias, se retiró á su Mision de San Carlos.

FUNDACION DE UN PUEBLO DE ESPAÑOLES,
TITULADO SAN JOSEPH DE GUADALUPE.

PARA dar fomento y estabilidad á esta espiritual Conquista, encargó el Exmô. Señor Virey al nuevo Gobernador D. Felipe Neve, que procurase poblar la tierra con algunos Pueblos de Gente Española, que se ocupasen en el laborio de las tierras y crias de ganados y bestias, para que sirviesen de fomento para estas adquisiciones. Y teniendo presente dicho Señor este superior encargo, habiendo visto quando vino á la visita del Real Presidio de este Puerto los grandes Llanos en que está la Mision de Santa Clara, la mucha tierra que se podia regar con la abundancia de agua del Rio nombrado Ntrâ. Señora de Guadalupe: juntó á los Pobladores que habian venido con la Expedicion de Sonora; y agregándoles otros, les señaló sitio, y repartió tierras para formar un Pueblo, titulado de San Joseph de Guadalupe, señalándoles para la ubicacion arriba de la Mision de Santa Clara, al otro lado del Rio hácia al nacimiento de él, nombrado de Guadalupe, distante de las Casas de la Mision tres quartos de legua.

En dicho sitio formaron los Colonos su Pueblo, dando principio á él á los primeros dias de Noviembre de 1777, á los que les han agregado otros Vecinos, y todos gobernados por un Alcalde de los mismos Vecinos, subordinado al Gobernador de la Provincia, escoltados de tres Soldados y un Cabo, ocurriendo todos á oir Misa á la Mision. Se mantienen de las cosechas que logran de Trigo, Maiz y Frijol, y con o sobrante que venden para la Tropa se visten, teniendo para el mismo fin crias de ganados mayor y menor, y de las Yeguas para proveer la Tropa de Caballos &c.

CAPI-

CAPITULO XLVIII.

Recibe el V. P. Junípero la facultad Apostólica para confirmar: exercitala en su Mision, y se embarca para hacer lo mismo en las Misiones del Sur.

HAbiendo llegado el V. P. Presidente Fr. Junípero á la California con los quince Compañeros el año de 68, como queda dicho en el Capítulo 13. en quanto tomó posesion de aquellas Misiones, que administraban los Padres de la Compañia de Jesus, enterado del estado de ellas, halló entre los papeles de dichos Padres la facultad que les habia concedido Ntrô. Smô. Padre el Señor Benedicto XIV. de poder confirmar, en atencion á la gran dificultad de pasar á la California algun Illmô. Señor Obispo. Considerando el V. Prelado, que subsistia la misma dificultad, le entró el escrúpulo de que los Neófitos se privasen de tanto bien, y asi no quiso ser omiso en procurar la misma facultad; para lo que escribió al R. P. Guardian, remitiendole la Bula del Sr. Benedicto, á fin de que por medio del R. P. Prefecto de las Misiones, se pidiese á la Silla Apostólica la dicha facultad, representando los mismos motivos que representaron los Padres Jesuitas.

Quien vé que el R. P. Junípero solicita la facultad que es peculiar y ordinaria á los Señores Obispos, ¿no dirá, ó juzgará que mucho mas anhelaria á la alta y honrosa dignidad Episcopal? Pero estubo tan lexos de apetecerla ni de desearla, que antes bien su profunda humildad y fervorosos deseos de trabajar en la Viña del Señor le hizo arbitrar medios para huir de ella. Habiendo dado noticia á S. R. despues de la Conquista y Establecimiento de Monterey que un Palaciego ó Cortesano de Madrid habia escrito al R. P. Guardian de nuestro Colegio, que lo era el que es hoy Señor Obispo del Nuevo Reyno de Leon, el Illmô. Señor Verger, *de que al R. P. Junípero se le esperaba una grande honra:* luego que su-

po

po esta noticia, rezeloso S. R. de no perder delante de Dios
el mérito de lo que habia trabajado para estas espirituales
Conquistas, recibiendo el premio en el mundo por dicha honra que se le vaticinaba, hizo luego S. R. propósito (no digo
voto, aunque á esto me inclino, porque no se me explicó claramente) de no admitir empleo alguno (mientras estubiera en su libertad) que lo imposibilitase el vivir en el ministerio Apostólico de Misionero de Infieles, y de derramar su
sangre por su conversion, si fuera la voluntad de Dios.

No se contentó el humilde Padre con solo esto, sino que
procuró poner otros medios para impedir lo que se podia re-
celar, y fué, que en quanto tuvo dicho rezelo, paró en escribir á quien podia alcanzarle tal honra y dignidad. Despues
del Descubrimiento, y Poblaciones de los Puertos de San
Diego, y Monterey recibió una Carta de Madrid de un Per-
sonage de aquella Corte, que jamas habia conocido ni oido
nombrar, en la que le decia: *Que le constaba que S. R. esta-*
ba muy ameritado para el Rey y su Real Consejo: que viese
si se le ofrecia alguna cosa, que estaba pronto para servir-
le, que se valiese de él, que seria su buen Agente. Leyó su
Paternidad la Carta, y entendiendo á lo que se encaminaba,
le respondió de modo, que mas podia servirle de Fiscal para
el intento, que no para Agente.

De lo dicho se puede inferir si anhelaria el R. P. Junípero á la Dignidad, ó grande honra que le profetizaba el
Cortesano. Lo que sí deseaba con vivas ansias, era la facultad de confirmar, no para sí, sino para alguno de los Misioneros, para que andando por las Misiones confirmara á los
Neófitós, y no se privasen de tanto bien espiritual de los
efectos de este Santo Sacramento.

Corrió la diligencia en la Curia Romana el R. P. Prefecto,
y se dignó la Santidad de N. Smô. Padre el Señor Clemente
XIV. de concederla el dia 16 de Julio de 1774 por el tiempo de diez años al R. P. Prefecto de Misiones, y á un Religioso de cada uno de los quatro Colegios que nombrase el dicho
P. Prefecto. Comunicandole la misma facultad obtuvo este

Breve

Breve Apostólico el Pase del Real Consejo de Madrid; y en México el del Exmô. Señor Virey y el Real Acuerdo, y llegado por estos pasos á manos del R. P. Prefecto, nombró por lo que pertenecia á las Misiones del Colegio de S. Fernando por Patente de 17 de Octubre de 1777, sellada y refrendada de su Secretario, al P. Fr. Junípero Serra Presidente que era de estas Misiones, y á su Succesor; la que recibió S. R. á últimos de Junio de 78.

En quanto el V. P. Junípero recibió la Patente con la facultad Apostólica para confirmar, enterado de las Instrucciones de la Sagrada Congregacion para el uso de ella, no quiso tenerla ociosa; y asi el dia primero festivo que se siguió despues del recibo de ella, que fué el dia de los Santos Apóstoles San Pedro y San Pablo, despues de haber cantado la Misa, y hecho una fervorosa Plática del Santo Sacramento de la Confirmacion, dió principio en su Mision de San Carlos, confirmando á los Párvulos mientras iba preparando, y instruyendo, y disponiendo á los Adultos; en cuyo exercicio, y en confirmar á los dispuestos se empleó hasta el 25 de Agosto, que se embarcó en la Fragata que habia traido las memorias y víveres, y baxaba á San Diego con el fin de practicar lo mismo en aquella Mision, y demas del rumbo del Sur.

Llegó á San Diego el 15 de Septiembre despues de 23 dias de navegacion, que la hicieron mas larga los vientos contrarios. Detúvose en la Mision de San Diego hasta el 8 de Octubre, en cuyo tiempo confirmó á los Neófitos de ella, y á los hijos de la Tropa que carecian de este Sacramento; y concluido en ella se fué subiendo de Mision en Mision practicando lo mismo; y el 5 de Enero de 1779 llegó á su Mision de San Carlos cargado de méritos y de trabajos, que para ello padeció en tan largo camino con el habitual accidente del pie, del que no sentia mejoria.

CAPI-

CAPITULO XLIX.

Continúa confirmando en su Mision: recibe la noticia del nuevo Superior Gobierno: viene á visitar y á confirmar en estas Misiones del Norte, en donde recibió la noticia de la muerte del Exmô. Señor Virey Bucareli.

EL retiro á su Mision de San Carlos, que al parecer le habia de servir de descanso, era para mas exercitarse en el ministerio Apostólico, pues luego se puso á la continua labor del Catequismo de los Gentiles, y ya instruidos, en bautizarlos, y disponer á los Neófitos para confirmarlos, en cuyos santos exercicios se mantuvo mientras estaba en su Mision, y siempre que se regresaba á ella le parecia, por lo que veía en los demas, que él era el mas perezoso y tibio; pues solia decir: » Edificado vengo de lo que trabajan, y he visto » han trabajado en las demas Misiones: aqui siempre nos » quedamos atrás. »

En este cotidiano exercicio se hallaba el fervoroso Padre quando por Junio de 79 por la Fragata que llegó con los víveres y avíos recibió la noticia de haber segregado del Gobierno del Exmô. Señor Virey de la N. E. todas las Provincias Internas, contando entre ellas las Californias, y creado por S. M. un Comandante y Capitan General como Gefe de todas ellas, que lo era D. Teodoro de Croix, cuya residencia habia de ser en la Provincia de Sonora, á quien se habia de recurrir, como que en él residia el Superior Gobierno de las Internas Provincias de la N. E.

Esta novedad tan impensada en estos nuevos Establecimientos no dexó de contristar á S. R. (aunque siempre muy resignado á la voluntad de Dios, en quien tenia puesta su confianza). Consideraba que mientras el nuevo Gefe tomaba asiento, ponia en corriente su Comandancia, y se imponia en tantos asuntos que de nuevo entraban á su cargo, podia retardar las providencias para estos nuevos Establecimientos, y principalmente las fundaciones de la Canal, que el año anterior con acuerdo del Señor Gobernador habia pedido al Exmô. Señor Virey; y no corriendo yaá su cargo era preciso hubiese demora. Pero el afecto grande que el Exmô. Señor Bucareli habia cobrado al V. P. Junípero, y la atencion que le debian sus espirituales proyectos, no le dieron lugar á olvidarlos, sino que los recomendó al nuevo Comandante, como lo expresa en la Carta que dicho Señor Comandante General antes de llegar á su destino escribió al V. P. Presidente, de la que es copia la siguiente.

Copia de la Carta del Comandante General.

„ LOS informes de S. Excâ. y el contenido de las Cartas „ que V. P. le dirige me persuaden la actividad de su „ zelo, su religiosidad y prudencia en el gobierno de esas Mi-„ siones, y trato de los Indios y solicitud de su verdadera fe-„ licidad. Yo en el dia no puedo resolver en los auxilios que „ V. P. pide por los motivos que manifiesto á ese Goberna-„ dor; mas espero brevemente hallarme en estado de satisfa-„ cer su zelo, y de trabajar infatigable al bien de esos nue-„ vos Establecimientos, para cuyo logro confio contribuya „ V. P. no solo continuando su acertadísima conducta, sino „ ilustrandome con sus avisos y reflexiones.

„ V. P. hallará en mi quanto pueda desear para la pro-„ pagacion de la Fé y gloria de la Religion, y le encargo que „ con todos los Religiosos ruegue á Dios por la prosperidad „ y buen exito de mis importantes comisiones, como yo le „ pido por la salud de V. P. , y que en ella le guarde muchos „ años. Querétaro 15 de Agosto de 1777. = El Caballero de „ Croix = M. R. P. Presidente Fr. Junípero Serra. „

Esta Carta que tardó algo á llegar á manos del V. Padre Presidente mitigó algo la pena que tenia en su corazon. Consideraba la demora ya premeditada con la mutacion de Gobierbierno tan distante de México, y en la Capital de la Comandancia no tener quien pudiese dar calor como lo tenia en México con el Colegio. Estas consideraciones le hacian avivar mas las oraciones á Dios para que mirase esta causa como tan suya. Agravósele el habitual accidente que no le dió lugar á venir á estas Misiones del Norte á confirmar hasta Octubre en el tiempo que estaban fondeadas en este Puerto las dos Fragatas que venian del registro de la Costa de la altura, de que hablé en el Capítulo 33. Deseaban los Señores Oficiales de dichas Fragatas asi los Capitanes, como el Comandante de la Expedicion (que todos lo habian tratado en Monterey) el ver á S. R. ; pero habiendo escrito que segun se hallaba no juzgaba el poderse poner en camino, lo hicieron los Señores, enviando el Comandante D. Ignacio Arteaga á los dos Capitanes, su segundo D. Fernando Quirós, y á Don Juan Francisco de la Bodega y Quadra, á fin unicamente de visitar á S. R. enviando al mismo tiempo uno de los Cirujanos Reales de la Expedicion para medicinarlo. Logré la ocasion de acompañar á los Señores deseoso de ver á mi amado P. Lector. Llegamos el dia 11 de Octubre á la Mision de Santa Clara, y en la misma hora y punto llegó tambien el V. P. Junípero, que de repente se le puso el ponerse en camino para estas Misiones, á fin de hacer Confirmaciones, y de paso lograr el ver á los Señores de la Expedicion, atropellando con el accidente, y poniendo toda la confianza en Dios; pero llegó tal que no se podia tener en pie, y no era para menos, pues anduvo en dos dias el camino de veinte y siete leguas; y quando los Señores y Cirujano vieron la hinchazon de la pierna y pie con la llaga, decian que solo de milagro podia andar; pero lo que es cierto que anduvo dicho camino, y nos dexó á todos llenos de gozo y admiracion por la casualidad de llegar á un mismo tiempo S. R. que venia del Sur, y nosotros del Norte, sin que precediese aviso ni de una parte ni de otra. Expresaron los Señores con extraordinarias demonstraciones el gusto que tenian de ver á S. R. haciendole el cumplido de parte del Señor Comandante. El

El dia siguiente que trató el Cirujano de aplicarle algun remedio, le dixo S. R. mejor será que lo dexemos para quando lleguemos á la Mision de N. Padre, no sea que se empeore, y me imposibilite: asi anduvo en pie, como si tal accidente no tuviera, y lo que mas admiró fué, el que luego se puso á bautizar unos Catecúmenos, para lo que convidó á los Señores para Padrinos, que quedaron admirados de que pudiese S. R. estar en pie tanto como duró la funcion, que decian los Capitanes que se habian cansado, aunque muy enternecidos de la devocion con que el R. P. hacia las santas ceremonias del Bautismo de los Adultos.

Nos mantuvimos dos dias en la Mision, y el dia 14 salimos para esta de N. S. P. en que gastamos dia y medio para andar las quince leguas, y asi llegamos el dia 15. Fué su llegada de extraordinaria alegria y gozo para toda la Gente, así de mar como de tierra; dió las gracias al Señor Comandante de la fineza de haberle enviado á los Señores, como tambien los parabienes de la felicidad de la Expedicion. » No » sé (dixo S. R.) con que corresponder á tanta fineza. Corres- » ponderé con confirmarle los muchos de la Tripulacion, que » no estarán confirmados; y asi podrá dar la órden para que » se preparen para ello » : Asi lo hizo; y el dia 21 de dicho Octubre despues de Misa cantada, en la que hizo una fervorosa Plática del Santo Sacramento de la Confirmacion, lo administró asi á los Indios como á los Españoles y Gente de mar que no estaban confirmados; y continuó otros tres dias en hacer Confirmaciones, para que no quedase Persona alguna sin confirmar; y bautizó á doce Gentiles, convidando á los Señores Oficiales para Padrinos, que lo agradecieron mucho, é inmediatamente los confirmó, como tambien tuvo el gusto de confirmar los tres recien bautizados del Puerto de Bucareli.

En solo este santo exercicio pensaba S. R. olvidando totalmente su accidente; pero no se olvidaron los Señores Cirujanos; y queriendo ponerlo en cura se escusó, diciendo: que con lo que habia descansado se sentia mejor: que el accidente

te sin duda como de tantos años, necesitaria de larga cura; y como su detencion era de pocos dias, sería por demas el empezar la cura, que mejor seria el dexarla para el Médico Divino.

A los nueve dias de estar S. R. en esta Mision llegó Correo por tierra de la antigua California con la triste noticia de la muerte del Exmô. Señor Virey Bucareli, y de la publicacion de la Guerra con Inglaterra, que causó á todos gran tristeza, por haber perdido un tan zeloso Virey; y esta funesta noticia junto con la publicacion de la Guerra obligó á los Señores á navegar quanto antes para San Blas: asi lo practicaron saliendo de este Puerto el último dia de Octubre, quedando en esa Mision el V. P. Presidente, para quien fué mayor la pena de la muerte de su grande Bienhechor y Protector para esta espiritual Conquista el Exmô. Señor Bucareli; que aunque ya no corria esta Provincia á cargo del Vireynato, sino de la nueva Comandancia general, consideraba que mucho podria valer su permanencia en el Vireynato, á lo menos para contener los atrasos que pudieran ocurrir. Con esta pena (aunque siempre confiado en Dios) salió mi V. P. Presidente de esta Mision el dia 6 de Noviembre, dexando confirmados á todos los Neófitos, y pasó á practicar lo propio á la Mision de Santa Clara, en la que se detuvo algunos dias para confirmar asi á los Neófitos, como á los de la Tropa y Vecinos del Pueblo de San Joseph de Guadalupe, que no estaban confirmados; y con este mérito y algo aliviado de su accidente se retiró á su Mision de San Carlos.

CAPI-

CAPITULO L.

Suscita el Gobernador de la Provincia dificultades so-
bre la facultad de confirmar, y con recurso á la Coman-
dancia la impide; y sale decidido á favor de la fa-
cultad: viene á confirmar á estas Misiones del
Norte, y de vuelta muere su amado Com-
pañero, y Discípulo el P. Fr. Juan
Crespí.

NO sin fundamento recelaba el V. P. Junípero que podria hacer alguna falta para el bien de estos Establecimientos aun la sombra del Exmô. Señor Bucareli, quanto
mas su autoridad en el Gobierno; pues en quanto ya esta
Provincia no corria á su cargo empezó á experimentar tales
disposiciones, que no solo eran impeditivas á la extension,
sino destructivas de lo Conquistado si se ponian en planta.
Procuraba el V. Padre con su gran prudencia y paciencia al
Autor de dichas indisposiciones (que era el que gobernaba
la Provincia, que el Exmô. Señor Bucareli lo habia enviado
para dar fomento y calor á la espiritual Conquista) quantas
razones le dictaba su mucha práctica y alto alcance á fin de
contener dichas disposiciones y providencias por las fatales
conseqüencias que de ellas se seguian á lo ya reducido y
conquistado.

Pero las eficaces razones que le proponia, le hacian al
parecer tan poca fuerza para convencerlo y contenerlo,
que antes iba cada dia ideando otras, sacando nuevos proyectos para impedir los adelantamientos de las Misiones fundadas, que corrian con grande aumento en lo espiritual y
temporal. Todos estos medios de que se valia el enemigo para mortificar á este fervoroso Prelado, los sufria con mucha
paciencia y grande paz interior, no obstante que le penetraban su corazon, y le eran mas sensibles que las penetrantes
sae-

saetas que le pudiesen disparar los mas bárbaros y ferozes Gentiles. Omitiendo muchos casos que en prueba de lo dicho podia referir, apuntaré solo uno, y esto solamente para hilar la Historieta, y no se eche menos la Visita del V. P. Presidente á las Misiones, para confirmar el año de 80 atribuyendoselo á omision.

Suscitó dicho Señor Gobernador la dificultad, si se podria usar de la facultad de confirmar, porque no tenia el Pase del Real Patronato ó Vice Patrono: y respondiendole S. R. que sí lo tenia, pues habia pasado en Madrid por el Real Consejo, y en México por S. Excâ. y Real Acuerdo, que ya hacia un año que usaba de ella, sin que le hubiese entrado hasta la presente tal escrúpulo. Dixole que le enseñase la Patente, y todos los Instrumentos concernientes á la dicha facultad, y pidiéndole el Pase, le respondió que el original quedaba en el Archivo del R. P. Prefecto, que el Instrumento necesario y suficiente era la Patente firmada, sellada y refrendada por el Secretario; y para que le constase tener el Pase de S. Excâ., y de consiguiente el del Real Consejo, que leyese aquella Carta del Exmô. Bucareli (que le puso en sus manos) en que le daba los parabienes de que hubiese recibido la facultad de confirmar, y de los muchos que el año anterior habia confirmado.

Dixole que esto no servia, porque las Provincias internas ya no pertenecian al Gobierno del Vireynato, sino de la Comandancia General. Pues, Señor, ahora ¿quien es el Vice-Patrono? Y respondiendole que en todas las Provincias el Comandante General, y en estas Californias que lo era él, como Gobernador. Pues, Señor, dixo el fervoroso Prelado, si está todo en la tierra, es facil de componerse; aqui tiene Vm. la Patente con la facultad: suplico se ponga el Pase, para que estos pobres no se priven de tanto bien; pues no siendo la facultad mas que para diez años, van estos corriendo. A cuya propuesta (llevando adelante sus intentos) que el Pase en donde lo habia de poner era al pie del Breve que habia dado su Santidad original, y al pie del Pase original del Consejo,

sejo, y mientras no le entregase los Originales, lo exhortaba no pasase á confirmar hasta que viniese respuesta de la Comandancia á la consulta que tenia hecha.

Dexo á la consideracion de los que esto leyeren la pena que causaria al fervoroso corazon del V. P. que conocia quanto importaba en estos tan Neófitos en la Fé este Santo Sacramento; pero ofreciendolo al Señor suspendió el confirmar, no fuese que tambien lo privase de bautizar. No es de creer que dicho Señor obrase de malicia, sino que como carecia de Asesor, obraria segun su alcance, que presumiria que asi lo deberia hacer. En vista de todo lo dicho, no solo suspendió la administracion de la Confirmacion, sino que remitió al Colegio la Patente y facultad, escribiendo quanto habia pasado con dicho Señor Gobernador. En quanto recibió el R. Padre Guardian las Cartas, se presentó al nuevo Virey pidiendole testimonio del Pase que se habia dado al Breve de su Santidad, y remitiéndolo al Comandante general, envió órden al Señor Gobernador que en manera alguna impidiese al R. P. Presidente el confirmar, y que siempre y quando su Paternidad quisiese salir para las Misiones le aprontase Escolta. Con esto cesó esta borrasca; pero se siguieron otras, que no pararon los vientos contrarios hasta la muerte, para que el martyrio que deseaba fuese incruento.

En todo el tiempo que tardó el venir la decision de la duda, que fué largo por la mucha distancia que hay de aqui á México, de México á Sonora, y de Sonora á Monterey, no hizo Confirmaciones, ni salió de su Mision, sino que en ella se ocupó en el ordinario exercicio, consolándolo el Señor con muchos Gentiles que ocurrian de bien lejos pidiendo el Sacro Bautismo, en cuyo catequismo se exercitaba, y despues bautizólos aumentando hijos á la Santa Iglesia á pesar del Infierno.

Por el mes de Septiembre de 81 que llegó la dicha decision, despues de haber celebrado Confirmaciones en su Mision, salió á practicar lo propio en la de San Antonio, y se regresó á principios de Octubre para celebrar la Fiesta de Ntrô.

Ntrô. S. P. en su Mision de San Carlos. Pasada la fiesta determinó venir á confirmar en estas dos Misiones del Norte: y se ofreció el venir con S. R. su Discipulo Fr Juan Crespí, deseoso de ver este Puerto ya poblado de Christianos, pues no lo habia visto S. R. sino poblado de Gentiles el año 1769. Llegaron á esta Mision el 26 de Octubre, que fué para mi de extraordinaria alegria y gozo, pues vi en esta Mision juntos á nuestro amado P. Lector y Mtrô. y á mi querido condiscipulo el P. Fr. Juan Crespí, que segun poco despues sucedió, parece que vino á decirme: á Dios hasta la eternidad. Mantuvieronse en esta Mision hasta el 9 de Noviembre, en que en dicho tiempo hizo el V. P. Presidente varios dias Confirmaciones, dexando confirmados á todos los Neófitos que desde la última visita se habian bautizado.

Salieron dicho dia de esta Mision para la de Santa Clara, siendo para mí, y creo que tambien para sus Reverencias, igual la pena á la despedida, habiendo sido igual la alegria en la llegada. Confirmó el V. P. Presidente los Neófitos de aquella Mision; y se retiraron para su Mision antes que creciesen los Rios. A los pocos dias de llegados enfermó de muerte el P. Crespi; y conociendo que Dios lo llamaba para la eternidad, se dispuso y preparó con los Santos Sacramentos, y el dia 1 de Enero de 1782 entregó su alma al Criador á los sesenta años y diez meses de su edad, habiendo trabajado los treinta años en Misiones de Infieles: esto es, los diez y seis en la Mision de N. S. P. S. Francisco del Valle de Tilaco de Indios Pames de la Sierra Gorda, en la que procuró imitar á su amado Lector y Maestro el V. P. Junípero, trabajando asi en lo espiritual como en lo temporal, bautizando muchos centenares de Indios, educándolos asi en los Misterios de Ntrâ. Santa Fé, como en el trabajo temporal á fin de civilizarlos, y que tuviesen con que mantenerse, y vestirse. Fabricóles una grande Iglesia de cal y canto con sus bóbedas y torre; y solicitó de cuenta del Sínodo le enviasen de México Colaterales y Santos para el adorno interior: todo lo que consiguió á medida de sus deseos; y dexando aquella Mision

de

de la Sierra Gorda en buen estado, y ya en vísperas de entregar al Ordinario, fué nombrado por el R. P. Guardian y Venerable Discretorio del Colegio para venir á estas Californias; y en quanto recibió la Carta del Colegio lleno de júbilo y alegria se puso en camino para el Puerto de San Blas con otros quatro Compañeros, sin detenerse á pasar por el Colegio á despedirse por no dar lugar la precision de estar quanto antes en el Puerto.

Lo restante de su vida, que fueron catorce años, los empleó en estas Californias, trabajando incesantemente, como queda dicho en esta Historia, por los muchos viages que hizo con las Expediciones de tierra que quedan ya referidas; y si el Curioso Lector quisiere saber lo que trabajó y padeció á fin de que se lograse esta Conquista, no tiene mas que leer los Diarios, que dicho Padre escribió por los caminos en lugar de descansar en las paradas, como tambien en el que formó en la Expedicion de mar para el registro de las Costas de este mar Pacífico, que habiendo sido el primer registro de la Costa hasta el grado 55 en un mar y Costa no conocida, iban siempre en un continuo peligro de perderse dando en alguna Isla, farallon, ó piedras anegadas; pero de todos estos peligros lo libró Dios para que trabajase en esta su mistica Viña, ayudando á su Venerable, y exemplar Maestro, que desde la llegada á Monterey lo nombró por su Compañero y Con-Ministro de la Mision de San Carlos, en donde trabajó desde la fundacion hasta que murió, catequizando y bautizando innumerables Gentiles, como queda dicho hablando de dicha Mision. Con este cúmulo de méritos y exercicio en las virtudes, en las que floreció desde niño. que lo conocí, y estudiamos juntos desde las primeras letras hasta concluir la Teologia y Moral, y siempre lo conocí muy exemplar, que entre los Condiscipulos era conocido con el nombre de Beato ó Mistico, y de la misma manera continuó toda su vida con una candidez columbina, y de una profundisima humildad, de modo, que siendo Corista Estudiante, si alguna vez concebia el haber impacien-
tado

tado á alguno de los Condiscípulos, iba á su Celda, y se le hincaba de rodillas pidiendole perdon: siendo corto de memoria, que no podia decir de coro ó memoria las Pláticas Doctrinales en la Misa los Domingos y dias festivos, tomaba un Libro, y despues del Evangelio de la Misa del Pueblo, leia una de las Pláticas Doctrinales, con lo que instruía al Pueblo, y edificaba á todos con su humildad. Adornado de esta, y de las demas virtudes, y colmado de méritos por lo mucho que trabajó en la conversion de los Gentiles, lo llamó Dios para darle el premio de sus afanes y fatigas Apostólicas, y preparado con todos los Sacramentos, que le administró el V. P. Junípero, y auxiliado de su Paternidad, entregó su alma al Criador, y piamente creemos todos los que lo conocimos y tratamos, que iria en derechura á gozar de Dios. Dióle sepultura el V. Padre Junípero en el Presbyterio al lado de el Evangelio en la Iglesa de dicha Mision de San Carlos, en compañia de otros dos Padres Misioneros, despues de haberle hecho las debidas honras, á las que asistieron el Comandante del Presidio, con toda la Tropa de él y de la Mision, y de los Neófitos de ella, cuyos llantos de estos expresaron el amor que le tenian como á Padre, y lo expresó tambien el V. P. Junípero, pidiendome poco antes de morir que le diese sepultura al lado de su amado Discipulo y Compañero el P. Fr. Juan Crespi, en que manifestó, no solo el amor que le profesaba, sino tambien el concepto grande en que lo tenia su inculpable vida y exemplares virtudes.

No he querido omitir esta breve relacion del dicho P. Fr. Juan Crespí, no tanto por haber sido mi tan amado Condiscípulo y Compañero mas de quarenta años asi en esa Provincia, como en el ministerio Apostólico, como para que esa Provincia su Santa Madre lo tenga presente para encomendarlo á Dios por si necesitase de sufragios para ir á recibir en el Cielo el premio de sus Apostólicos afanes.

CAPI-

CAPITULO LI.

Establecimientos de la Canal de Santa Bárbara: fun la-
cion de un Pueblo de Españoles, y de la Mision de San
Buenaventura y del Presidio de Santa Bár-
bara: Funesto acaecimiento del
Rio Colorado.

TAN impresionado quedó el nuevo Comandante General
D. Teodoro de Croix de la recomendacion del Exmô.
Señor Virey sobre la pretension del V. P. Junípero para ias
fundaciones de la Canal de Santa Bárbara, que desde el camino, y antes de llegar á su destino, envió órden al Gobernador para que fuese á los Arispes el Capitan D. Fernando
Rivera para comisionarlo á reclutar setenta y cinco Soldados
para la fundacion de un Presidio y tres Misiones en la dicha
Canal de Santa Bárbara, el Presidio y una Mision en el centro de la Canal, con el nombre de la Santa, y las otras dos de-
dicadas á la Purísima Concepcion de Maria Santísima, y la
de S. Buenaventura en los dos extremos de la Canal, dotada
cada una de quince Soldados, y los restantes para el Presidio
con sus correspondientes Oficiales, é igualmente para reclutar familias de Pobladores para fundar un Pueblo titulado
de Nuestra Señora de los Angeles en el Rio nombrado de
Porciúncula.

Al mismo tiempo encargó á los Padres del Colegio de la Santa Cruz de Querétaro fundasen dos Misiones
en el Rio Colorado, asi para la conversion de aquellos Gentiles, como para asegurar el paso que se habia descubierto, á
fin de la comunicacion de aquellas Provincias con esta; pero
las dichas Misiones con método totalmente diverso de estas:
esto es, sin Presidio, sino que en cada una de ellas habia de
haber ocho Soldados, y ocho Vecinos Pobladores casados y
con familias, un Sargento en una Mision, y un Alferez en la
otra

otra como Comandantes: Que los Padres Misioneros no habian de cuidar mas que de lo espiritual, y que los Gentiles que se bautizasen viviesen en sus Rancherias, y se mantuviesen como quando Gentiles. En este método, totalmente diverso del que aqui hemos observado, se fundaron; pero en breve se vieron los distintos efectos, pues mataron al Comandante, Sargento, á quasi todos los Soldados y Vecinos, salvo unos pocos que se escondieron, que aunque libraron la vida, perdieron la libertad quedando cautivos con todas las mugeres, y niños: martirizaron á los quatro Misioneros, y pegaron fuego á las dos Misiones, y se quemó quanto habia, y se perdió, como tambien se imposibilitó el paso para la comunicacion. Adelanto esta noticia para lo que resta que decir.

En quanto el Señor Gobernador recibió la órden del Señor Comandante General, despachó al dicho Capitan Rivera, su Teniente en la antigua California, quien se embarcó en Loreto, y fué á la Comandancia general á recibir los órdenes é instrucciones y todo lo necesario para el efecto, y puso en execucion la Comision. Empezó su recluta por la Provincia de Cinaloa, despachando partidas de Reclutas, asi de Soldados, como de Pobladores por mar á Loreto, para que subiesen por tierra á San Diego; y las que reclutó en Sonora las conduxo por el Rio Colorado, con toda la caballada y mulada, que pasaban de mil cabezas.

Llegó el dicho Capitan Rivera con toda su Expedicion al Rio Colorado, en donde halló ya fundadas las dos Misiones expresadas: y reparando que la caballada y mulada llegó la mayor parte flaca y enferma, rezeloso de que no se le muriese en el tramo de ochenta leguas que todavia le faltaban para llegar á la Mision de San Gabriel, á donde habia de salir, determinó quedarse á las orillas del Rio Colorado, hasta tanto que se recuperaba. Y quedando con un solo Sargento y seis Soldados pertenecientes al Presidio de Monterey, que le habia enviado el Señor Gobernador, despachó la Expedicion con los Oficiales que venian de Sonora para estos Establecimientos, comboyados de un Alferez y nueve Sol-

da-

dados Veteranos de uno de los Presidios de Sonora.

Hallábase muy de antemano el Señor Gobernador en la Mision de San Gabriel recibiendo la Tropa que iba subiendo por tierra desde la antigua California, y alli recibió este último trozo que se conduxo por el Rio Colorado; con lo que tuvo junta toda la Tropa con los dos Tenientes, y dos Alferez, y solo faltaba el Capitan Rivera, y el Sargento y los seis Soldados que le habian enviado para que se viniese en quanto se recuperase la caballada; y despachó al Alferez con los nueve Soldados Veteranos, para que se retirasen á su Presidio de Sonora, por el mismo camino que habia traido la Expedicion por el paso del Rio Colorado.

Asi lo practicó el Alferez con su partida de nueve hombres, y mucho antes de llegar al Rio entendió de los Gentiles del camino que los Indios del Rio habian matado á los Padres y á los Soldados, y habian quemado las dos Misiones. No quiso el Alferez, que era hombre de valor, dar crédito á los Gentiles, ni volver atrs por solo el dicho de ellos, sino que siguió su camino, y llegó al sitio, y vió ser verdad, pues halló todas las fábricas reducidas á ceniza, y tirados los cadáveres: y no hallando á quien preguntar, sino mucha Gentilidad con quien pelear, viendose con tan poca gente, pues de los nueve Soldados le mataron dos, y otro que estaba herido, tomó á buen partido la retirada para San Gabriel, que para lograrla no tuvo poco que hacer las dos primeras jornadas, que huvo de pelear bastante con los Gentiles que lo seguian, é intentaban no dexar uno que pudiese dar la noticia. Quiso Dios se librasen y llegasen á S. Gabriel sin mas desgracia que la dicha de los dos Soldados muertos, y uno herido, que sanó. Dió cuenta de todo lo que habia visto y sucedido al Señor Gobernador, y este al Comandante General, despachando para el efecto al mismo Alferez con los siete Soldados que le habian quedado por la California, para que se embarcase en Loreto, y no parase hasta poner los Pliegos en manos del Señor Comandante General, que se hallaba en la Ciudad de los Arispes, presumiendo que dicho Señor ignoraba lo acaecido.   Es-

Este funesto acaecimiento demoró algo las fundaciones de la Canal, porque rezeloso el Señor Gobernador no tuviesen osadía de venir á dar á estos Establecimientos, ó que por su mal exemplo lo quisiesen hacer las Naciones intermedias de dicho Rio y estas Misiones, procuró conservarse con toda la Tropa en la Mision de San Gabriel hasta ver las resultas: interin dispuso la fundacion de un Pueblo de Españoles en el Rio de Porciúncula, llamado por la primera Expedicion del año 1769. Juntó todos los Vecinos Pobladores que habian venido para Colonos, les señaló sitio y tierras en las orillas del Rio, distante de la Mision de San Gabriel quatro leguas rumbo al Noroeste, y alli Escoltados de un Cabo y tres Soldados, fundaron su Pueblo á últimos del año de 81 con el título de Ntrâ. Señora de los Angeles de Porciúncula, en el que se mantienen de sus siembras &c. como queda dicho del Pueblo de San Joseph en su Capítulo, aunque con el trabajo de haber de andar quatro leguas para oir Misa.

CAPITULO LII.

Prosigue la materia de las fundaciones de la Canal, y baxa para el efecto el V. P. Junípero á San Gabriel, y funda la Mision de San Buenaventura.

Viendo el Señor Gobernador que cumplia ya medio año del fatal acaecimiento del Rio Colorado, y que nada resultaba en estos Establecimientos, acordó el dar paso á las fundaciones interin llegaban los Barcos, por los que esperaban segun las Cartas que se habian recibido, los seis Misioneros de nuestro Colegio que tenia pedido el Comandante General, valiendose del Exmô. Señor Virey; y como ya no podian tardar mucho, quiso dar principio á la fundacion, para cuyo efecto escribió por Febrero de 82 al R. P. Presidente, pidiendole dos Misioneros, uno para dar principio á la Mision de S. Buenaventura y otro para la de Santa Bárbara.

Hallabase entonces el V. P. Presidente en su Mision de

San

San Carlos en su ordinaria tarea; y habiendo recibido la Carta, dando por cierto la venida de los seis Misioneros que estaban nombrados, y sabia ya S. R. por Carta quienes eran; por las vivas ansias que tenia de dichas fundaciones, puso la mira al número de Operarios que eramos, que no habia mas supernumerario que uno en su Mision de Monterey, que suplia quando salia S. R. á la Visita; y que en la de San Diego estaba mi Padre Compañero Fr. Pedro Benito Cambon, que habia llegado poco hacia de la dilatada Expedicion que casualmente hubo de hacer á las Filipinas, cuyo Barco, que por Diciembre anterior arribó á San Diego, lo dexó enfermo, y se hallaba todavia convaleciendo en la dicha Mision de San Diego. Confiado en que estaria algo reforzado para suplir, le escribió que se animase, y pasase á la Mision de San Gabriel, que alli se verian, como lo hizo, y diré despues.

No quiso S. R. perder el mérito de los trabajos, asi del camino como en las fundaciones que ya preveía: dexó el Supernumerario supliendo en la Mision de Monterey, é hizo la cuenta como que salia á visitar, y asi se puso en camino para San Gabriel, haciendole olvidar los accidentes el fervoroso zelo é innata inclinacion que tenia de aumentar el número de hijos de Dios y de la Santa Iglesia. De paso hizo Confirmaciones en las dos Misiones de San Luis y San Antonio, dexando confirmados los Neófitos que se habian bautizado despues de su última Visita. Pasó por la Canal de Santa Bárbara, alegrandose mucho de ver aquella Gentilidad, que ya estaba en vísperas de que les amaneciese la luz de la Fé: procuró regalarlos y agasajarlos, dándoles á entender que en breve volveria, y no tan de paso, sino á vivir con ellos, de que manifestaban alegrarse.

El 18 de Marzo, y muy tarde, llegó al nuevo Pueblo de Ntrâ. Señora de los Angeles, y paró á hacer noche, y el dia siguiente muy de mañana salió para la Mision de San Gabriel, que dista quatro leguas; y segun me dixo S. R. se le hicieron largas, ya fuese porque iba en ayunas, ó por los grandes deseos de llegar, que ya fué tarde. Halló á los Padres

Mi-

Ministros de ella sin novedad, y con ellos al P. Cambon, ya
convaleciente, y en estado de poder trabajar, de que se alegró mucho; y dexando los cumplimientos para despues, mandó repicar para la Misa, que cantó S. R. y en ella hizo una
fervorosa Plática del Santísimo Patriarca Señor San Joseph,
cuyo dia era, olvidando el cansancio de ciento treinta leguas
desde Monterey, y las quatro últimas andadas aquella misma
mañana.

Por la tarde hizo al Señor Gobernador los religiosos
cumplidos, que correspondió á la visita el dia siguiente, y en
ella trataron el punto de las fundaciones, y resolvieron el fundar la Mision de San Buenaventura al principio de la Canal,
y quedando en ella de Ministro interino el P. Cambon, pasa-
rian á fundar en el centro de la Canal el Presidio y la Mision
de Santa Bárbara.

Aunque el devoto Padre deseaba celebrar en la Mision
la Semana Santa; pero se huvo de contentar solo con los deseos, porque se publicó la salida para el 26 de Marzo que fué
Martes Santo. En los seis dias que estuvo S. R. en la Mision
de S. Gabriel hizo los mas dias Confirmaciones hasta el mismo dia de la salida, que despues de acabada la Misa hizo las
últimas, y salió con la Expedicion, que se componia de tanto
gentío que jamas se habia visto tanta Tropa junta en estas
fundaciones, pues á mas de la Tropa perteneciente al Presidio
y tres Misiones, que eran setenta Soldados con su Teniente
Capitan Comandante para el nuevo Presidio un Alferez, tres
Sargentos, y sus correspondientes Cabos. Iba el Señor Gobernador con diez Soldados de la Compañia de Monterey,
sus mugeres, y familias que los mas eran casados: los Arrieros con las requas de útiles, víveres y Sirvientes, y algunos Indios Neófitos para dar principio á la Mision: solo de Padres
era tan corto el número, que se reducia al V. P. Junípero, y al
P. Fr. Pedro Cambon. Viendo el V. Padre tanta disposicion,
y tanto gentío que iba á la fundacion de la Mision de S. Buenaventura, podia decir, acordandose de la cortedad de gente
y provisiones con que se habian fundado las demas: *Quo tan-*
dem

dem tardius co solemnius, que se dice de la Canonizacion del mismo Dr Seráfico.

Salió toda la dicha Expedicion que habia en la Mision de San Gabriel el 26 de Marzo, y se dirigió rumbo al Noroeste para la Costa de la Canal de Santa Bárbara. A la primera jornada, como á la media noche les llegó Correo de la dicha Mision de San Gabriel, despachado por el Señor Teniente Coronel Don Pedro Fages Comandante de la Expedicion, que habia venido por órden del Comandante General al Rio Colorado, con el encargo de que cruzando el Rio, caminase á San Gabriel á comunicar, y tratar las órdenes que llevaba con el Señor Gobernador de la Provincia: Y habiendo llegado dicho Señor Fages le despachó Correo, y en quanto recibió la Carta, aquella misma hora se puso en camino con sus diez Soldados retrocediendo para San Gabriel, dexando la órden al Comandante del nuevo Presidio de Santa Bárbara, para que siguiese la Expedicion su camino á la Canal, que él luego volveria; y en caso de dilatarse diese principio á la Mision de San Buenaventura, y que alli lo esperasen. Con esto siguió para San Gabriel á tratar con el Señor Fages el asunto del Rio Colorado, de que hablaré en el Capítulo siguiente.

Siguió la Expedicion al otro dia su camino, y el 29 de Marzo llegaron al principio de la Canal: pararon su Real en el parage nombrado por la primera Expedicion del año de 69 dela *Assumpta*, ó Asuncion de Ntrâ. Señora, premeditado desde entonces para la Mision de San Buenaventura, cuyo sitio está cerca de la Playa, en cuya orilla hay un gran Pueblo de Gentiles, bien formado de Casas piramidales pajisas. Está dicho sitio en la altura del Norte de 34 grados, y 13 minutos. El dia siguiente de la llegada se empleó la Gente en hacer una grande Cruz, una enramada, que sirviese de Capilla, y en componer, y adornar el Altar para decir el siguiente dia la primera Misa.

El dia último de Marzo, y primero de la alegre Pasqua de la Resurreccion del Señor bendixo el V. P. Presidente el

Ter-

Terreno, y Santa Cruz, y adorada la enarbolaron, y fixaron, y cantó S. R. la primera Misa en la que predicó del Sobera-no Misterio á la Tropa: y se tomó posesion del sitio para la Mision del Seráfico Dr. S. Buenaventura. Los Gentiles del Pueblo manifestaron alegrarse, con los nuevos Vecinos, y oficiosos ayudaron á hacer la Capilla, y continuaron gusto-sos, ayudando á hacer la casa para el Padre, todo de made-ra: á la que luego dieron mano, y los Soldados destinados de Escolta empezaron á cortar madera para Quartel y sus ca-sas particulares, con una estacada para la seguridad y de-fensa.

Asimismo se dió mano á conducir por zanja la agua de un crecido arroyo perenne, que tiene cerca del sitio, á fin de tener corriente el agua pegada á las casas, como tambien para aprovecharla para siembras, y lograr cosechas para mantener á los que se convirtiesen. Por medio de un Neófi-to de la Mision de San Gabriel, que algo entendia la lengua, se pudo dar á entender á los Gentiles el motivo á que habian venido á sus tierras, que no era otro que el dirigir sus almas para el Cielo haciéndolos Christianos. Aunque en los quince dias que en dicha iniciada Mision se mantuvo el V. P. Fun-dador no logró el ver bautizado alguno; pero sí en la visita del siguiente año ya halló su chinchorrito de Christianos, y quando acabó la tarea de su Apostólica vida contaba ya cin-cuenta y tres Christianos, y cada dia se van aumentando.

CAPITULO LIII.

Dase noticia de lo sucedido en el Rio Colorado, y efectos de la Expedicion. Fundase el Presidio de Santa Bárba-ra, sube el V. P. Presidente para Monterey.

QUeda dicho en el antecedente Capítulo, como el Señor Gobernador desde la primera jornada del camino para la Canal se regresó para la Mision de San Gabriel, á

don-

donde fué á amanecer el dia 27 de Marzo, y trató con el Señor Teniente Coronel D. Pedro Fages los asuntos y órdenes que traía del Señor Comandante General, y le refirió por menudo todo lo acaecido, segun las declaraciones que jurídicamente hicieron los Rescatadores, que tuve la dicha de tener en mis manos, y leerlas por habermelas prestado el dicho Señor Fages, que actualmente se halla Gobernador de la Provincia. Y aunque el asunto no es perteneciente á esta Historia; diré solo aquello que abona lo que en estas Misiones se ha practicado á direccion del V. P. Junípero, no omitiendo quanto sea de edificacion.

Dice que los Indios Yumas, que es la Nacion que puebla las orillas del Rio hácia al paso, aunque al principio que se fué á fundar se manifestaron de paz, y no hicieron resistencia, sino al parecer se alegraban de la vecindad de los nuestros, que se fundaron dos Misiones, de la Purísima Concepcion de Maria Santísima, y de San Pedro y San Pablo, á distancia de tres leguas la una de la otra, y las dos á este lado del Rio en el rumbo que mira á estos establecimientos de Monterey. Se Establecieron dichas Misiones en el método que queda dicho en el Capítulo 51. Y como los Padres Misioneros no tenian con que atraerlos ni congratularlos, ni que tratar mucho con ellos, se dificultaba su reduccion, no obstante no dexaban los Gentiles de freqüentar los dichos Pueblos, pero solo de paso á hacer sus tratos y cambalaches con los Soldados y Pobladores, como tambien por el interés de conseguir alguna ropa á trueque de Maiz, de que ellos cogian alguno en las orillas del Rio (aunque no es cosa mucha, pues se mantienen como los demas Gentiles de semillas silvestres). No obstante lo dicho, con esta comunicacion y ayuda de un buen Intérprete, lograron el bautizar algunos, aunque pocos; y como estos no vivian en los Pueblos, sino en sus Rancherias con los Gentiles, con la misma libertad y costumbres de ellos, se arrimaban muy poco á la Mision á rezar, viendose precisados los Misioneros de ir á buscarlos por las Rancherias, y á estar con ellos algunos dias para re-

zar

zar la Doctrina, y enseñarlos algo, y para atraerlos á que fuesen á Misa los dias festivos, costando lo dicho mucho trabajo y desazones.

A esto se agregó el sentimiento que causaba á dichos Gentiles el ver que las bestias y ganados de los Soldados y Pobladores se comian los zacates, quedando ellos privados de las semillas, de las que antes la mayor parte del año se mantenian: veían al mismo tiempo que los Pobladores se habian apropiado los cortos pedazos de tierra que se pueden aprovechar, y que ellos ya no los podian sembrar como hacian antes, que en ellos sembraban Maiz, Frixol, Calabazas y Zandias, aunque de todo poco por la cortedad de la tierra, que solo en los derrames, ó Vegas que quedan con humedad, al minorar las aguas del Rio en tiempo de seca, se logra. Viendose privados de esto, que reputan por grande heredad, y que se aprovechaban los nuevos Vecinos, no aprovechandose ellos siendo naturales de aquella tierra, les incitó el enemigo en la cabeza (como que conocia á que se dirigian estas Poblaciones á hacerlos Christianos, y quitarlos de su tirana esclavitud y dominio) una grande ojeriza contra los Españoles, y resolvieron echarlos no solo de su tierra, sino del mundo, acabando con ellos, para quedarse con la caballada, de que son muy codiciosos.

Nada de esto entendieron los Soldados ni Pobladores; pero segun las declaraciones, algo rezelarian los Padres Misioneros, pues mucho tiempo antes iban disponiendo á los Soldados y Vecinos para que los cogiese la muerte prevenidos, y asi todos los dias les predicaban, de que resultaba mucha freqüencia de Sacramentos, y asistir á la Iglesia al rezo de la Corona, y andar el Via-Crucis y otros exercicios: asi preparados y exercitados, que parecian mas Conventos que Pueblos.

Un Domingo, acabada la Misa última, á un mismo tiempo cayeron en ambas Poblaciones muchísimos Gentiles, que quitaron la vida al Comandante, al Sargento, y á todos los Soldados y Vecinos, menos unos pocos, que se pudieron es-

con-

conder, y á los quatro Padres Misioneros que en quanto vieron el estrago empezaron á exercer su ministerio Apostólico, confesando á unos, ayudando á otrós á morir con fervorosas exhortaciones, quitaron con mayor crueldad la vida estando en el actual exercicio de la caridad. Asimismo quitaron tambien la vida al Capitan Don Fernando Rivera y Moncada y á los Soldados de Monterey, que todos ocho estaban con la caballada á la otra banda del Rio, no obstante que pelearon bastante hasta morir, y se quedaron con toda la caballada.

Uno de los pocos Soldados que se pudieron esconder, se escapó y fué á salir al primer Presidio de la Sonora, y dió cuenta de lo sucedido al Capitan del Presidio, y este al Comandante General, quien mandó luego juntar la Tropa que se pudo de Dragones Voluntarios de Cataluña, y de Soldados de Cuera, y los despachó al mando del Teniente Coronel D. Pedro Fages, y con un segundo Comandante Capitan que era de Tropa arreglada, con la órden de llegar al Rio Colorado, y hallando ser verdad la declaracion del Soldado (que quedó interin arrestado) procurase lo primero rescatar todos los Cautivos, que para ello llevase ropas, y otras cosas que apetecen los Indios, y conseguido esto procurase indagar por los Rescatados, quienes habian sido las cabecillas; que los asegurasen, y llevasen presos para Sonora, y que á los demas se les diese el merecido castigo; y que comunicase con el Gobernador de Monterey, y tratasen de ir á caerles á un mismo tiempo por ambas partes del Rio, para que saliese á toda satisfaccion la empresa, y quedasen los Gentiles castigados y escarmentados, y no se imposibilitase el paso tan importante.

Caminó el dicho Señor Comandante Fages con su Expedicion para el Rio Colorado, y llegados á él hallaron despobladas las orillas del Rio, cerca del paso, cruzaron á esta banda, llegaron á los sitios de las Misiones, y lo hallaron todo quemado, y reducido á cenizas: los difuntos tirados al Sol y sereno, que mandó enterrar, halló los cuerpos de los Venenerables Padres Misioneros de la primera Mision Fr. Juan Diaz de la Provincia de San Miguel de la Extremadura, y Fr. Matias Moreno de la Provincia de Burgos, los halló enteros tirados al Sol en distintos sitios el uno del otro, los que mandó poner en unos caxones para llevarlos á Sonora.

De alli pasó al sitio de la otra Mision, y la halló de la misma manera incendiada, y á los difuntos tirados, y practicó lo propio que con los de la primera. Pero no hallaban los cuerpos de los Misioneros, que eran los Padres Fr. Francisco Garcés de la Provincia de Aragon, y Fr. Juan Barraneche de la Provincia de Santa Helena de la Florida y Havana: pensaban todos que no les habrian quitado la vida, fundados en que el dicho Padre Garcés era muy querido de los Indios, habia vivido mucho tiempo con ellos, sin Compañero y sin Soldado, sin haberle hecho lo mas mínimo; antes bien lo estimaban entrañablemente, y lo mantenian con sus comidas silvestres, que comia con tanto gusto como los mismos Gentiles, conocido de ellos por el viva Jesus, que era su salutacion ordinaria con los Indios, y hacia que ellos asi se saludasen.

Dicho Padre con un solo Indio de Compañero habia andado muchisimas Naciones no conocidas desde el Rio Colorado antes que se poblase: vino á estas Misiones, y de aqui se fué, y entró á la Provincia del Moxi, y de esta á Sonora, sin que los Gentiles de tantas Naciones como visitó le hubiesen hecho lo mas mínimo, y sin entender la lengua él, y su Compañero el Indio, y tan distintas lenguas de tantas Naciones, y en todas partes les daban de comer de las comidas que usan. Por lo dicho juzgaban todos que no lo matarian, ni á su Compañero, sino que estarian entre los Gentiles, que no podian dar con ellos para preguntarles. Pero no quiso Dios privarle del grande mérito de dar su sangre y vida en demanda de la conversion de los Gentiles, y quiso el Señor que fuese quando mas resguardado se hallaba de Tropa, pues le quitaron la vida con la misma crueldad que á los demas, segun la declaracion que dieron despues los que quedaron con vida y cautivos.

Re-

Repararon los Soldados de la Expedicion, que iban recogiendo á los difuntos, en un tramo de tierra que estaba verde (entre la demas quemada) toda vestida de zacate verde y matizada de flores de varios colores, las unas conocidas, y las otras no: habia entre ellas la Maravilla y otras. Mandó el Comandante cabar alli, y hallaron á los benditos Padres, cuyos venerables Cuerpos estaban juntos, y ambos ceñidos con sus cilicios, los que se mantenian sin haberse consumido: y segun consta de las declaraciones hechas, alli los enterró una India Gentil vieja, que en vida queria y estimaba mucho á los Padres, y viendolos muertos hizo un hoyo, y los enterró.

Mandó el Comandante Fages ponerlos en unos caxones, que despues llevó consigo y entregó personalmente al R. P. Presidente de las Misiones de la Pimería en Sonora, pertenecientes al Colegio de Santa Cruz de Querétaro, junto con las declaraciones hechas sobre todo lo acaecido, y entre las cosas particulares que en ellas se contienen y he leido, es una la siguiente, que no omito por mas particular: dice que:

Despues de haber sucedido el incendio de las Misiones, luego que entraba la noche, se veía una Procesion de Gente vestida toda de blanco, todos con velas en las manos encendidas, y delante su Cruz con ciriales, y daban vueltas al rededor del recinto en donde habia estado la Mision, y que cantaban no saben qué; y que despues de haber dado muchas vueltas desaparecian; y que esto lo vieron muchas noches, no solo los Christianos, sino tambien los Gentiles, y que á estos les causó tal horror, é infundió tal temor, que desampararon sus tierras, y se mudaron como ocho leguas mas abaxo, tambien á la orilla del Rio, que alli llevaron los Cautivos Christianos; aunque á estos no causó dicha vision ni horror ni temor, sino alegria. Esta mutacion fué la causa de no haber hallado en el sitio á la Nacion Yuma. Buscáronlos Rio abaxo, y como ocho leguas del sitio los hallaron, pero metidos en la espesura de un Bosque ó Monte de arboleda pegada al Rio, sin poder conseguir el sacarlos, ni poder tra-

tratar con ellos mas que fuera de tiro; pero consiguieron en buenas, así de lejos, rescatar todos los Cautivos á trueque de ropas; y viendo el Comandante que por entonces no podia hacer otra accion, determinó volver para Sonora con todos los rescatados, y con los cuerpos de los difuntos, y dar cuenta de todo al Comandante General, y asi lo practicó.

Enterado de todo el Señor Comandante General, dióle nuevo órden para que se juntase la Expedicion á fin de coger las cabecillas, que ya constaba por las declaraciones de los Rescatados quienes habian sido los principales motores, como tambien para escarmentar aquella atrevida y rebelde Nacion Yuma. Para que se cogiese, dió órden al Teniente Coronel Fages, que iba de Comandante, para que llegado al Rio Colorado dexase alli al mando del Capitan que iba de segundo Comandante la mayor parte de la Tropa, y con parte de ella, cruzando el Rio, llegase á estos Establecimientos á tratar con el Señor Gobernador de la Provincia sobre este asunto, á quien le enviaba la órden para que con toda la Tropa que fuese posible pasase en persona á la Expedicion del Colorado, para que repartida dicha Tropa por ambas partes del Rio se lograse el deseado fin. A esto venia el dicho Señor Fages, y llegó á San Gabriel el mismo dia 26 de Marzo, que habia salido de dicha Mision el Señor Gobernador para la fundacion de la Canal, como ya dixe.

En quanto el Señor Gobernador recibió los Pliegos que le remitió el Señor Fages, se regresó para la dicha Mision: alli trataron ambos el asunto, y acordaron el dilatar la ida al Rio Colorado hasta Septiembre, que estaria el Rio en disposicion de vadearse; y para que no estuviese la Tropa de Sonora detenida tanto tiempo en dicho Rio, pasó el Señor Fages al Rio á darles la órden para que se retirasen á la Sonora, con los Pliegos para la Comandancia, en que se daba cuenta de lo determinado, y el Señor Fages se regresó con su Tropa á San Gabriel á esperar el tiempo señalado para la Expedicion, la que se executó por Septiembre; pero no se consiguió la pacificacion de dicha Nacion, aunque se mataron

ron á muchos Gentiles, sin muerte alguna de parte de los nuestros, solo algunos salieron heridos. aunque no de muerte: pero siempre el paso imposibilitado. Con lo dicho parece quedarian desengañados los Señores Comandante General, y Gobernador de la Provincia, que el nuevo método que habian ideado para la reduccion de los Indios no era tan á propósito, como el que en estos Establecimientos tenemos; por lo que desengañados con los gastos que se habian hecho, y tan excesivos, sin efecto alguno, parece les hizo ceder del intento y proyecto que tenian de que los Establecimientos de la Canal fuesen con el ideado método, de que los Misioneros corriesen solo en lo espiritual, y que los Gentiles que se convirtiesen, viviesen y se mantuviesen como quando Gentiles y en la misma libertad.

CAPITULO LIV.

Prosigue la materia del antecedente de la fundacion del Presidio de Santa Bárbara.

EN quanto el Señor Gobernador se vió desocupado por lo resuelto de la suspension de la Expedicion del Colorado hasta el mes de Septiembre, que hubo despachado al Río al Señor Fages, como queda dicho, salió de San Gabriel para dar mano á los Establecimientos de la Canal. Llegó á mediados de Abril á la iniciada Mision de San Buenaventura, vió el sitio y lo mucho que se iba estableciendo con el mismo método espiritual y temporal que todas las demas, y no habló palabra, no obstante que tenia ideado é informado (como poco despues se supo) que fuesen estas Misiones fundadas segun el nuevo método del Rio Colorado, aunque la variacion de exitos y efectos, segun lo que habia oido al Señor Fages, puede ser le abriese los ojos, y le hiciese mudar de idea é intencion, pues no habló palabra, ni se quiso oponer al método que vió en la Mision de San Buenaventura.

En breve habló de pasar adelante y dar mano á la fundadacion del Presidio de Santa Bárbara, y el V. P. Presidente trató lo mismo. Dexó de Ministro interino de San Buenaventura al P. Cambon mientras llegaban los Barcos, y con ellos seis Misioneros que se esperaban. Y el Señor Gobernador para la Escolta de la Mision principiada dexó un Sargento, y catorce Soldados, que hasta la presente no se habia fundado con tanta Escolta Mision alguna, y en breve se le añadieron otros diez al regreso del Señor Fages, interin llegaba el mes de Septiembre para la Expedicion del Colorado.

Toda la demas Tropa siguió para la Fundacion del Presidio con los dos Oficiales Teniente y Alferez, y el Señor Gobernador con los diez Soldados de Monterey. Fué tambien siguiendo la Expedicion el V. P. Presidente. Caminaron por la Costa ó Playa de la Canal, mirando las Islas que la forman, y habiendo andado como nueve leguas de la Mision de San Buenaventura, que se juzgó como á la mediania de la Canal, mandó el Gobernador parar la Tropa, y con el R. P. Presidente y algunos Soldados se hizo el registro de aquellas cercanias, y hallaron sitio muy al propósito para la ubicacion del Presidio á la vista de la Playa, que alli forma una Ensenada, en la que podrian dar fondo los Barcos, en cuya Playa tiene una grande Rancheria de Gentiles. Mandó el Señor Gobernador parar el Real en dicho sitio apto, y se puso mano á hacer una Cruz grande, y una Barraca para primer Capilla, y la mesa para el Altar. Bendixo el V. P. Presidente el terreno, y la Santa Cruz, que adorada, y enarbolada, dixo la primera Misa, que oyó el Señor Gobernador con los Oficiales y toda la Tropa, y en ella hizo S. R. una fervorosa Plática, y se concluyó la funcion tomando posesion del sitio sin la menor contradicion de los naturales de él.

El dia siguiente empezaron el corte de madera para las fábricas de Capilla, casas para el Padre, Oficiales, Quartel, Almacenes, casas para las familias particulares de los Soldados casados, y Estacada. Mantúvose el V. P. Presidente en dicho Presidio una temporada hasta que le dixo el Señor Gobernador que no empezaria á fundar la Mision hasta quedar con-

clui-

cluido el Presidio: oyendo esto S. R. dixo: pues Señor: Yo aqui no hago falta, no pasando á fundar la Mision, y asi determino pasar á Monterey, porque ya no pueden tardar mucho los Barcos, desde allí enviaré á los Padres, y entretanto, para que aqui no se quede tanta gente sin Misa y quien les administre, llamaré á uno de los Misioneros de San Juan Capistrano: asi lo practicó, dexando primero confirmados á todos los de la Tropa que no habian recibido este Santo Sacramento.

Salió del Presidio de Santa Bárbara para Monterey lleno de gozo por ver ya fundada la Mision de San Buenaventura, que tantos años habia anhelado: visitó de paso las dos Misiones de San Luis y San Antonio, y en ambas hizo confirmaciones, confirmando á los que se habian bautizado desde Marzo, que habia hecho en ellas Confirmaciones, y se retiró para su Mision de San Carlos á mediados del mes de Junio. Llegó á buen tiempo, pues aquel mismo dia poco antes de llegar á Monterey se encontró con el Correo, que traía los Pliegos y Cartas de México venidos por los Barcos, que habian dado fondo en este Puerto el 2 de Junio de dicho año de 83: y aunque la noticia de la llegada de los Barcos alegró á S. R.; pero diciendole no venian Padres, lo entristeció, como diré en el Capítulo siguiente.

CAPITULO LV.

Suspéndense las fundaciones de la Canal con grande pena del V. P. Junípero.

AL mismo tiempo que el Señor Comandante General mandó reclutar la Tropa para los Establecimientos de la Canal, pidió el nuevo Virey el Exmô. Señor Don Martin de Mayorga al R. P. Guardian de nuestro Colegio, á peticion de dicho Señor Comandante, seis Misioneros Sacerdotes para las tres Misiones, nombrándolos el V. Discretorio de los

que

que voluntariamente se ofrecieron, y uno de ellos tuvo oportunidad de escribirlo, por cuyo medio llegó dicha noticia á estas Misiones, y por esta daba por cierto el V. P. Presidente que vendrian con el Barco dichos Padres; pero no fué asi, por lo que ya refiero.

Habiendose nombrado los seis Misioneros, ocurrieron á S. Excâ. pidiendo lo acostumbrado y establecido de ornamentos, utensilios de Iglesia, Sacristia, los Sínodos para la Mision y transporte del camino, como tambien para los de casa y campo. Todo lo mandó aprontar S. Excâ., menos lo perteneciente á útiles de casa y campo, escusandose con decir habian escrito los Señores Comandante General y Gobernador de la Provincia, que no eran necesarios, y que no se diese para ellos. Viendo los Padres esta respuesta, indagaron con toda sagacidad la causa ó motivo, y supieron por cierto de que intentaban se fundasen dichas tres Misiones con nuevo método, esto es, con el que se fundaron las dos del Rio Colorado, como queda expresado.

En quanto se cercioraron de esto, se presentaron por escrito al Venerable Discretorio escusandose para la venida, por lo que habian sabido; y que en atencion á que con el nuevo método no habian de conseguir la conversion de los Gentiles (que desea S. Magestad) que eran los de la Canal de la misma calidad que los de la California nueva, pues están en el centro de lo Conquistado, que solo se conseguia su reduccion por el interés de tener que comer, y vestir, y despues poco á poco se les entra el conocimiento del bien, y del mal espiritual. Que mientras no tuvieren los Misioneros que darles, no les cobrarian afecto: si no vivian juntos en Pueblo baxo de campana, sino en sus Rancherias de la misma manera que quando Gentiles desnudos y hambrientos, no se podria conseguir el que dexasen las viciosas costumbres de la Gentilidad, ni que se civilizasen como tanto encarga S. M. á los Misioneros dedicados á las nuevas conversiones, como consta por sus Leyes de Indias: y supuesto que con el nuevo metodo ideado no se habia de conseguir el fin, era ocioso el que

S.

S. M. gastase en Sínodos annuos, y en su transpórte de mar y tierra: y que habiendose ofrecido ellos voluntariamente, de la misma manera se escusaban.

Viendo el R. P. Guardian y Padres Discretos las razones tan fundadas de los Misioneros destinados, las representaron á S. Excâ.; pero como la déterminacion no dependia de su Superior Gobierno, sino de la Comandancia General, que dista mas de quinientas leguas de México, hubo demora en la respuesta, y se suspendió la venida de dichos Ministros. Y escribió el R. P. Guardian al P. Presidente lo que habia pasado, y que en atencion á ello, no pasase á fundar dichas Misiones hasta nuevo órden, que sería quando no hubiera novedad en el método que hasta la presente se habia observado, y con él conseguido el principal fin.

Afligió en gran manera esta impensada noticia á el fervoroso corazon del zelosísimo Prelado, considerando ser ardid del enemigo para impedir la conversion de aquellos Gentiles; pero no por esto perdió la paz interior, sino que ofreciendo al Señor sus deseos, se conformó con su santísima voluntad, y se resignó á la del Prelado, pues la mas leve insinuacion la cumplia como si fuera precepto. Veía la voluntad del Prelado al mismo tiempo que ya tenia fundada una de las tres Misiones, porque daba por cierto vendrian los Misioneros, porque viendo que no solo no venian, sino que le decia el R. P. Guardian se suspendiesen las fundaciones, entró en la duda, si debia retirar el Misionero de la Mision fundada de San Buenaventura, supuesto que estaba tan á los principios; y si el darla por fundada dexando en ella Padres, seria faltará la voluntad del Prelado. No quiso S. R. por sí deliberar, por no errar, llevado de la grande inclinacion que siempre tuvo de aumentar el número de Misiones, que para ello jamas se le propuso dificultad alguna, confiado siempre en Dios, como dueño de esta espiritual labor, y asi para no proceder con su solo parecer, quiso hacer junta de Misioneros los mas inmediatos á Monterey.

Hallabase en su Mision con el Compañero y uno Superpernumerario, escribió á las quatro Misiones mas inmediatas, y concurrimos uno de cada Mision: juntos todos los siete nos leyó la Carta del R. P. Guardian, que refería todas las noticias dichas, como tambien nos refirió el como se habia fundado la Mision de San Buenaventura en el mismo método de las demas de la Conquista, como lo habia visto el Señor Gobernador, y no habia hablado palabra, quien si en su interior tenia otra cosa, hasta ahora no lo habia expresado; que tal vez habiendo experimentado el efecto de las dos del Rio Colorado con tanta pérdida de tantas vidas, y excesivos gastos de la Real Hacienda, asi por lo que alli se perdió, como en lo que se gastó en las Expediciones para castigar á los Gentiles, y sin efecto, podria ser que hubiese mudado de dictamen. Pero que no obstante esto, deseaba nuestro parecer para determinar si habia de permanecer la Mision de S. Buenaventura.

Enterados de todos los puntos, y conferenciados los reparos que á cada uno ocurrieron, se resolvió que en atencion á lo dicho, ya que para la dicha Mision de San Buenaventura se habian recibido desde el año de 69 no solo los ornamentos, Vasos Sagrados, utensilios de Iglesia, y Sacristia, sino tambien los de casa, y campo, y que para dicha fundacion habian estado depositados desde el año de 71, y á la presente habia dos Misioneros supernumerarios que podrian estar de Ministros de la iniciada Mision, fueron todos de parecer subsistiese esta, dandose por fundada por haber llegado la órden del Prelado verificada ya la fundacion, y en el antiguo método; porque de desamparar el sitio se seguirian muy malas conseqüencias, y atrasos á la Conquista.

Conformóse S. R. con el parecer de todos, quedando su corazon y conciencia sosegada. Luego nombró dos Ministros para ella, para que quanto antes caminasen para su destino, quedandose por esta razon la de San Carlos sin supernumerario, y ya imposibilitado el V. P. Presidente á salir al ministerio de Confirmaciones en las demas Misiones. De todo lo resuelto y practicado dió cuenta por los Barcos al R. Padre Guar-

Guardian del Colegio y Venerable Discretorio, suplicando que para el siguiente año enviasen á lo menos dos Religiosos para supernumerarios, porque se veía por esta falta imposibilitado de salir á visitar, y confirmar: y que en caso de enfermedad ó muerte de algun Misionero, no habia quien pudiese suplir, que seria de mucho desconsuelo para el que quedase solo.

Vióse el fervoroso y laborioso Prelado imposibilitado de salir á sus visitas annuas hasta el siguiente año, de que hablaré en el Capítulo siguiente; pero se dió con mas afan á la espiritual labor de su Mision, y lo consoló el Señor enviandole muchos Gentiles, hasta Rancherias enteras, en cuya educacion se empleó instruyendolos en el Catequismo, é instruidos bautizaba y confirmaba, aumentando en gran manera el número de hijos de Dios y de la Santa Iglesia. Este fruto espiritual que con abundancia cogia en su Mision, por un lado lo consolaba, y por otro lo afligia acordandose de la Canal, que mayor fruto se cogeria; por lo que incesantemente pedia al Señor Operarios para aquella su Viña, pues según lo que habia experimentado estaban ya de sazon.

CAPITULO LVI.

Llega el socorro de dos Misioneros, y sale el V. Padre Presidente á hacer su última Visita á las Misiones del Sur.

ENterado el R. P. Guardian por Carta del Padre Presidente de quedar establecida la Mision de San Buenaventura con el mismo método que las demas, (lo que aprobó) y viendo que ya no quedaba supernumerario alguno, propuso en Discretorio esta necesidad; y no obstante de hallarse el Colegio con tan corto número de Religiosos que siguiesen la Comunidad, que apenas excedia el número de diez y ocho que estabamos en estas nueve Misiones, y que no se tenia

la

la menor noticia de la Mision de España: determinaron viniesen dos para suplir en las necesidades que ocurriesen, los
que luego se aprontaron, y caminaron para San Blas; y habiendose embarcado, llegaron con felicidad á este Puerto el
2 de Junio de 1783, y habiendo descansado unos dias en esta
Mision, y en la de Santa Clara, llegaron por tierra á la de S.
Carlos de Monterey á tomar la bendicion del R. P. Presidente, que hallaron malo de una fluccion que le habia caido al
pecho.

Este accidente del dolor del pecho, ya habia muchos
años que lo padecia, desde que estuvo en el Colegio, aunque
jamas se quexó ni hizo la menor diligencia de ponerse en
cura, haciendo tanto caso de este accidente como de la llaga, é inchazon del pie y pierna, que quando le hablabamos
de aplicarle algun remedio solia responder: *dexemos esto,
no lo vayamos á echar á perder: asi vamos pasando:* añadiendo el dicho de Santa Agueda: *Medicinam carnalem corpori
meo nunquam exhibui.* Este dolor y sufocacion del pecho,
aunque nunca se explicó si se sentia ó nó lastimado de él, yo
asi lo juzgué, acordandome de lo que S. P. practicaba en muchos de los Sermones de las Misiones que predicó entre Fieles, que ya queda dicho á fin de mover á los del auditorio á
llorar sus culpas, y dolerse de sus pecados.

A mas de la cadena que ya solia sacar á imitacion de San
Francisco Solano, con la que cruelmente se azotaba en el
Púlpito, mas de ordinario sacaba una grande piedra, que solia tener prevenida en el Púlpito; y al concluir el Sermon,
con el acto de Contricion, enarbolaba la Imagen de Christo
Crucificado, con la mano izquierda, y cogia con la otra el
canto ó piedra, con la que se daba en el pecho todo el tiempo del acto de Contricion tan crueles golpes, que muchos del
auditorio rezelaban no se rompiese el pecho, y se cayese
muerto en el Púlpito.

Usaba tambien para mas mover al auditorio, principalmente en los Sermones de Infierno, ó de la eternidad, de otra
inventiva bien pesada, lastimosa y peligrosa para lastimar

el

el pecho; y era que solia sacar una acha de quatro pabillos encendida, á fin de que los oyentes viesen la alma en pecado ó condenada, y concluía abriendose el pecho (que para el efecto tenia el hábito y túnica abiertos por delante) y á raiz de la carne apagaba la grande llama del achon, deshaciendose la gente en lágrimas, unos de dolor de sus pecados, y otros de compasion del fervoroso Predicador, juzgando que sin duda habria lastimado su pecho. Pero baxaba el zeloso Padre del Púlpito sin la menor novedad, y como si tal accion hubiera hecho, y jamas manifestó si habia quedado lastimado, aunque era natural asi sucediese, y que quedase el pecho herido y quemado, de cuyas resultas le quedaria lo que parecia cargazon en el pecho, de que solo sentia alivio descargando y deponiendo algunas flemas. Una de las ocasiones en que se sintió mas malo fué quando llegaron los dos Misioneros dichos á la Mision de Monterey, los que recibió el Venerable Prelado con estrecho abrazo de amoroso Padre, alegrandose mucho de su llegada; pero sintiendo al mismo tiempo el que no hubiese venido mayor número para poder verificar las fundaciones de la Canal. Dió á Dios las debidas gracias conformandose con su santa voluntad, repitiendole sus súplicas para que enviase Operarios para la Canal.

En quanto tuvo quien pudiese suplir su ausencia determinó dexar en su Mision uno de los que acababan de llegar, que fué el P. Fr. Diego Noboa de la Provincia de Santiago de Galicia, y con él otro de la misma Provincia llamado el Padre Fr. Juan Riobó, baxar para San Diego, este para suplir en qualquiera necesidad de las Misiones del Sur, y S. R. para hacer la última Visita de aquellas Misiones, y confirmar los Neófitos de ellas. Dilatóse la salida del Barco hasta Agosto, y en esta detencion se le agravó el accidente del pecho, de modo que todos juzgamos no estaba en disposicion de embarcarse, y mucho menos para poder volver por tierra con tan dilatado camino.

Lo mismo juzgaba el V. P. Presidente, pues el dia que se embarcaba me escribió la despedida encargandome los asuntos

tos particulares del oficio, y concluía su Carta con mucha gracia y resignacion: *Todo esto digo, porque mi vuelta puede ser en Carta, pues tan agravado me hallo: encomiendeme á Dios.* No obstante de hallarse tan malo, el zeloso y fervoroso incendio que residia en su corazon le hacia posponer su salud y vida por la caridad del Próximo, no dándole lugar á privarlos de los bienes espirituales del Santo Sacramento de la Confirmacion; y como veía que solo hasta Julio del siguiente año, que se cumplia el decenio de la Concesion, duraba esta extraordinaria facultad, no quiso omitir el hacer la diligencia de su parte, para que lograsen este bien espiritual, esperando en que Dios nuestro Señor, por quien emprendia este viage, le asistiria. Con esta confianza se embarcó con el Padre arriba expresado, y sin la menor novedad desembarcó por el mes de Septiembre en San Diego.

Aunque no llegó mejor de sus males; pero sí muy alentado en el fervor y espíritu, de modo que luego trató con los Padres de la disposicion de los Neófitos para confirmarlos: asi lo practicó, y dexándolos á todos con este bien espiritual, emprendió el camino por tierra de ciento setenta leguas hasta Monterey, haciendo su mansion en cada Mision, procurando no dexar Christiano alguno sin confirmar, por ser la última Visita con la dicha facultad. En la Mision de San Gabriel, segun me escribieron los Ministros, se vió apurado del accidente del pecho, que pensaban que alli se moria; pero no por esto dexaba de rezar, decir Misa, y confimar, y era ya con tanta fatiga que los Indios chicos que le ayudaban á la Misa, decian á sus Padres Ministros con mucha pena y dolor, que expresaban con lágrimas: Padres, ya el Padre, viejo (asi lo llamaban) se quiere morir: con lo que se enternecian los Padres, y se les oprimia el corazon, y mas quando tuvo á todos los Neófitos confirmados, trató de ponerse en camino para la siguiente Mision de San Buenaventura, rezelosos no muriese en el camino, que es de mas de treinta leguas, sin mas poblacion que Gentilidad.

Pero dióle Dios fuerzas para llegar á su querida Mision de

de San Buenaventura (la última que. habia fundado el año anterior) y viendo ya en ella su competente número de Christianos, que el año antecedente habia visto Gentiles, no cabia de alegria dando muchas gracias á Dios: los que confirmó con extraordinario gozo y júbilo de su corazon, que al parecer le alivió sus males, pues salió de ella ya muy aliviado de la sufocacion del pecho, y siguió su camino con el mismo alivio.

Cruzó por los Pueblos de Gentiles de las veinte leguas de la Costa de la Canal de Santa Bárbara, que no baxan de veinte Pueblos bien formados y poblados de mucho gentío, y en cada uno de ellos se le derretia el corazon por los ojos, ya que no podia regar aquella tierra con su sangre para lograr su reduccion, porque no estaba en su mano, procuró regarla con lágrimas, nacidas de sus fervorosos deseos, que le hacian prorrumpir con el *Rogate Dominum mesis, ut mittat operarios in messem suam:* (Matth. 9. Vers. 38.) y la carencia de estos es de creer que le acortó la vida, segun las vivas ansias que tenia de la conversion de los Gentiles, pues desde que recibió la noticia de no venir Misioneros para las Misiones de la Canal, se le oprimió el corazon, ofreciendolo á Dios nuestro Señor con sus deseos de la propagacion de la Fé.

Saliendo de la Canal siguió su camino, cruzando por las dos Misiones de San Luis y San Antonio, en las que se detuvo á confirmar á los Neófitos recien bautizados: y colmado de méritos llegó á su Mision de S. Carlos por Enero de 1784, con mas fuerzas y salud que quando por Agosto se embarcó, dexando á todos admirados y llenos de gozo viendolo otra vez en su Mision quando pensaban no volverlo á ver.

La llegada á su Mision no fué para dar descanso á su cuerpo tan fatigado de los caminos sobre la abanzada edad de 70 años ya cumplidos, sino para aplicarse con mas fervor al culto de su Viña, catequizando á Gentiles, bautizando y confirmandolos, y en los demás exercicios en que ordinariamente se empleaba, teniendo para ello distribuido el tiempo. Celebró la Quaresma y Semana Santa con su acostumbrada de-

devocion y exercicios; y despues de Pasqua, y haber concluido con los que habian de confesar y comulgar para el cumplimiento de la Iglesia, trató de venir á estas Misiones del Norte á hacer la última Visita.

CAPITULO LVII.

Ultima Visita que hizo en estas Misiones del Norte.

EN quanto se vió desocupado el V. P. Presidente de los precisos quehaceres de su Mision, principalmente del cumplimiento de la Iglesia, salió para estas Misiones á hacer las últimas Confirmaciones, y á bendecir la Iglesia de la Mision de Santa Clara, para lo que lo tenian convidado los Ministros de ella, que tenian determinado dedicarla el 16 de Mayo. Salió S. R. de su Mision á últimos de Abril, y no deteniendose en Santa Clara, reservando para la vuelta el hacer Confirmaciones, se vino para esta de N. P. San Francisco, la mas interna, á donde llegó el 4 de Mayo sin novedad en la salud. Fué para mí su llegada de extraordinario gozo el ver en esta Mision, la mas interna de lo Conquistado, á mi amado y siempre Venerado P. Maestro y Lector, que nueve meses antes se habia por carta despedido de mí, como si no nos volviesemos á ver: deseaba lograr la dicha de gozar su compañia tan amable por algunos dias en esta Mision; pero Dios dispuso no fuese como deseabamos, pues á los dos dias de llegados huve de salir á toda prisa para la de Santa Clara, por haber venido la noticia por posta, de hallarse muy malo el principal Ministro de ella el R. P. Fr. Joseph Antonio Murguía.

En quanto recibí la Carta, tomada la bendicion del Venerable Prelado, que quedó para las Confirmaciones, me puse en camino, y hallé al enfermo con una fuerte calentura: dispúsose con todos los Santos Sacramentos, y el dia 11 de

dicho

dicho mes de Mayo entregó su alma al Criador, de quien
piamente creemos todos iria á descansar en la Iglesia Triun-
fante, y recibir del Señor el premio de su fervoroso zelo de
la conversion de las almas, en cuyo exercicio se empleó treinta y seis años: los veinte en las Misiones de los Pames de la
Sierra Gorda, en las que convirtió á muchas almas, fabricó
una sumptuosa Iglesia, que fué la primera que en aquellas
Conquistas se hizo de cal y canto.

Vino desde aquellas Misiones para las Californias: en la
antigua trabajó cinco años, y entregadas aquellas Misiones
á los RR. Padres Domínicos, subió para esta nueva California, en la que fundó la Mision de N. Seráfica Madre Santa
Clara, dexando en ella bautizados quando murió mas de seiscientos Gentiles. En esta su Mision acababa de fabricar una
grande Iglesia (que segun dixo el R. P. Presidente es la mejor y mas grande de todos estos Establecimientos) de cuya
fábrica habia sido el difunto, no solo Maestro, Director y
Sobrestante, sino tambien Peon, enseñando á los Indios Neófitos: teniendola concluida para celebrar la Dedicacion el dia
16 de Mayo, fué Dios servido de llevarlo para sí el dia 11 de
dicho mes, sin duda, como piamente creemos, para que tuviese mas premio en el Cielo.

El especial afecto que siempre tuve á este Religioso desde el año de 50 que nos conocimos, y empezamos á ser Compatriotas en el ministerio, hasta su muerte, que quiso Dios
fuese Yo, y le administrase los Santos Sacramentos, y ayu-
dase, y la correspondencia de su afecto, no me dá lugar á
omitir esta memoria. No era menor el afecto que le tenia el
V. P. Junípero, pues siempre lo tuvo por perfecto Religioso
y grande Operario para la Viña del Señor, y por esto lo solicitaba con grandes ansias para estas nuevas Misiones, como
se puede ver en las Cartas que quedan copiadas en su lugar.
No obstante el cordial afecto que le tenia, no pudo S. R. asistir á su muerte, pues no dió lugar lo agudo de la fiebre, y
lo distante de quince leguas que se hallaba confirmando
en esta Mision de N. Padre. Y en quanto concluyó, dexando
con-

confirmados á todos los Neófitos, caminó para Santa Clara en compañia del Señor Gobernador, que estaba convidado para Padrino de la Dedicacion de la Iglesia.

Llegaron á aquella Mision el 15 de dicho mes por la mañana; en donde los recibimos quasi sin podernos hablar, por la pena que nos embargó las palabras, considerando la muerte del Padre, que habia trabajado tanto para fabricar la Iglesia que venian á bendecir, y cinco dias antes de la Dedicacion se lo habia llevado Dios para premiarlo en el Cielo. Por la tarde se hizo con toda la solemnidad posible la bendicion segun el Ritual Romano, con asistencia de todo el Pueblo de Neófitos, y muchos Gentiles que asistieron, como tambien de la Tropa y del Vecindario del Pueblo de San Joseph de Guadalupe. Y el dia siguiente, que fué el Domingo quinto despues de Pasqua, dia de la Consagracion de la Basílica de N. S. P. San Francisco, cantó el R. P. Presidente la Misa, en la que predicó al Pueblo con aquel espíritu y fervor que acostumbraba: y concluida la Misa hizo Confirmaciones en los que estaban ya preparados.

Aunque pensaba retirarme á mi Mision, me detuvo S. P. diciendome se queria disponer para morir, por si no nos viesemos mas, pues se hallaba ya postrado, y que ya no le podia quedar mucho tiempo de vida. Hizo unos dias de exercicios espirituales y su confesion general, ó repitió la que otras veces habia hecho, derramando muchas lágrimas, no siendo menos las mias rezelando no fuese esta la última vez que nos viesemos: no logrando lo que ambos deseabamos de morir juntos, ó á lomenos que el último asistiese al que se adelantase. y mirando el que S. P. se iba para su Mision, y Yo para la mia, distantes quarenta y dos leguas, y todas de Gentilidad, no sería muy facil el conseguirlo; pero quiso el Padre de las misericordias, y Dios de toda consolacion darme este consuelo, que diré en el siguiente Capítulo.

Los dias que se detuvo en Santa Clara se empleó en disponerse para morir, como tambien en el santo exercicio de bautizar á algunos que concurrieron, (de que fué siempre muy

muy goloso y jamas se vió harto) y confirmar á los Neófitos que no habian recibido este Santo Sacramento; y habiendo algunos, que por enfermos no pudieron venir á la Iglesia, fué S. P. á su Rancheria á confirmarlos en sus casas, para que no se privasen de este bien: y no dexando á Christiano alguno sin confirmar, el mismo dia que hizo las últimas Confirmaciones se puso en camino para su Mision de Monterey, dexandome con aquella pena que se dexa considerar de un filial afecto.

En quanto llegó á su Mision, que fué á principios de Junio, envió para la de Santa Clara para Ministro en lugar del difunto P. Murguía, al que estaba en Monterey de Supernumerario Fr. Diego Noboa: y S. P. entabló de nuevo su Apostólico exercicio, instruyendo de nuevo á los que faltaba de confirmar, antes que se cumpliese el decenio de la Comision y facultad, que era el 16 de Julio de dicho año de 84, y para dicho dia tuvo ya confirmados á todos los de su Mision, sin quedar Neófito alguno por confirmar. Y al ver S. P. espirada la facultad, dexando confirmados cinco mil trescientos y siete, parece que aquel mismo dia 16 de Julio dixo lo que el Apostol de las Gentes á los Gentiles: *Cursum consumavi, fidem servavi*: pues parece que aquel mismo dia llegó el Nuncio de su cercana muerte, como ya digo.

Dicho dia 16 de Julio dió fondo en este Puerto de N. S. P. S. Francisco uno de los Barcos que venian de San Blas, con los víveres y avíos; y por el recibo de las Cartas, quando vió que los Operarios que habian de venir en este Barco, y que no vino alguno para las fundaciones de la Canal, se halló con la Carta del R. P. Guardian, en la que le decia la causa porque no enviaba Misioneros, que era por el corto número de Religiosos que actualmente tenia el Colegio, por los que habian fallecido, y otros que se habian regresado para España cumplido el tiempo y de la Mision, que años habia esperaban de España no se tenia la menor noticia.

Esta nueva fué muy sensible para el fervoroso corazon del V. P. Junípero viendo frustrados sus deseos de dichas fun-

fundaciones, que anhelaba ver antes de morir; y leyendo la
imposibilidad para el efecto, parece que leyó el aviso de su
cercana muerte, si no que digamos, que por otro mas seguro
conducto tuvo aviso de ella, pues segun obró esperaba en
breve su muerte, pues en quanto recibió las Cartas del Barco, escribió como acostumbraba á las Misiones, dando noticia á los Ministros de la llegada del Barco, remitiéndoles las
Cartas. A los mas retirados del rumbo del Sur, escribió despidiendose de ellos para la eternidad, que lo supe á los quince dias de su muerte, por Carta que le contextaban á esta
claúsula de despedida. A los Padres de las Misiones mas cer-
canas de San Antonio veinte y cinco leguas, y San Luis cincuenta, escribió, que estimaría viniese un Padre de cada
Mision para los avíos que traía el Barco, que lo deseaba mucho para hablarles y despidirse por si fuese la última vista;
y á mi me escribió que fuese para Monterey, ó con el Barco,
ó por tierra, como me pareciese; y segun el efecto, todo esto
se dirigia á que asistiesemos á su muerte, y asi habria sucedido, si asi como yo recibí la carta la hubiesen recibido los
otros Padres de San Antonio y San Luis.

CAPITULO LVIII.

Muerte exemplar del V. P. Junípero.

VIendo la Carta del R. P. Presidente, en la que me decia
fuese para Monterey, aunque no me decia fuese breve
mi ida, pero viendo que dilataba el Barco á salir, me fuí por
tierra. Llegué el dia 18 de Agosto á su Mision de S. Carlos,
y hallé á S. P. muy postrado de fuerzas, aunque en pie, y con
mucha cargazon de pecho; pero no por esto dexaba de ir
por la tarde á la Iglesia á rezar la Doctrina y Oraciones con los Neófitos y concluyó el rezo con el tierno y
devoto Canto de los Versos que compuso el V. P. Margil á
la Asuncion de Ntrâ. Señora, en cuya Octava nos hallabamos.

mes. Al oirlo cantar con la voz tan natural, dixe á un Soldado que estaba hablando conmigo: no parece que el P. Presidente esté muy malo; y me respondió el Soldado (que lo conocia desde el año de 69): Padre, no hay que fiar: él está malo,
este Santo Padre en hablar de rezar y cantar, siempre está
bueno, pero se va acabando.

El dia siguiente, que era 19 del mes, me encargó cantase la Misa al Santísimo Patriarca San Joseph, como acostumbraba todos los meses, diciendome se sentia muy pesado: asi lo hize; pero no faltó S. P. á cantar en el coro con los
Neófitos, y á rezar los siete Padres nuestros y oraciones
acostumbradas: por la tarde no faltó á rezar y cantar los
Versos de la Virgen, y el siguiente dia, que fué Viernes, anduvo como siempre las Estaciones del Via-Crucis en la Iglesia con todo el Pueblo.

Tratamos de espacio los puntos á que me llamaba, interin llegaba el Barco; pero siempre me recelaba de su próxi-
ma muerte, pues siempre que entraba en su Quartito ó Celda que tenia de adoves, lo encontraba muy recogido en su
interior, aunque su Compañero me dixo que de la misma manera habia estado desde el dia que espiró la facultad de confirmar, que como dixe fué el mismo dia que dió fondo el Barco en estos Establecimientos. A los cinco dias de mi llegada
á Monterey, dió fondo en aquel Puerto el Paquebot, y luego
el Cirujano del Rey pasó á la Mision á visitar al R. P. Presidente, y hallándolo tan fatigado del pecho, le propuso el aplicarle unos cauterios para llamar el humor que habia caido
al pecho: le respondió que de estos medicamentos que aplicase quantos quisiese: hizolo asi, sin mas efecto que el de
mortificar aquel fatigado cuerpo, aunque ni de este fuerte
medicamento, ni de los dolores que padecia, se le oyó la menor demonstracion de sentimiento, como si tales accidentes
no tuviera, siempre en pie como si estuviera sano. Y habiendo traido del Barco alguna ropa del avío, empezó por sus
propias manos á cortar y repartir á los Neofitos para cubrir
su desnudez.

Dia

Dia 25 de Agosto me dixo que sentia no hubiesen venido los Padres de las dos Misiones de S. Antonio y San Luis, pueden haberse atrasado las Cartas que les escribí. Despaché luego al Presidio, y vinieron con las Cartas diciendo se habian quedado olvidadas. En quanto ví el contenido de ellas, que era el convidarlos para la última despedida, les despaché correo con las Cartas, añadiendoles se viniesen quanto antes, porque me recelaba no tardaria mucho á dexarnos nuestro amado Prelado segun lo muy descaecido de fuerzas que estaba. Y aunque luego de recibidas las Cartas se pusieron en camino, no llegaron á tiempo, porque el de la Mision de San Antonio, que distaba veinte y cinco leguas, llegó despues de su muerte, y solo pudo asistir á su entierro; y el de San Luis, que distaba cincuenta leguas, llegó tres dias despues, y solo pudo asistir á las Honras el dia 7, como diré despues.

Dia 26 se levantó mas fatigado, diciendome habia pasado mala noche, y asi que quería disponerse para lo que Dios dispusiera de él. Estúvose todo el dia recogido sin admitir distraccion alguna, y por la noche repitió conmigo su Confesion general con grandes lágrimas, y con un pleno conocimiento, como si estuviera sano; y concluida, despues de un rato de recogimiento, tomó una taza de caldo, y se recostó. sin querer que quedase alguno en su Quartito.

En quanto amaneció el dia 27 entré á visitarlo, y lo hallé con el Breviario en la mano, como siempre acostumbraba el empezar los Maytines antes de amanecer, y por los caminos los empezaba en quanto amanecia: preguntando como habia pasado la noche, me dixo, que sin novedad; que no obstante que consagrase una forma, y la reservase, que él avisaria: asi lo hize, y acabada la Misa, volví á avisarle, y me dixo que queria recibir al Divinísimo de Viático, y que para elló iria á la Iglesia: diciendole yo que no habia necesidad, que se adornaria la Celdita del mejor modo que se pudiese, y vendria su Magestad á visitarlo: me respondió que no, que queria recibirlo en la Iglesia supuesto podia ir por su pié, no era razon que viniese el Señor. Hube de condescender, de y cumplír sus santos deseos. Fué por sí mismo á la Iglesia (que dista mas de cien varas) acompañado del Comandante del Presidio, que vino á la funcion con parte de Tropa, que juntó con la de la Mision, y todos los Indios del Pueblo ó Mision acompañaron al devoto Padre enfermo á la Iglesia, todos con gran ternura y devocion.

Al llegar S. P. á la grada del Presbyterio, se hincó de rodillas al pie de una Mesita preparada para la funcion. Salí de la Sacristia revestido, y al llegar al Altar, en quanto preparé el incienso para empezar la devota funcion, entonó el fervoroso Siervo de Dios con su voz natural, tan sonora, como quando sano, el verso *Tantum ergo Sacramentum*, expresandolo con lágrimas en los ojos. Administréle el Sagrado Viatico con todas las ceremonias del Ritual, y concluida la funcion devotísima, que con tales circunstancias jamas habia visto, se quedó S. P. en la misma postura arrodillado dando gracias al Señor, y concluidas se volvió para su Celdita acompañado de toda la Gente. Lloraban unos de devocion y ternura, y otros de pena y dolor por lo que rezelaban de quedarse sin su amado Padre. Quedóse solo en su Celdita recogido, sentado en la silla de la Mesa, y viendolo asi tan recogido no di lugar entrasen á hablarle.

Ví iba á entrar el Carpintero del Presidio, y no dandole lugar, me dixo venia llamado del Padre para hacerle el caxon para enterrarlo, y queria preguntarle como lo queria. Enternecióme, y no dandole lugar á entrar á hablarle, le mandé lo hiciera como el que habia hecho para el P. Crespí. Todo el dia lo pasó el V. P. en un sumo silencio y profundo recogimiento sentado en la silla, sin tomar mas que un poco de caldo en todo el dia, y sin hacer cama.

Por la noche se sintió mas agravado, y me pidió los Santos Oleos, y recibió este Santo Sacramento sentado en un equipal (humilde silla de cañas) y rezó con nosotros la Letania de los Santos, con los Psalmos Penitenciales: toda la noche pasó sin dormir, la mayor parte de ella hincado de rodillas, reclinado de pecho á las tablas de la cama; y dixele que

que se podia recostar un poco, y me respondió que en dicha
positura sentia mas alivio: otros ratos lo pasó sentado en el
suelo, reclinado al regazo de los Neófitos, de que estuvo toda
la noche llena la Celdita, atrahidos del amor grande que le
ténian como á Padre que los habia reengendrado en el Señor.
Viendolo asi muy postrado, y recostado en los brazos de los
Indios, pregunté al Cirujano que le parecia? Y me respondió
(que le parecia estar muy agravado): á mí me parece que
este bendito Padre quiere morir en el suelo.

Entré luego, y le pregunté si queria la absolucion, y
aplicacion de la Indulgencia plenaria: y diciendome que sí,
se dispuso, y puesto de rodillas recibió la absolucion plenaria,
y le apliqué la Indulgencia plenaria de la Órden, con lo que
quedó consoladísimo, y pasó toda la noche de la manera que
queda referido. Amaneció el dia del Dr. Señor San Agustin,
28 de Agosto, al parecer aliviado, y sin tanta sufocacion del
pecho, siendo asi que en toda la noche no durmió ni tomó
cosa alguna. Pasó la mañana sentado en la silla de cañas arri-
mada á la cama. Esta consistia en unas duras tablas mal
labradas, cubiertas de una fresada, mas para cubrir que para ablandar para el descanso, pues ni siquiera ponia una sa-
lea como se acostumbra en el Colegio, y por los caminos
practicaba lo mismo, tendia en el suelo la fresada y una almohada, y se tendia sobre ella para el preciso descanso, durmiendo siempre con una Cruz en el pecho, abrazado con ella,
del tamaño de una tercia de largo, que cargaba desde que
estuvo en el Noviciado del Colegio, y jamas la dexó, sino
que en todos los viages la cargó, y recogia con la fresada, y
almohada, y en su Mision, y en las paradas, en quanto se levantaba de la cama ponia la Cruz sobre la almohada: asi la
tenia en esta ocasion que no quiso hacer cama, ni en toda la
noche, ni por la mañana del dia que habia de entregar su alma al Criador.

Como á las diez de la mañana del dicho dia de San Au-
gustin vinieron á visitarlo los Señores de la Fragata su Capitan y Comandante D. Joseph Canizares, muy conocido de

S.

S. P. desde la primera Expedicion del año de 69, y el Señor Capellan Real D. Christoval Diaz, que tambien lo habia tratado en este Puerto el año de 79: Recibiólos con extraordinarias expresiones, mandando se diese un solemne repique de las campanas; y parado les dió un estrecho abrazo, como si estuviese sano, haciendoles sus religiosos y acostumbrados cumplimientos, y sentados, y S. P. en su equipal, le refirieron los viages que habian hecho al Perú desde que no se habian visto, que era desde el dicho año de 79.

Despues de haberlos oído les dixo: pues Señores, Yo les doy las gracias de que despues de tanto tiempo que ha no nos vemos, y que despues de tanto viage como han hecho, el que hayan venido de tan lexos á este Puerto, para echarme una poca de tierra encima. Al oir esto los Señores y todos los demas que estaban presentes, nos quedamos sorprendidos, viendolo sentado en la sillita de cañas, y que con todos los sentidos habia contextado á todo: dixeronle (disimulando las lágrimas, que no pudieron contener): no Padre, confiamos en Dios que todavia ha de sanar, y proseguir en la Conquista. Respondióles el Siervo de Dios (quien, si no tuvo revelacion de la hora de su muerte, no pudo menos que decir que la esperaba breve), y les dixo: sí, sí, haganme esta caridad, y obra de misericordia de echarme una poca de tierra encima, que mucho se los agradeceré. Y poniendo sus ojos en mí, me dixo: deseo que me entierre en la Iglesia, cerquita del P. Fr. Juan Crespi por ahora, que quando se haga la Iglesia de piedra me tiraran donde quisieren.

Quando las lágrimas me dieron lugar para responderle, le dixe: P. Presidente, si Dios es servido de llevarlo para sí, se hará lo que V. P. desea: y en este caso pido á V. P. por el amor y cariño grande que siempre me ha tenido, que llegando á la presencia de la Beatísima Trinidad la adore en mi nombre, y que no se olvide de mí, y de pedirle por todos los moradores de estos Establecimientos, y principalmente por los que están aqui presentes. Prometo, dixo, que si el Señor por su infinita misericordia me concede esta eterna felicidad,

que

que desmerecen mis culpas, que asi lo haré por todos, y el que se logre la reduccion de tanta Gentilidad que dexo sin convertir.

No pasó mucho rato quando me pidió rociase con agua bendita el Quartito: lo hize; y preguntandole si sentia algo, me dixo que no, sino para que no lo haiga: quedóse en un profundo silencio: y de repente muy asustado me dixo: mucho miedo me ha entrado, mucho miedo tengo: leame la Recomendacion del alma, y que sea en alta voz, que yo lo oiga. Asi lo hice asistiendo á todo los dichos Señores del Barco, como tambien su P. Compañero Fr. Matias Noriega, y Cirujano, y otros muchos asi del Barco como de la Mision. Y le leí la Recomendacion del alma, á la que respondia el V. Moribundo como si estuviera sano, sentadito en el equipal, ó silla de cañas, enterneciendonos á todos.

En quanto acabé, prorrumpió lleno de gozo, diciendo: Gracias á Dios, gracias á Dios ya se me quitó totalmente el miedo: gracias á Dios, ya no hay miedo, y asi vamos á fuera. Salimos todos al Quartito de á fuera con S. P. viendo todos esta novedad, quedamos al mismo tiempo admirados y gozosos: Y el Señor Capitan del Barco le dixo: P. Presidente, ya vé V. P. lo que sabe hacer mi devoto San Antonio? Yo le tengo pedido que lo sane, y espero que lo ha de hacer, y que todavia ha de hacer algunos viages para el bien de los pobres Indios. No le respondió el V. Padre de palabra; pero con una risita que hizo nos dió bien claro á entender que no esperaba esto, ni pensaba en sanar.

Sentóse en la silla de la mesa, cogió el Diurno, y se puso á rezar: en quanto se concluyó, le dixe que era mas de la una de la tarde, que si queria tomar una taza de caldo, y diciendo que sí, lo tomó, y despues de dado gracias, dixo: pues vamos ahora á descansar: fué por su pie al Quartito en donde tenia su cama ó tarima, y quitandose solo el manto, se recostó sobre las tablas cubiertas con la fresada con su santa Cruz arriba dicha, para descansar: todos pensabamos que era para dormir, supuesto que en toda la noche no habia probado
bado

bado el sueño. Salieron los Señores á comer; pero estando
con algun cuidado, al cabo de poco rato volví á entrar, y
arrimandome á la cama para ver si dormia, lo hallé como
poco antes lo habiamos dexado, pero durmiendo ya en el Señor, sin haber hecho demostracion ni señal de agonias, quedando su cuerpo sin mas señal de muerto que la falta de res-
piracion, sino al parecer durmiendo, y piamente creemos que
durmió en el Señor poco antes de las dos de la tarde el dia
del Señor San Agustin del año de 1784. y que iria á recibir
en el Cielo el premio de sus tareas Apostólicas.

Dió fin á su laboriosa vida, siendo de edad de setenta
años nueve meses y quatro dias. Vivió en el siglo diez y
seis años nueve meses y veinte y un dias, y de Religioso
cincuenta y tres años once meses y trece dias, y de estos en
el exercicio de Misionero Apostólico treinta y cinco años
quatro meses y trece dias, en cuyo tiempo obró las gloriosas acciones que ya vimos, en las que fueron mas sus méritos que sus pasos; habiendo vivido siempre en continuo movimiento, ocupado en virtuosos y santos exercicios, y en singulares proezas, todas dirigidas á la mayor gloria de Dios, y
salvacion de las almas. ¿Y quien con tanto afán trabajó para
ellas, quanto mas trabajaria para el logro de la suya? Mucho
podria decir; pero pide mas tiempo y mas sosiego; que si
Dios me lo concede, y fuere su voluntad santísima, no omiti-
ré el trabajo de escribir algo de sus heroicas virtudes para
edificacion y exemplo.

En quanto me cercioré de haber quedado huerfanos sin
la amable compañia de nuestro venerado Prelado, que no
dormia, sino que en realidad habia muerto, mandé á los Neófitos que alli estaban hiciesen señal con las campanas: y luego que con el doble se dió el triste aviso ocurrió todo el Pueblo, llorando la muerte de su amado Padre, que los habia
reengendrado en el Señor y estimado mas que si hubiera sido
Padre carnal: todos deseaban verlo para desahogar la pena
que les oprimia el corazon por los ojos, y llorarlo. Fué tanto
el tropel de la Gente asi de Indios, como de Soldados y Ma-
rine-

rineros, que fué preciso cerrar la puerta para ponerlo en el caxon, que S. P. el dia antes habia mandado hacer. Y para amortajarlo no fué menester hacer otra cosa que quitarle las sandalias (que heredaron para memoria el Capitan del Paquebot y el P. Capellan, que se hallaban presentes) y se quedó con la mortaja con que murió, esto es, con el Hábito, Capilla, y Cordon, y sin Túnica interior, pues las dos que tenia para los viages, seis dias antes de morir las mandó labar con los paños menores de muda, y no quiso usar de ellas, queriendo morir con el solo Hábito y Capilla con la cuerda.

Puesto el V. Cadaver en el Caxon, y con seis velas encendidas, se abrió la puerta de la Celda, en la que ya estaban los tristes Hijos Neófitos con sus ramilletes de flores del campo de varios colores para adornar el Cuerpo de su V. P. difunto. Mantúvose en la celda hasta entrada la noche, siendo continuo el concurso que entraba, y salia rezandole, y tocando Rosarios y Medallas á sus venerables manos y rostro, llamandole á boca llena Padre Santo, Padre Bendito, y con otros epítetos nacidos del amor que le tenian, y del exercicio de virtudes heroicas que en él habian experimentado en vida.

Al anochecer lo llevamos á la Iglesia en Procesion, que formó el Pueblo de Neófitos con los Soldados y Marineros que se quedaron; y puesto sobre una Mesa con seis velas encendidas, se concluyó la funcion con un Responso. Pidieronme que quedase la Iglesia abierta para velarlo, y rezar á coros la Corona por el alma del Difunto, remudandose por quadrillas, pasando asi la noche en continuo rezo: condescendí á ello, quedando dos Soldados de centinela para impedir qualesquiera piedad indiscreta, ó de hurto, pues todos anhelaban lograr alguna cosita que hubiese usado el Difunto, principalmente la Gente de mar y de la Tropa, que como de mas conocimiento, y que tenian al V. Padre Difunto en grande opinion de virtud y santidad, por lo que los que lo habian tratado en mar y tierra me pedian alguna cosita de las que hubiese usado; y aunque les prometí que á todos con-

so-

solaria despues del entierro, no fué bastante para que no se propasasen cortandole pedazos del habito del lado de abaxo, para que no se conociera, y parte del cabello del cerquillo, sin poderlo advertir la Centinela, si no es que diga que fué consentidor, y participante del devoto hurto, pues todos anhelaban lograr algo del Difunto para memoria, aunque era tal el concepto en que lo tenian, que llamaban reliquia; y procuré corregirlos, y explicarles &c.

CAPITULO LIX.

Solemne Entierro que se le hizo al Venerable Padre Junípero.

LA cortedad de la tierra, y de la Gente que la puebla no daban lugar á hacer al bendito Cadaver del V. P. Junípero aquel entierro, y honras con la pompa que le merecian sus heroicas virtudes, por reducirse solo á la Tropa del Presidio, distante como una legua de la Mision, y de la Escolta de esta, como tambien de los Neófitos de que se compone el Pueblo de la Mision, que son como seiscientas personas de todas edades. Tambien era dificil la asistencia de muchos Sacerdotes, porque no habiendo en los Presidios Capellanes, y en las Misiones solo dos Misioneros en cada una y tan distantes entre sí, es natural que en el entierro de alguno de los Misioneros no asista otro que el Compañero que queda en vida, y que no haya mas concurso de Gente que los Indios Neófitos, y la Escolta de un Cabo con cinco Soldados.

Pero quiso Dios honrar á su fiel Siervo (que tanto habia trabajado para formar Pueblos que alabasen al Señor, y que igualmente habia huido de todo lo que era honra) el que muriese en ocasion que estuviese fondeado en el Puerto de Monterey el Barco, que solo en dicho corto tiempo que se detiene una vez al año á dexar la carga logramos concurso de gente Española: con lo que se logró para el entierro el
con-

concurso de la Gente de mar y del Real Presidio, como tambien la de quatro Sacerdotes, y cinco para las Honras, de que hablaré despues.

Fué el Entierro el dia inmediato despues de su muerte, que fué el dia Domingo 29 de Agosto. La mañana del dicho dia llegó al Presidio el P. Fr. Buenaventura Sitjar Ministro de la Mision de S. Antonio, distante veinte y cinco leguas de Monterey, quien en quanto recibió mi Carta, que queda expresada en su lugar, despachandola para San Luis, distante otras veinte y cinco leguas, se puso en camino sin pérdida de tiempo, y no pudo alcanzarlo vivo; y sabiendo en el Presidio que la tarde antecedente habia fallecido el V. Prelado, se detuvo en él á decir Misa, y concluida se fué para la Mision con el Señor Ayudante Inspector de ambas Californias, (ausente el Señor Gobernador) como tambien fué el Comandante del Presidio quasi con toda la Tropa, dexando la muy precisa Guardia en el Real Presidio.

Poco despues llegó el Señor Capitan y Comandante del Paquebot con el P. Capellan, y con los Oficiales de mar, y toda la Tripulacion dexando á bordo la muy precisa para custodiar el Barco, como tambien para que con la Artilleria de abordo se le hiciese al V. P. difunto los honores, disparando de media á media hora un Cañon, al que correspondia con otio el Presidio (en cuyo exercicio estuvieron todo el dia) cuyos tiros con el funesto doble de las campanas enternecian los corazones de todos.

Junta toda la Gente en la Iglesia, que siendo bastante grande se llenó, cantóse una Vigilia con toda solemnidad posible, é inmediatamente canté la Misa, asistiendo los Señores con velas encendidas, y se concluyó con un Responso cantado, y se dexó la funcion del Entierro para la tarde, quedando el gentio en la Mision, empleandose en visitar al difunto, rezandole, y tocandole Rosarios y Medallas á su bendito Cadaver: continuando las campanas con el funesto doble, y la Artilleria de mar y tierra cón sus tiros, como si fuera algun General.

A

A las quatro de la tarde se hizo señal con las campanas, y se volvió á juntar toda la gente en la Iglesia: se formó la Procesion con cruz y ciriales, componiendose toda la gente de Indios Neófitos, Marineros, Soldados y Oficiales, estos con velas, en dos filas, y la capa con Ministros, los mismos de la mañana: y despues de cantado un Responso cargaron al V. Difunto, remudandose á tramos, porque todos los Señores asi de mar, como de tierra querian lograr la dicha de haberlo cargado sobre sus ombros. Dióse vuelta por toda la Plaza, que es bastante capaz: hicieronse quatro posas ó paradas, y en cada una se cantó un Responso.

Llegados á la Iglesia fué colocado sobre la misma mesa al pie de las gradas del Presbyterio: se pasó al entierro, cantando las Laudes con toda solemnidad, segun el Manual de la Orden: fué sepultado en el Presbyterio al lado del Evangelio, y se concluyó la funcion con un Responso cantado, aunque las lágrimas. suspiros y clamores de los asistentes tapaban las voces de los Cantores. Lloraban los hijos la muerte de su Padre, que habiendo dexado á sus ancianos Padres en su Patria, habia venido de tan lexos, solo con el fin de hacerlos sus hijos, é hijos de Dios por medio del Santo Bautismo. Lloraban las ovejas la muerte de su Pastor, que habia trabajado tanto para darles el pasto espiritual, y los habia libertado de las uñas del Lobo infernal: y finalmente los Súbditos por la falta de su Prelado, tan docto, tan prudente, afable, laborioso y exemplar, conociendo la grande falta que hacia para el adelantamiento de estas espirituales Conquistas.

Acabada la funcion se me amontonó toda la gente, pidiendome alguna cosita de las que hubiese usado el Padre; y como eran tan pocas las que el V. Padre tenia de su uso, no era facil contentar á todos. Para evitar el tropel de la gente que pedia, saqué la Túnica interior que habia usado el Padre (aunque á lo último no la usaba, pues como ya dixe murió con solo el Hábito) y la entregué al Comandante del Paquebot, para que la repartiese entre la Gente de mar; á fin de que hiciesen unos Escapularios, que los traxesen á bendecir

el

el dia 5 de Septiembre, que para este dia, como septimo de la muerte, se harian las Honras al Padre difunto, con lo que quedaron contentos; y á la Tropa, y á otros particulares repartí los paños menores, haciendo tiras de ellos, como tambien dos pañitos de narizes.

El uno de ellos heredó el Médico ó Cirujano Real Don Juan Garcia, asi por lo que le habia asistido, como por el antiguo conocimiento y particular afecto que tenia al Difunto. A los pocos dias que volvió á la Mision me dió las gracias del pañito, diciendome: con el pañito espero hacer mas curas que con mis libros y Botica: tenia en la Enfermeria, dixo, un Marinero muy malo de unos fuertes dolores de cabeza, que no le dexaban sosegar; me dexé de medicamentos, y le amarré el pañito, quedóse dormido, y amaneció sano y bueno. Espero, dixo, que el pañito ha de hacer mas que la Botica general. Tal era el concepto que tenia hecho del V. Padre Junípero.

No era menor el que tenia de sus virtudes el P. Predicador Fr. Antonio Paterna, que le conocia desde el año de 50 que vino de España en la misma Mision, aunque en el segundo trozo: estuvo muchos años en las Misiones de la Sierra Gorda al mismo tiempo que allí estaba el V. P. Presidente, y desde el año de 71 en estas Misiones, y actualmente se halla de Ministro de la Mision de San Luis, á quien escribí, como ya queda dicho, el aviso de hallarse enfermo el R. P. Presidente, que lo deseaba ver antes de morir. En quanto recibió mi Carta se puso en camino apresuradamente con los deseos de alcanzarlo vivo; pero por mucha prisa que se dió caminando todo el dia, y parte de la noche, no pudo llegar á tiempo, ni aun para el Entierro, pues llegó á los tres dias de haber muerto, y solo pudo asistir á las Honras, como diré en el Capítulo siguiente.

De la fatiga del camino en un Religioso de sesenta años de edad, que caminó la mayor parte malo, y muy caloroso en el mes de Agosto, que hacen excesivos calores en la Sierra de Santa Lucia, le resultó á los pocos dias de su llegada un

gran-

grande y grave accidente que nos puso á todos en cuidado, como también al Cirujano Real, que dixo ser dolor cólico: hizo el Médico su oficio, y diciendo era cosa de cuidado, se dispuso el Padre para morir, pensando seguiria al V. P. Presidente. Viendole fatigado de los dolores, le dixe: ¿ Padre, quiere ceñirse con el cilicio de cerdas de nuestro P. Presidente Fr. Junípero ? tal vez querrá Dios aliviarlo: sí, Padre, me respondió, traygamelo: ciñóse con él, y en breve sintió alivio, de modo que ya suspendí el darle el Viático: se fué mejorando, y en breve se recuperó, y se puso sano y bueno, de suerte, que quando salí de aquella Mision para esta, ya decia Misa.

El referir estos casos, no es porque intente publicarlos por milagros, ni es mi ánimo que como á tales los tengan, pues puede haber sido el efecto natural, ó casualidad, y á mi no me toca el indagarlo, ni exâminarlo, sino repetir la Protesta del principio: que asi en este particular, como en todo lo que llevo escrito en esta relacion histórica, y demas que dixere, me conformo con el Breve de la Santidad del Señor Urbano VIII. expedido en 5 de Junio de 1631, y con los demas Decretos Pontificios. Solo he referido dichos casos en prueba de la grande opinion en que estaban las virtudes del R. P. Junípero, y su vida exemplar en toda clase de gentes, que lo habian tratado y comunicado de muchos años: cuya fama y pública voz de sus virtudes les hacia codiciar alguna cosita que hubiese usado el Padre; como tambien los atraía á asistir á honrarlo despues de muerto, como se verá en el siguiente Capítulo.

CAPITULO LX.

Devotas Honras que el dia septimo se hicieron al V. Padre Junípero.

DEseoso de manifestarme agradecido Discípulo á mi siempre amado y venerado Maestro, no me contenté

con

con las honras que se le hicieron en el Entierro, sino que procuré repetirlas el dia septimo, anhelando mas sufragios para su Alma, por si necesitase de algunos para recibir en el Cielo el premio de sus tareas Apostólicas. En quanto insinué mis deseos, se dieron por convidados todos los Señores, asi del Presidio, como del Barco. Y asi el dia 4 de Septiembre concurrió á la Mision igual concurso de gente (si no fué mayor) de Comandantes, Oficiales, Soldados, Marineros, é Indios segun y como el dia del Entierro, haciendole los mismos honores con la Artilleria, que ya dixe en la primera funcion, que duraron con el doble de las campanas todo el tiempo de la funcion, que fué:

Una Vigilia cantada con toda la solemnidad posible, y concluida canté la Misa, asistiendo de Ministros los mismos que el dia del Entierro; y en el Coro asistieron los Padres Fr. Antonio Paterna, y Fr. Buenaventura Sitjar con los Indios Cantores instruidos por el Padre Difunto, y se concluyó la funcion con un solemne Responso. No faltaron en esta funcion lágrimas y suspiros, asi de los Hijos Neófitos, como de los demas que asistieron, dándonos á entender con sus lágrimas, lo muy querido que fué de los hombres el V. P. Junípero, y piamente creyendo todos que por sus heroicas virtudes, que en él experimentaron en su laboriosa, y exemplar vida, fué, y es querido de Dios, de quien habrá recibido el premio de sus afanes Apostólicos.

Concluida la funcion, me presentaron un gran número de Escapularios que habian hecho de la Túnica del V. Padre, que ya dixe regalé al Señor Comandante de Mar, para que la repartiese: los que bendixe, advirtiendoles que la veneracion en que los habian de tener, era por ser de Sayal de N. S. Padre San Francisco, y con la bendicion de la Iglesia: que el ser dichos Escapularios de la Túnica del Padre Junípero, les habia de servir para que se acordasen de S. R. para encomendarlo á Dios, que le dé el eterno descanso: dixeron todos, que quedaban entendidos. Pero no quedaron todos contentos, diciendome no habian participado de la Túnica, principalmente

mente los de tierra, y asi me pidieron alguna alhajita para memoria del Padre: y como no habia que darles mas que Libros, no tenia con que contentarlos; pero acordandome de una porcion de medallas que tenia el V. Padre, con que solia regalar á los devotos, las saqué, y repartí, de modo que quedaron todos contentos y consolados, y con memoria para acordarse del V. P. Junípero para encomendarlo á Dios.

Solo nosotros sus Súbditos nos quedamos con la triste pena y dolor de vernos privados de tan amable Padre, prudente Prelado, y tan docto y exemplar Maestro, que como tan cariñoso Padre, era de todos sus Hijos amado, pues á todos sus Súbditos tenia consolados: como Maestro tan docto, descansabamos en sus altos dictámenes y prudentes reflexiones; y finalmente como tan exemplar Maestro nos animaba á todos con el exemplo de sus Apostólicos afanes, á trabajar con gusto y alegria en esta Viña del Señor que plantó su Apostólico zelo en esta tan interna é inculta tierra, tan apartada de la Christiandad, que se puede contar entre las remotísimas del centro de la Iglesia. Estas y demas acciones que quedan referidas en esta relacion Histórica, todas de sí tan gloriosas, no nos darán lugar á que nos olvidemos del P. Junípero; y no solo perpetuará su memoria en nosotros sus Súbditos, sino tambien en todos los moradores de esta Septentrional California. De modo, que si no temiera la nota de apasionado Discípulo, viendo á mi venerado Maestro que dexó en el otro Mundo todos los honores con la Borla de su Sabiduria, y se trasplantó en este Nuevo de la América, y que no tuvo sosiego hasta internarse á lo mas Septentrional para vivir y morir *in terram alienarum Gentium*, olvidado del Mundo, solo á fin de explayar su Apostólico zelo en la Conversion de los miserables Gentiles: me atreviera á decir de él, lo que Salomon dixo de aquel sabio Varon (Cap. 39.) *Non recedet memoria ejus, & nomen ejus requiretur á generatione in generationem.* No se apagará su memoria, porque las obras que hizo quando vivia, han de quedar estampadas entre los habitadores de esta Nueva California, que á pesar de la voraciracidad del tiempo, se han de perpetuar en la conservacion. Porque el que hace gloriosas acciones, aunque por sí como mortal es súbdito del tiempo para que lo consuma; pero no tiene el tiempo jurisdiccion sobre las obras gloriosas; porque estas con una como inmunidad inmortal, están exêntas de la jurisdiccion del tiempo. Acabó la vida el P. Junipero como súbdito del tiempo, despues de haber vivido setenta años, nueve meses, y quatro dias, y trabajado en el ministerio Apostólico la mitad de su vida, y en estas Californias diez y seis años, dexando fundadas en la antigua California, en la que vivió un año, una Mision, y en esta Septentrional y nueva California, antes solo poblada de Gentiles, la dexó poblada con quince poblaciones, las seis de Españoles, ó gente de razon, y las nueve de puros naturales Neófitos, bautizados por S. R. y Padres Compañeros.

Numerábanse quando murió cinco mil y ochocientos los bautizados, que con los que bautizaron en la antigua California, pasaban de siete mil; y dexó confirmados en esta California á cinco mil trescientos y siete; y para conséguir este espiritual fruto, trabajó lo que queda referido. Estas acciones por sí tan gloriosas, no se consumirán jamás por el tiempo, antes por ellas quedará su Autor perpetuamente en la memoria de todos: *non recedet memoria ejus.* Como ni parece que el Difunto Padre tiene en olvido esta espiritual Conquista, pues vemos se va cumpliendo la promesa que nos hizo poco antes de morir, que pediria á Dios por ella, y por todos los Gentiles para que se conviertan á nuestra Santa Fé Católica; lo que vemos se va cumpliendo, pues se va mucho aumentando el número de Christianos en todas las Misiones, desde la muerte de su fervoroso Fundador.

En Carta que escribí á todos los Misioneros, dándoles noticia de la muerte de nuestro V. Prelado, les referí para su consuelo, lo que poco antes de espirar me dixo y prometió, que no se olvidaria de nosotros, ni de pedir á Dios por la conversion de la inmensa Gentilidad, que dexaba sin bautizar, para que logren el Santo Bautismo. A lo que me respondió
dió

dió el R. P. Lector Fr. Pablo Mugartegui, Ministro de la Mision de San Juan Capistrano de las últimas del Sur, (que habia sido su Compañero el año de 73 y 74 en el viage de mar, y tierra desde México hasta el Puerto de San Diego, en cuyo tiempo conoció lo sólido de las virtudes del nuestro Venerable Prelado y amado Presidente). » Veo lo que me di-
» ce de la promesa que nos dexó nuestro V. Prelado Fr. Ju-
» nípero: *Dilectus Deo, & hominibus*; y Yo digo á V. R. que
» demos gracias á Dios, pues ya vemos en esta Mision cum-
» plida la promesa de nuestro V. P. Presidente Fr. Junípero,
» pues en estos quatro meses últimos hemos bautizado mas
» Gentiles que en los tres años últimos, y atribuimos estas
» conversiones á la intercesion de nuestro V. P. Junípero,
» que lo estará pidiendo á Dios, como se lo pedia incesante-
» mente en vida, y piamente creemos, que está gozando de
» Dios, y que con mas fervor lo pedirá al Señor, de quien
» sin duda alcanzaria la conversion de los muchos que he-
» mos bautizado en estos quatro meses que se han cumplido
» desde su muerte; estos son Indios que han venido de muy
» lexos, y son de distinto idioma que los naturales de esta
» Mision, pues ha sido preciso valernos del Intérprete de
» San Gabriel; y viendo que ellos por sí solos han venido de
» tan lexos á pedir el Bautismo, piamente creemos ser mo-
» vidos de impulso interior, que les alcanzaria nuestro V. P.
» de Dios Ntrô. Señor Padre de las Misericordias, y Dios de
» todo consuelo, que en medio de la pena que nos causó la
» noticia de su muerte, nos consuela con el crecido número
» de hijos con que se va aumentando este espiritual rebaño. »

Lo mismo que me escribió dicho Padre Lector Mugartegui de su Mision de San Juan de Capistrano, creo podrian haberme escrito los demás Misioneros; pues viendo que el número de bautizados que habia en las Misiones el dia que murió el V. Fundador era de cinco mil y ochocientos: el dia último del mismo año de 84, segun consta de los informes annuos que me remitieron los Padres Misioneros, era el número seis mil setecientos treinta y seis; por lo que sé

que

que en los quatro meses despues de la muerte del V. Fundador, se habian bautizado novecientos treinta y seis, á cuyo
número ningun año entero ha llegado desde que se empezó
la Conquista; y me escribieron los Misioneros, que proseguia
la Conquista con grande aumento, atribuyendolo á la intercesion, y ruegos del V. P. Fundador, que en el Cielo pedirá á
Dios por la conversion de toda esta inmensa Gentilidad; y
segun fuere el aumento de las Conversiones, se irá extendien-
do la memoria de su principal Conquistador: que si juntamos
á sus gloriosas acciones, lo heroico de sus virtudes (de que hablaré en el siguiente Capítulo) podremos cantarle el verso de
David (Psal. 111. vers. 7.) *in memoria æterna erit Justus,*
que como tan laborioso Operario de la Viña del Señor, y tan
exemplar en sus operaciones, será delante de Dios eterna su
memoria.

CAPITULO ULTIMO.

*En que se recopilan las virtudes que singularmente res-
plandecieron en el Siervo de Dios Fr. Junípero.*

SI con atenta reflexion se lee la Historia que antecede de
la Vida y Apostólicas tareas del V. P. Fr. Junípero, se
hallará que su laboriosa y exemplar vida no es otra cosa
que un vistoso y hermoso campo matizado de todo género
de flores de excelentes virtudes. Para conclusion de la Historia intento en este último Capítulo (que dividiré en párra-
fos) recopilar las principales que se observaron, y que no
pudo ocultar su humildad; y que para cumplir con la doctrina del Divino Maestro debia hacerlas en público, para que
viendolas los nuevos Christianos, que con su predicacion
convirtió y agregó al gremio de la Santa Iglesia, las practi-
casen, y alabasen á Dios. Pero las demas que no conducian al
dicho fin, procuraba con mayor cuidado ocultarlas aun de los
mas estimados Compañeros, de los mas confidentes é inme-
dia-

diatos, observando á la letra el precepto que nos intima Jesu-Christo por San Mateo (Cap. 6. ℣. 3.) *Nesciat sinistra
tua*, *quid faciat dextera tua*: por cuyo motivo, no puedo dar
razon de sus virtudes interiores. Porque no obstante la estrechez y amor que desde el año 39 le debí, y que desde el
año 49 se confesó conmigo mientras que viviamos, y si habia algunas temporadas de separacion por la obediencia, ó
cumplimiento del Apostólico ministerio, procuraba quándo
nos volviamos á juntar, hacer confesion general de aquel
tiempo, renovando las que en el intermedio habia hecho; no
obstante este santo exercicio de treinta y quatro años,
nada puedo decir de su vida interior, sí solamente podré referir de lo exterior, que no pudo ocultar, su profunda humildad, en cumplimiento del encargo que hace Jesu-Christo:
Luceat lux vestra, &c. que segun San Gregorio, es lo mismo
que tener en las manos lámparas encendidas, para que viendo los actos de las virtudes exteriores, se muevan á alabar á
Dios como Autor de ellas: *Lucernas quippè ardentes in ma-
nibus tenemus, cum per bona opera proximis nostris lucis
exempla monstramus.*

Pero aun de esto no hay lugar para decirlo todo, y me
contentaré con referir solo algunos actos de las virtudes que
tienen visos de heroicas: para lo qual noto con los Auditores
de la Sagrada Rota en la Causa de San Pedro Regalado, que
de dos modos puede uno tener las virtudes en grado heroico: el uno en quanto el hombre anhela á este modo como divino, que se llaman virtudes purgativas; el otro en quanto
tiene ya el hombre conseguido el fin de estos anhelos en
quanto es posible en esta vida mortal, y estas se llaman
virtudes de ánimo purificado, quales fueron las de la Virgen
Ntrâ. Señora, y de algunos esclarecidos Santos.

No hablo de estas, pues como dicen los mismos Auditores, se hallan en muy pocos Santos; solo hablaré de las
primeras, de las que hablando el Cardenal Aguirre (Tract. de
virtutibus & vitiis dist. 12. q. 3. sec. 5. num. 49.) despues de
haber dicho que no se pueden conocer por sí mismas, sino
sola-

solamente por los efectos, obras ó acciones externas y palabras, según aquello de Christo: *Ex fructibus eorum &c.* dice:
Quisquis non præcepta solum, sed concilia Evangelica semper,
& toto animi conatu deprehenditur observasse usque ad ulti-
mum vitæ momentum, neque unquam declinasse ab ea diffi-
cili & angusta via, verbo facto, aut omissione, idque judicio
communi hominum tantam vitæ perfectionem admirantium in
mortali homine, his sanè probabiliter creditur fuisse prædi-
tus virtutibus per se inditis in gradu heroico; immo etiam
virentibus acquisitis in eodem gradu. Cuyos efectos declara
el Sr. Benedicto XIV. (en el cap. 22. del lib. 3. de Serv. Dei
Beatif.) por estas palabras: *Ut sit heroica efficere debet, ut*
eam habens operetur expeditè, promptè, & delectabiliter su-
pra communem modum ex fine supernaturali, cum abnegatione
operantis, & affectuum subjectione.

Esto, es para que una virtud sea heroica, ha de hacer
que el que la tiene obre con expedicion, prontitud y delecta-
cion sobre el modo comun de los hombres, y esto por fin so-
brenatural, con abnegacion suya, y sujecion de todos sus
afectos y deseos: cuyas autoridades de Varones tan doctos del
citado Cardenal de Aguirre, y del SSmô. Padre el Sr. Benedicto XIV. me servirán de piedra toque, para conocer los
quilates de las virtudes de N. V. Padre: y dando principio á
ellas comenzaré por la Humildad, á la que llama S. Agustin
cimiento de la fábrica del espiritual edificio, intentando yo el
hacer un diseño de la fábrica que edificó el V. P. Junípero
con el exercicio de las virtudes, valiendome de lo que Fortunato Scaccho citado del SSmô. Padre el Sr Benedicto XIV.
(lib. 3. de Canoniz. SS. cap. 24. num. 48.) dice: » Esta vir-
» tud de la humildad es tan necesaria y esencial en los imi-
» tadores de Christo, que segun los dogmas enseñados por
» Jesu Christo, creemos ser el fundamento para la forma-
» cion de todo el edificio espiritual, segun la norma del San-
» to Evangelio. Y siendo necesarios muchos actos de virtud
» en grado heroico en qualquier Fiel y Católico, para la per-
» fecta santidad: por esto quando se buscan razones para pro-

» bar

„ bar la santidad de algun Siervo de Dios „ lo que primero
„ se busca es su humildad.

§ I.
Profunda Humildad.

ES la Humildad en sentir de S. Bernardo citado por Santo
Tomás de Villanueva (Conc. 1. de S. Martino) una virtud por la qual el hombre con el verdadero conocimiento de
sí mismo se tiene por despreciable, conociendose miserable
y contentible, por el profundo y claro conocimiento de sí mismo. Esta nobilísima virtud enseñó el divino Maestro á sus
Apostoles y Discípulos, asi de palabra como por exemplo:
Discite à me quia mitis sum & humilis corde. Esta divina
doctrina de tal manera imprimió en su corazon su humilde
Siervo Fr. Junípero, que en quanto lo llamó el Señor por medio de su divina gracia para el Apostólico instituto, que desde luego propuso en su corazon imitarlo, siguiendo su doctrina en quanto le fuera posible, poniendola en práctica, empezando su oficio de la predicacion, descalzandose á imitacion
de Jesu Christo de las sandalias, como nos lo dice la V. Madre Sor Maria de Jesus de Agreda en su Mística Ciudad
(part. 2. lib. 4. cap. 28. num. 685.) contentandose con el
humilde uso de las alpargatas, de que usó hasta la llegada al
Colegio, que para seguir, ó imitar á los del Colegio volvió á
usar de sandalias, hasta que saliendo á las Misiones de la
Sierra Gorda, volvió á descalzarse de las sandalias, y prosiguió con las alpargatas hasta que se consumieron.

Hablando el Sr. Benedicto XIV. de los actos de la virtud
de la humildad cuenta entre ellos la sincéra abnegacion de
sí mismo, por la que en sus obras buenas se reputa uno siervo inutil, segun lo de S. Lucas (17. v. 10.) *Cum feceritis om-*
nia quæ præcepta sunt &c. De tal manera se reputaba por
inutil entre los demás Misioneros el P. Junípero, que quando
se regresaba á su Mision, concluida la visita de las demás,
prorrumpia con estas humildes y fervorosas palabras: „edificado

,,cado vengo del fervoroso zelo de todos los PP. Compañeros,
,,de lo muy adelantadas que tienen sus Misiones en lo tempo-
,,ral y espiritual; y ciertamente es esta Mision la mas atrasada
como queda dicho en el cap. 49. y no solo en el exercicio de
la Mision entre Infieles, sino tambien entre Fieles, se reputaba por el mas inutil, edificandose quando sabia el fruto que
sacaban los otros Misioneros. Y siendo mucho mayor el que
S. R. sacaba, y mayores las conversiones que de sus fervorosos sermones se seguian, lo reputaba por mucho menos que
el de los demás, dando á entender ser siervo inutil y sin habilidad, sintiendo esta falta, que impedia, á su parecer, la mayor gloria de Dios y servicio del Colegio, y puntual compli-
miento de la obediencia.

Despues de haber empleado su espíritu y fervor en las
conversiones de la Sierra Gorda, lo ocupó la Obediencia
en el de Vicario de Coro, en lo que se ofrece cantar :cu-
yo cargo admitió con toda humildad y sumision, que-
xandose de sí mismo como inutil, por ignorar la solfa,
como queda dicho. En otra temporada que lo tuvo empleado la obediencia en Maestro de Novicios, se consideró inutil
para ello, y por obediente lo admitió con la mira de exercitarse, no como Maestro, sino como Novicio, practicando lo
mismo que aprendió en el Noviciado recien llegado al Colegio, como queda insinuado; añadiendo lo que su fervoroso
espíritu le dictaba, sin ser molesto á sus Novicios, de los que
viven todavia algunos en el Colegio, los que se tienen por
felices y dichosos, de haber sido hijos de tan exemplar
Maestro.

Otro acto de humildad cuenta en los Siervos de Dios el
Sr. Benedicto XIV. y es sentir y huir las honras y aplausos
que se les tributan, y no recibir las dignidades sino forzados
de la obediencia, ó de la autoridad de los Superiores. Queda
ya dicho como renunció los aplausos que tenia en su Patria
y amada Provincia, y no se contentó con solo esto, sino que
lo mismo fue poner los pies en el Barco, que decirme, ya se
acabó todo respeto y mayoria entre los dos, se acabó ya la

Maes-

Maestría y Reverencia: somos ya en todo y por todo iguales; y con las obras en quanto se ofrecia, siempre se reputaba por el menor entre los dos, con harto rubor mio y admiracion de todos los que lo veían; de modo, que lo mismo era poner los ojos en él, asi Seculares como Eclesiásticos, aun de los de mas alta Dignidad, y Regulares, que formar un gran concepto de él, de humilde, docto y santo.

En este concepto lo tuvieron todos los Religiosos del Convento de Málaga, que fue el primero que pisamos quando salimos de Mallorca, y el que mas percibió su humildad y literatura fue el R. P. Guardian, Lector Jubilado de aquella Provincia de Granada, queriendo probar el concepto que de dicho P. Junípero tenia hecho, y en breve conoció no haver sido falido el concepto que á primera vista habia hecho del dicho Padre. Pero conociendo el humilde Padre el demasiado cariño que experimentaba de aquel Prelado, luego luego determinó apartarse y que nos fuesemos al Barco, como se executó. En este mismo concepto lo tuvo el R. P. Comisario de la Mision en quanto llegamos al Hospicio en Cadiz, y lo mismo juzgaron los Padres de la Mision de nuestro Colegio, y los de la Mision del Colegio de Querétaro, que estaban en otro Hospicio con su Comisario, que lo era de todas las Misiones y Colegios.

En este mismo concepto lo tuvieron asi el Capitan y Oficiales del Navio en quanto lo vieron subir á él, y lo mismo juzgaron la gente de la tripulacion desde el primero hasta el último, y todos los PP. de la Mision de los RR. PP. Domínicos con su Presidente, que habia sido Lector en Salamanca, quien luego travó grande amistad con el V. Padre, de quien hizo mayor concepto que todos los demás. En el mismo concepto lo tuvieron los Seculares en quantos caminos anduvo, y en quantos Pueblos y Haciendas paró, no solo en tiempo de misionar, sino aun yendo de paso, dexando en todas partes gran fama de humilde y santo, no olvidándolo aun despues de muchos años de visto, quedándoles impresa su fisonomía; sino es que digamos, que estas sus virtudes las tenia impresas en su hu-

humilde aspecto. Así parece que las leyeron en quanto lo
vieron los Illmôs. Señores Obispos de la Puebla de los Angeles, y de Oaxaca ó Antequera, quando fue á predicar Mision
en dicha Ciudad con otros cinco Misioneros de nuestro Cole.
gio. Pasando por la Ciudad de Puebla, fueron los seis á tomar la bendicion al Illmô. Prelado, y á pedirle las licencias de
confesar en los Pueblos de su Obispado que habian de cruzar
hasta llegar al de Oaxaca. En quanto los vió el Illmô. Prelado, les concedió á todos las licencias que le pedian, y poniendo la vista en el V. P. Junípero, que no habia hecho la propuesta, por no ir de Presidente, sino otro mas antiguo, le pre-
guntó como se llamaba? Y diciendole que Fr. Junípero, dixo
S. Illmâ. á su Secretario: pues á este Padre se le dan generales las licencias y perpetuas, para hombres mugeres, y Mon-
jas, hasta las Recóletas, y á los demás para hombres y mugeres solamente.

El Illmô. de Oaxaca, en quanto lo vió, le concedió lo
mismo, y le encomendó que habia de hacer Mision á toda la
Clerecia á puerta cerrada, como lo practicó con edificacion
de todos, con mucho fruto, y con universal concepto de muy
docto é igualmente fervoroso y prudente, como queda insinuado en el cap 10. fol. 45. y por poco que lo tratasen, for-
maban de él grande concepto de su literatura y mucha profundidad. En el mismo concepto lo tuvieron los Religiosos
del Colegio desde el primer dia que en él puso los pies, teniendolo por muy virtuoso; y lo que mas alababan y alaba-
ron de el fue su humildad profundísima, viendole hecho un
Novicio Corista, leyendo en la mesa con mas gusto, que si
leyese en la Cátedra de la Universidad, y sirviendo en ella
(como ya queda dicho) como si fuera el menor del Colegio.

Recien llegado á él, viendolo tan humilde, silencioso y
recogido, quisieron probar su literatura, para cuyo fin le encomendó el Prelado el Sermon de S. Fernando Patron del
Colegio, en el que expósitó el Psalmo 44. *Eructavit cor
meum verbum bonum: dico ego opera mea Regi;* refiriendo toda la vida y virtudes del Santo, dexando no solo á todo el Audi-
tdito-

ditorio, sino á toda la Comunidad admirada de tan peregri-
nas noticias y tan bien texidas con los versos del Psalmo, sintiendo todos que un hombre tan docto y exemplar se fuese á
arrinconar entre los Infieles, para cuyas Misiones lo tenia
ya nombrado la Obediencia. Y para que no se fuese fueron
muchos de los PP. viejos y Discretos á pedir al R. P. Guardian, para que no saliese del Colegio. Pero conociendo el
Prelado el fervoroso zelo del dicho P. Junípero, no quiso privarle de empleo que tanto anhelaba, de la conversion de los
Gentiles. Y no solo no condescendió á que se quedase en el
Colegio, sino que lo eligió de Presidente de las Santas Misiones, como queda dicho. Pero viendo el Título y Patente de
Presidente, luego fue el humilde Padre al Prelado á renun-
ciarla, tomando por motivo la falta de práctica por tan noví-
simo en este exercicio. Y fueron tan eficaces sus súplicas,
que hubo el R. P. Guardian de admitirle la renuncia, con lo
que quedó contentísimo el humilde Padre.

Pero al año y medio que se celebró en dicho Colegio el
Capítulo, en el que fué electo de Guardian el que fué su Maestro de Novicios y gran Maestro de la Mistica, el V. P. Fr.
Bernardo Pumeda, le remitió este nueva Patente de Presidente de las Misiones, mandandole por Santa Obediencia la
admitiese. Asi lo practicó, y en quanto cumplió los tres
años, no obstante que el oficio de Presidente no tiene tiempo
señalado, renunció con otro Guardian, diciendole, que si era
oficio honroso, participasen todos; y si gravoso, tambien.
Con lo que se la admitió, quedando el humilde Padre contentísimo sin tal carga por entonces, y mas despejado para
exercitarse en la humildad, como lo practicó, no contentandose con instruir á aquellos Neófitos, y en los demas exercicios espirituales, como queda dicho en el Cap. 7, sino tambien se exercitó en el exercicio temporal hasta no desdeñar-
se de practicar los oficios mas baxos y mas humildes, como
de peon de Albañil, y de acarrear piedra para la fábrica
de la Iglesia, hacer mezcla con los muchachos como si fuese
uno de ellos, y con los grandes acarrear maderas para la dicha

cha fábrica, metiendose tambien entre los Albañiles á llenar los huecos entre las piedras con ripios para mazizar las paredes, con un traje humildísimo, con el hábito hecho pedazos, embuelto en un pedazo de manto viejo, siendo asi que es una tierra muy caliente, y por sandalias traía un pedazo de cuero crudo, que es el calzado de aquellos Indios, que en su lengua llaman *apats nipís*, que es lo mismo que guaracha, ó abarca; de modo que al verlo edificaba á todos, como edificó al que fué su Maestro en la Mistica recien llegado al Colegio el citado Padre Pumeda, que viendolo un dia metido entre una quadrilla de Indios que pasaban de veinte, que cargaban una grande biga, ayudando él á llevarla, y que por mas chico que ellos no alcanzaba, metió el pedazo de manto. Edificado de lo que veía, me llamó á toda prisa para que yo lo viera, juzgando me vendria de nuevo, me dixo: mire su Lector como anda el Via-Crucis, y con que traje. A lo que le respondí: eso es de todos los dias. Otros casos particulares podia referir en prueba de su humildad, lo que omito por no ser molesto.

Y si por humilde logró en la Sierra Gorda el sacudirse de la Prelacía, no asi en la California, que se vió precisado á cargarla diez y siete años hasta su muerte. Quanto mayor era la honra que le seguia, tanto mayor era la repugnancia que á ella tenia, poniendo todos los medios que le dictaba su humildad y prudencia, para evitar toda ocasion. En todos los Capítulos salia electo en Guardian; y en uno de ellos que le aseguraban saldria confirmado, hizo quantas diligencias pudo para no hallarse en el Colegio al tiempo del Capítulo, que fué en ocasion de estar en México haciendo las diligencias en conseguir providencias para estas Conquistas. Y siendo asi que todavia faltaban muchos meses para el tiempo de la salida del Barco de San Blas, hizo fuga á la honra que le querian dar para el Puerto de San Blas, con lo que evitó la ocasion de ponerse en peligro de haber de admitir la Guardiania.

Quedan ya insinuadas las diligencias que practicó para
ra

ra huir de las mayores honras que le vaticinaban, como tambien consta de su Apostólico zelo en aumento de estos nuevos Establecimientos. Vióse dos años antes de morir apurarado por lo mucho que se atrasaba esta Conquista, y que los que debian dar todo calor y fomento practicaban lo contrario, atrasando y destruyendo las Misiones, asi en lo espiritual como temporal. Y manifestandome el dolor que le causaba en su corazon le dixe: » Mi P. Lector, no seria malo, sino » muy conveniente, que V. R. escribiese al Exmô. Señor » Galvez que actualmente se halla de Ministro, y puede tan- » to con el Rey, que haciendole presente el estado en que » nos hallamos, y que supuesto que S. Excâ. fué el primer » movil de esta Conquista, intervenga con S. M. para su con- » servacion y aumento. » A lo que me respondió con un tierno suspiro: » Si este Señor no pudiese tanto como puede, le es- » cribiera; pero como puede tanto, no quisiera supiese que to- »davia vivo; encomendemoslo á Dios, que todo lo puede. » Cuya expresion toda se dirigia, á lo que años antes decian se le esperaba una grande honra, y por huir de lo que podia suceder, queria reputarse como ya difunto.

§ II.
Virtudes Cardinales.

FOrmado el cimiento del espiritual edificio, que es la virtud de la Humildad, se sigue levantar robustas columnas, que puedan sostener la suntuosa fábrica de la perfeccion christiana. En sentir de S. Bernardo, son estas columnas las quatro principales virtudes Cardinales, llamadas asi porque son como los quicios de la perfeccion. La primera de estas virtudes es la

PRUDENCIA.

QUE es la que regula todas las demás virtudes, y por esto si en las otras se experimenta heroicidad, se hace preciso que ella lo sea. Es esta la sal que todo lo sazona, y

para

para sazonarlo todo, de modo que se proporcione á diversos paladares, se ve quan heroica deba ser la virtud de la Prudencia. Hablando de ella S. Antonio Abad en una espiritual conferencia con sus hijos, despues de oir sus pareceres, dió el suyo el Santo diciendo: que la Prudencia era entre todas las virtudes la mas necesaria, porque esta enseña á elegir el medio entre los extremos, que casi siempre son viciosos. Esta nobilísima virtud resplandeció en gran manera en el siervo de Dios Fr. Junípero. Asi lo manifestó el acertado regimen de sus acciones propias, y la direccion de las agenas, con que gobernó su espíritu, unido siempre al sumo Bien, desviandose de los precipicios, para no tropezar en los riesgos: y alumbró con discrecion á los proximos que lo consultaban en sus dudas, asi en el Confesonario, como fuera de él; quedando todos muy consolados con sus doctos y prudentes pareceres, dirigidos siempre al bien espiritual de sus almas.

Fué su modestia singular, sin afectacion su humildad, sin asañeria, sin altivez, sin hipocresia su devocion, y su religiosa llaneza sin resabio alguno de relaxacion: fué siempre docilísimo y desconfiado de sí mismo para el acierto de sus dictámenes, por cuyo motivo consultaba siempre con sus compañeros, aunque fuesen los menos antiguos, mas nuevos en el exercicio, valiendose del pretexto del comun adagio, que mas veen quatro ojos que dos, principalmente en los asuntos gravísimos, que fueron muchos los que se le ofrecieron, asi en las Conquistas de la Sierra Gorda, como mucho mas en las Californias, y en las Conquistas de Monterey, procurando consultar mientras habia lugar á los Prelados del Colegio, y al V. Discretorio de él, remitiendoles copia de las Cartas que recibia de los Exmôs. Señores Vireyes, Comandantes Generales, y Gobernadores de las Provincias, remitiendo al mismo tiempo sus respuestas, para que antes de entregarse á dichos Señores, se leyesen por el Prelado y Padres Discretos, conformandose con sus prudentes pareceres, desconfiando de sí mismo, suplicándoles que antes borrasen lo que les pareciera conveniente, nivelando has-

ta

ta lo mas mínimo por el dictamen ageno, para distinguir mas seguramente lo verdadero de lo falso, lo bueno de lo malo, y lo provechoso de lo nosivo, sujetandose al dictamen ageno.

No obstante de haberlo adornado Dios de quantas partes componen á esta prenda de la naturaleza, de inteligencia, circunspeccion, cautela, experiencia y agudeza, como por su humildad profundísima no conocia en sí tales prendas, recurria al dictamen ageno, principalmente al del Prelado. Consiguió con éste y su industria, continuos aciertos en quantos negocios gravísimos se le ofrecieron en las Conquistas, dexándolas en tal estado, que dexan admirados á quantos han visto y leido el feliz progreso de ellas en tan breve tiempo de fundadas.

No es menor prueba de su heroica Prudencia el haberse mantenido tantos años de Presidente Superior de una Comunidad tan repartida, en el tramo de mas de doscientas leguas, tan apartados unos de otros, y de la vista de su Prelado, que podian entibiarse; pero era tal la Prudencia del fervoroso Prelado, que tuvo siempre á sus Súbditos muy contentos y conformes á sus disposiciones, de modo, que no hubo la menor quexa contra dicho venerado Prelado. Mantuvo siempre á todos sus Súbditos muy contentos en la Mision á que los destinaba, á quienes solia visitar una vez al año, mientras que le fué posible, con cuya visita quedaban todos consolados, alegres y fervorosos en el Apostólico ministerio, descansando baxo de su frondosa sombra, de modo, que podiamos decir lo que de Elias dice el sagrado texto, (cap. 16. lib. 3. Reg. ℣. 5.) que dormiamos y descansabamos en todo baxo la sombra del Junípero: *Projecitque se & obdormivit in umbra juniperi*: que aunque arbol de estatura pequeña, y todos nosotros extendidos en el tramo de mas de doscientas leguas, no obstante que por corresponder chica sombra proporcionada al arbol nos cubria á todos con sus continuos y eficaces consejos, que con su bien cortada pluma incesantemente nos daba; cuyos consejos, no solo nos dirigia, sino tambien

que

que á todos con ellos nos dexaba consolados y animados para la conversion de los Gentiles, y para los adelantamientos espirituales y temporales de la Mision.

Este especialísimo don de Consejo, efecto de la Prudencia, no solo lo experimentamos en este Siervo de Dios nosotros sus Súbditos, sino quantos lo consultaban, quedando todos edificados y convencidos de la evidencia conque les hacia ver la razon, para salir de sus dudas.

JUSTICIA.

LA segunda de las virtudes Cardinales es la Justicia, segunda columna de la fábrica del edificio espiritual: de la que hablando San Anselmo (in lib. Cur Deus homo) dice que es una libertad del ánimo varonil, que dá á cada uno su propia dignidad: al mayor da reverencia: al igual paz y concordia, al menor doctrina y consejo, obediencia á Dios, santificacion á sí mismo, al enemigo paciencia, y al necesitado laboriosa misericordia: *Justitia est animi libertas, tribuens unicuique suam propriam dignitatem: majori reverentiam, pari concordiam, minori disciplinam, Deo obedientiam, sibi sanctimoniam, inimico patientiam, egeno operosam misericordiam.*

Esta virtud con todos sus actos que refiere San Anselmo, la tuvo y practicó el V. Fr. Junípero, atendiendo á todos segun la dignidad de cada uno, dando al mayor toda reverencia, á los iguales paz y concordia. á los menores doctrina y enseñanza, á Dios la debida obediencia. á sí mismo rectitud en sus obras, al contrario que le impedia los fervorosos deseos, paciencia, y al pobre y necesitado laboriosa misericordia.

En toda su vida procuró toda la reverencia debida desde niño á sus Padres, en la Religion á todos los Superiores, venerándolos con la mayor sumision, obedeciendo á quanto se le insinuaba ó mandaba, siendo en este punto bastantemente mirado, por no faltar en lo mas mínimo á la voluntad

del

del Prelado. Bastante prueba es la Carta que me escribió desde el Pueblo de Tepic, que queda copiada en el Cap. 33. fol. 149,

Prueba tambien lo que practicó con un gran Bienhechor asi del Colegio como de las nuevas Conquistas, que estando en la actual fundacion de la Mision de N. P. S. Francisco, le pidió le embiase un informe individual de quanto habia en aquel Puerto, y de lo que pasase en la fundacion de las dos Misiones, y del Fuerte ó Presidio, suplicándole fuese con bastante extension. Al mismo tiempo recibió Carta del Prelado, en que le mandaba no se informase á los Seculares; y asi lo cumplió, embiando la misma Carta del dicho Bienhechor al Prelado, diciendole: » que habia recibido al mismo » tiempo su Carta, y estaba tan pronto á obedecer sus órdenes, » que ni aun contestaba al Bienhechor de haber recibido su » Carta; pero me alegraria mucho, que supuesto tiene S. R. » informe de todo, el que satisfaga al Bienhechor, y le dé » alguna excusa por no haberle yo escrito por muy ocupa- » do, como en la verdad lo estoy. »

No obstante que del contenido de dicha Carta podia entender el P. Presidente que no le comprehendia á él, sino á los particulares, no quiso interpretar el contexto de ella, sino entenderla á la letra, como si solo á él se le escribiese; pero en breve conoció podia haberse desengañado, pues vió la respuesta del Prelado que no hablaba con tanto aprieto, sino que él podia informar privadamente con toda verdad á los sugetos que juzgase conveniente como Prelado, para el bien de la Conquista; pero no los particulares, que podian informar lo que ignoran, y solo dicen lo que oyen á los Soldados, que nada entienden con formalidad.

En otra ocasion recibió Carta tambien del Prelado, en que disponia se suspendiesen las Misiones de la Canal, por los motivos que le expresaba, en ocasion que ya estaba la una de las tres fundada. Y como era tan nímio en no faltar en lo mas mínimo á la voluntad del Prelado, empezó á rezelar si sería faltar á ella si se proseguia la Mision, ó si debia

man-

mandar suspenderla; y no se aquietó hasta que tuvo el parecer de los Misioneros mas inmediatos, que le respondieron, que no se comprehendia la Mision fundada antes de recibir el órden, sí solo á las dos que todavia no se habia dado mano á ellas, como mas largamente queda dicho en
el Cap. 55. fol. 258 y 259.

Con todos procuró siempre tener grande paz y concordia, tratando no solo á los iguales, sino aun á los mas míni-
mos con mucha afabilidad y amor paternal, dando á todos
doctrina y enseñanza, dirigiéndolos para el Cielo con sus
saludables consejos y clara doctrina, como queda largamente expresado en su Vida. En todo y por todo procuró siempre tener á la vista la ley Santa de Dios, sus Divinos preceptos, los de la Santa Iglesia, y de nuestra Seráfica y Apostólica Regla, observando todos los dichos preceptos, para
no faltar á la obediencia de Dios, y conservar para sí la justicia, santificacion ó santimonia; *sibi sanctimoniam.*

Y de tal manera procuraba esta virtud en todas las acciones y obras, y al parecer pensamientos, que todo lo que
en él se veía, oía y experimentaba, todo era dirigido á Dios,
y al bien del próximo. Siempre sus conversaciones y pláticas eran edificantes; y si se hablaba de ausentes, que podria
entibiar la caridad del proximo, procuraba desviar la conversacion, ó decir claramente: *no hablemos de esto, que me causa pena:* de modo, que podriamos decir de él, lo que de la
sombra del arbol de su nombre dixo Plinio, citado de Nico-
lás de Lyra (Lib. 3. Reg. Cap. 19. ℣. 5.) que ahuyentaba las
serpientes y todo animal ponzoñoso: *Juníperus arbor est cres-
cens in desertis, cuius umbram serpentes fugiunt, & ideò in
umbra ejus homines secure dormiunt.* Esto mismo experimen-
tabamos en la presencia de nuestro Junípero, pues en su presencia ni se oía ni se podia hablar palabra que no fuese edificante. Y si alguno se desmandaba, en el semblante manifestaba luego la repugnancia de tal conversacion, que servia de
correccion, y se mudaba luego la plática, pasandola á tratar
de lo que siempre tenia en su corazon y en la mente, que

era el aumento de la conversion de los Gentiles.

Otro acto de la virtud de la Justicia cuenta San Anselmo, que es tener paciencia con el enemigo: *inimico patientiam*. No tuvo este Siervo de Dios mas enemigo, que el que conocia, ó le constaba ser enemigo de Dios, ó que veía que impedia con sus hechos la propagacion de la Fé y conversion del Gentilismo. Portábase con los primeros con amorosas amonestaciones, con pláticas y sermones para hacerlos amigos de Dios; y con los segundos, nunca daba á entender estuviese sentido de ellos, que procuraba poco á poco hacerlos agentes y coadjutores de santa obra, con cuya paciencia solia en muchos conseguir el efecto deseado, y con los otros que no coadjuvaban, no manifestaba el sentimiento, sino que desahogaba su pena con decir: *no será la voluntad de Dios todavia, no estará de sazon la mies, Dios dispondrá lo que fuere de su agrado*, procurando de su parte hacer á los tales quantos bienes podia.

Bien lo experimentó el Oficial que le ocasionó el trabajo de ida y vuelta á México en solicitud de providencias favorables para la propagacion de la Fé, y conservacion de los nuevos Establecimientos, de quien determinó la Real Junta se retirase del mandato. Y estando para salir de Monterey, llegado el Nuevo Comandante, temeroso no ser mal recibido de S. Excâ. valiendose de uno de los Misioneros muy estimado del V. P. Presidente, le pidió una Carta de recomendacion para el Señor Virey. Y respondiendo que con mucho gusto lo haria, lo practicó con tanta caridad y con tal sigilo, que no quiso que el recomendado supiese el contenido, pues la embió cerrada y por otro conducto; y en quanto llegó á México vió el efecto de la Carta, pues le entregó S. Excâ. una Compañia con el Baston de Capitan de ella, quedando S. Excâ. muy edificado de la caridad del V. P. Junípero, viendo que olvidando que le habia hecho padecer en ida y vuelta de México tantos trabajos, le correspondia cediendo para sus acensos así él mérito de dichos trabajos, como todos los demás que habia padecido, y méritos

tos que S. R. habia contrahido en estas Conquistas. Asi lo leyó en la Carta respuesta de S. Excâ. que tengo á la vista, y dice asi:

» En Carta de 19 de Junio último expuso V. R. la pe-
» na que le daba ver despojado del mando de esos Estable-
» cimientos al Oficial que antes estaba mandando, y á estí-
» mulos de su fervorosa piedad recomienda su mérito, apli-
» cándole los servicios que por sí proprio ha contrahido, pa-
» ra dar mas valor á los suyos. Este Oficial llegó aqui enfer-
» mo; y siempre que haya arbitrio conocerá en mi atencion
» la que me ha merecido una accion tan pia, honesta y reli-
» giosa como la que V. R. me manifiesta, deseoso de contri-
» buir á las satisfacciones de este interesado. ⸗ Dios guar-
» de á V. R. muchos años. México 2 de Enero de 1775.⸗ El
» Baylio Frey D. Antonio Bucareli y Ursua ⸗ R. P. Fr. Ju-
» nípero Serra ».

Otros varios casos podria referir, que omito para dar lugar á lo que falta de las demas virtudes. Y pasando al último acto que refiere de la Justicia San Anselmo: *egeno opero-sam misericordiam*: en ambas Conquistas en que tan gloriosa-mente trabajó este infatigable Operario, asi en la Sierra Gor-da de la nacion Pame, como en la antigua y nueva Califor-nia, tuvo un campo muy abierto para exercitarse en este ac-to de la virtud de la Justicia: *egeno operosam misericordiam*; pues los habitantes de ambas Conquistas eran todos unos po-bres miserables y necesitados de un todo, asi para mantener-se, como para cubrir su desnudez, con quienes tuvo bastante que exercitar las obras de misericordia, asi espirituales, como corporales; pues no solo empleó todo su talento para su reduccion, instruccion y demás ministerios espirituales, si-no que tambien todo su conato era en solicitarles para co-mer y que vestir, gastando todo el Sínodo que dá S. M. á los Misioneros; y no siendo suficiente, solicitaba limosnasde Bien-hechores, y aplicaba las Misas para dicho fin. Y á fin de que los convertidos lograsen este subsidio con mas abundancia y con subsistencia, les instruyó en las siembras, para lograr

cose-

cosechas de las principales semillas para mantenerse, y de fabricar alguna ropa para vestirse, como queda dicho.

La mayor pena que daba al compasivo corazon de este Siervo de Dios, era el no tener que dar á los pobres Indios tan necesitados, procurando consolarlos con amorosas palabras, repartiendoles por su propia mano la comida, aun aquella que para sí necesitaba, y lo mismo hacia de la poca ropa, por sus propias manos cortaba las camisas y enaguas, como tambien cotones y calzones para los muchachos, y por sus propias manos se amañaba á coser para instruir á los Neófitos, como que en breve aprendieron. Este exercicio le duró todo el tiempo que permaneció en el ministerio, hasta tres dias antes de morir, en mi presencia estuvo en esta faena, de cortar y repartir ropa.

Y quatro dias antes de su muerte, estando juntos, entró una India vieja de mas de ochenta años, Neófita, que en quanto nos saludó, se levantó el V. Padre, y metiendose en el quartito donde dormia, sacó una fresada camera, y la regaló á la Vieja. Sonriendome yo, le dixe: *¿que le va á pagar las Gallinas?* me acompañó en la risa diciendome que *sí*. El motivo de la risa de ambos era, que dicha India siendo todavia Gentil, recien fundada la Mision de San Carlos, no teniendo la Mision mas de una Gallina con sus pollos para procrear, instruyó á un nietecito suyo á que matase los pollos con su arquito, como lo hacia, y entre ambos se los comian, y hallada en el hurto, le pusieron por distintivo la vieja de las Gallinas, y esto le motivó á reir; pero él cumplió con el acto y obra de misericordia ya dicho, cuya accion tan caritativa, dió motivo á que en su muerte no se le hallase en la cama sobre las desnudas tablas masque media fresada, como queda dicho arriba.

FORTALEZA.

HAblando de esta Heroica virtud S. Ambrosio citado de mi Seráfico Dr. S. Buenaventura, (Lib. 2. phca. cap. 31) dice

dice fuerte es aquel que se consuela padeciendo algun dolor: *est fortis qui se in dolore aliquo consolatur.* Grandes fueron y continuos los dolores que padeció el Siervo de Dios Fr. Junípero por la llaga del pie é inchazon de la pierna, que padeció desde el año 49, hasta la muerte, como queda arriba dicho; pero nunca se quexó, y solo lo manifestaba quando lo impedia sus corrérias apostólicas, ó quando le impedia el poder celebrar el Santo Sacrificio de la Misa, como se vió á la salida de la antigua California, subiendo con la Expedicion para la Nueva y Septentrional, que fué la única vez que solicitó algun medicamento para lograr el deseado fin de ver fixada la Santa Cruz en el primer Puerto de San Diego, y fué el bestial medicamento que ya queda dicho Cap. 15. fol. 73. En las demás ocasiones, no obstante de ser grandes los dolores, parece que en ellos tenia su consuelo, olvidando el solicitar medicamentos. Y las veces que se proporcionaba ocasion de facultativos y medicamentos, como fué á la ida de México, y quando venian los Barcos á aquellos nuevos Establecimientos, trayendo sus Cirujanos Reales, que le ofrecian gustosos el sanarlo, les respondia: dexemoslo, que ya es llaga vieja, y necesita de cura larga; y apurándolo uno de sus amados Compañeros en una de estas ocasiones, les respondió: *medicinam carnalem nunquam exhibui corpori meo.*

Lo mismo practicaba en los graves dolores de pecho que padecia, sin duda ocasionados de los golpes de piedra que se daba en los actos de contricion con que finalizaba los Sermones, como tambien de apagar en su pecho desnudo la acha encendida, á imitacion de S. Juan Capistrano, que apagándosela solia arrancar un pedazo de cuero; de lo que varias veces le resultó quedar muy mal herido: y ninguno de estos dolores le hacia abrir la boca para la menor quexa, ni para solicitar medicamento, pues parecia tenia en estos dolores todo su consuelo, efecto de su fortaleza: *Est fortis, qui se in dolore aliquo consolatur.*

Y prosiguiendo el citado San Ambrosio dice de esta virtud: ciertamente con razon se llama fortaleza la de aquel,

que

que se vence á sí mismo, y reprime la ira: *& revera jure ea fortitudo vocatur, qua unusquisque seipsum vincit iram continet.* Vencióse el V. Padre á sí mismo, reprimiendo todo movimiento de ira, de modo que parecia nada lo inmutaba, sino el ver ofendido á Dios por los pecadores, y quando reparaba se impedia la propagacion de la Fé. Aun esto que lo inmutaba, reprimia con fervorosos actos de resignacion á la voluntad de Dios, cuya conformidad solia expresar con algun suspiro con estas palabras: *Dexemoslo todo á Dios: hagase en todo su santísima voluntad*; y estos actos tan heroicos parece que contenian todo lo irascible, quedando pacifico é inmutable como si tal cosa hubiese sucedido; y en breve veía el efecto de esta resignacion, ya por la reduccion de los pecadores, amonestados del Siervo de Dios, que se le rendian á sus pies pidiendo confesion, como de los Gentiles que movidos de lo alto, le pedian el Santo Bautismo.

Prosigue el mismo San Ambrosio hablando del Varon fuerte, ó adornado de la virtud de la fortaleza, y dice, que con alhagos ningunos se ablanda ó desvia de lo empezado: *Nullis illecebris emollitur, atque inflectitur.* Asi lo dió á entender desde la vocacion con que lo movió Dios á venir á emplear su vida en la conversion de los Gentiles, que en quanto supieron los RR. PP. que entonces gobernaban esa Santa Provincia su vocacion, y vieron tenia ya la Patente, le ofrecieron no saliese de la Provincia, que ésta en el inmediato Capítulo lo haria Custodio, no obstante de hallarse joven y ocupado con la Cátedra, que nada de esto se oponia ni era incompatible; pero ni estos alhagos, ni otros mayores empleos que se le podian poner á la vista, ni la mucha estimacion asi dentro como fuera de la Provincia, fueron bastantes para ablandarlo ni hacerlo retroceder de la vocacion, ni menos el considerar la pena grande que causaria su salida á sus ancianos Padres; sino que revestido su corazon de la fortaleza, lo dexó todo para emplearse en la conversion de las almas: por lo que podemos decir de este Siervo de Dios lo de S. Ambrosio, que *nullis illecebris emollitur, atque inflectitur.*

Con-

Concluye San Ambrosio lo heroico de esta virtud diciendo, que el Varon fuerte ni se conturba con lo adverso, ni con lo favorable se ensalza: *non adversu perturbatur, non extollitur secundis.* Era tal su fortaleza, que en quantos casos sucedian, ya favorables, ya adversos á la Conquista, siempre se manifestó como inmoble, siempre de un mismo ánimo, y puesto su corazon y confianza en el Señor, quien de ordinario lo consolaba, cumpliéndole despues de haber probado su fortaleza, sus fervorosos deseos. Asi se vé en lo que queda referido al principio de esta Conquista en su primera Mision de S. Diego Cap. 20. fol. 95. que aunque el Comandante con todo el cuerpo de la Expedicion tenia determinado el desamparar el primer puesto del Puerto de San Diego, y hacer la retirada para la antigua California por la falta de víveres, señalando dia para ello, si no llegaba el Barco para el dia del Señor S. Joseph, resolvió el Siervo de Dios no dexar el puesto, aunque todos se retirasen, causandole grandísima pena y dolor la determinacion de la Expedicion; pero siempre confiando en Dios que no se efectuaria la retirada como de facto, asi sucedió, pues el mismo dia del Smô. Patriarca se divisó el Barco, con lo que se resolvió lo contrario, y siguió felizmente la Conquista, debiendose á su magnanimidad y fortaleza.

Con esta misma virtud consiguió la reedificacion de la dicha Mision de San Diego, despues de incendiada por los bárbaros Gentiles que quitaron la vida tan inhumanamente á uno de los dos Misioneros llamado Fray Luis Jayme, como queda dicho con bastante extension en el Cap. 40. fol. 176. que hallando en el Comandante una total repugnancia para la reedificacion, negando aun la Escolta de los Soldados de la Mision, no desmayó el fervoroso Padre, sino que clamando á Dios para el efecto, lo consoló el Señor el dia del Príncipe S. Miguel. Otros varios casos podria referir, que omito, y creo bastará el decir, que nunca retrocedió de aquel fervoroso zelo de la propagacion de la Fé, atropellando qualquiera dificultad que le pusiesen delante, facilitándoselo todo el santo fin á que se dirigia; que aunque para muchos parecia indiscrecreto zelo; pero el efecto tan favorable que se seguia de la propagacion de la Fé sin la menor desgracia, hacia ver no ser indiscreto su zelo, sino muy agradable al Señor, que conoce los interiores de cada uno.

Nunca el miedo de perder la vida en manos de los Bárcos le hizo volver atrás: solo lo contenia tal qual vez la consideracion de los malos efectos que podian resultar de perder la vida en manos de aquellos á que habia venido á darles la vida espiritual: y solia muchas veces decir, que de quitar la vida á los Padres, aunque quedaria regada la tierra; pero la Tropa Militar querria vengar la muerte, de lo que resultaria la perdicion de muchos infelices Indios, y la apostasía de los demás, dexando la Mision despoblada, como se vió en la de San Diego.

Esta mira parece que le movió en la Mision de la Sierra Gorda, el huir de este peligro. Fué el caso, que estando una noche con su Compañero, que entonces lo era el que actualmente es Obispo de Mérida de Maracaybo el Illmó Señor D. Fr. Juan Ramos de Lora, sentados ambos en las gradas de la Cruz del Cementerio de su Mision, Santiago de Xalpan, como á las ocho de la noche, tomando el fresco, de repente dixo al dicho Padre su Compañero: quitemonos de aqui, vamos á dentro que no estamos seguros. Asi lo practicaron; y el siguiente dia supieron por cierto, le iban á quitar la vida, de modo, que si no se quitan, ambos alli habrian muerto.

En otras muchas ocasiones atropelló con todos peligros, como se vió al tránsito de la Mision de San Gabriel al sitio de San Juan Capistrano que pasaba á su fundacion, que como queda dicho Cap. 43. fol. 198. se vió en evidente peligro de la muerte, por haberse arriesgado á cruzar el tramo todo poblado de Bárbaros con un solo Soldado. Lo mismo practicó innumerables veces en tantos viajes como anduvo, de manera, que podriamos decir de él, lo que del Varon fuerte dice San Agustin, que ni temerariamente acomete, ni sin reflexa teme: *Qui vera virtute fortis est, nec temere audet,*

nec

nec inconsultè timet. (Aug. Epist. 29. ad Hieroni. ante
med. tom. 2.)

TEMPLANZA.

LA última de las quatro columnas del espiritual edificio
es la quarta de las virtudes cardinales llamada Templanza, que en sentir de San Agustin (lib. 1. de Lib. arb.
Cap. 13. Col. 580.) es un afecto que pone modo y freno á todas las pasiones desordenadas: *Temperantia est affectio coer-
cens, & cohibens appetitum ab iis rebus quæ turpiter ap-
petuntur.* Y hablando San Próspero de los efectos que causa
esta noble virtud en el alma adornada de ella, dice (lib. 3. de
Vit. contemp. Cap. 19. pag. 92.) que hace templado tem-
plando los afectos del que la posee: *Temperantia temperantem
facit, affectus temperat.*

Todo el afecto de este Siervo de Dios al parecer se dirigia á la propagacion de la Fé y aumento de Misiones, para lo que ponia todos los medios posibles, ya con exhortaciones de palabra, ya con cartas edificantes, solicitando medios y auxílios para tan santo fin, y con tanta eficacia y repeti-
cion de súplicas, que á los menos afectos parecia importuno;
pero sufria con mucha paciencia dicha nota, con tal que lograse el fin de aumentar dichas Misiones, saliendo de su boca muy de ordinario: *gracias á Dios que hasta ahora no hay
Mision alguna que no tenga hijos al Cielo.* Viendo en el P.
Junípero tanta eficacia en pretender nuevas fundaciones, no
faltaron sugetos de categoria y caracter que dixeron de él:
*Es el Padre Junípero un Varon Santo; pero en el asunto de
pedir fundaciones de Misiones es Santo pesado;* pero en este
afecto tan extraordinario se templaba atemperandose á los
medios y fuerzas que se le proporcionaban, conformandose
en todo á la voluntad Divina y de los Prelados.

Asi se vió en la pretension de la fundacion de las tres Misiones de la Canal de Stá. Bárbara, que embiando el Exmô. Señor D. Frey Antonio Maria Bucareli suficiente Tropa para ella
y lo demás necesario, y Carta al Señor Gobernador de aquellos

Esta-

Establecimientos, de que se pusiese en acuerdo con el R. P. Junípero para las fundaciones, recibió al mismo tiempo dicho V. Padre Carta del Prelado del Colegio, que le decia tuviese presente la inopia de Misioneros en que se hallaba el Colegio, á causa de no haber llegado la Mision de España. Esta leve insinuacion fué bastante para templar su afecto á dichas fundaciones, pues ya no trató de tal asunto, esperando siempre el socorro de Misioneros con la llegada de la Mision de España. Pero viendo que el año de 83 no habia noticia de tal Mision, y lo mismo el siguiente de 84, lo mismo fué llegar los Barcos, y con la noticia de no venir Padres, ni haber llegado la Mision, parece que le llegó el aviso de su cercana muerte, como queda dicho Cap. 57. fol. 269.

Continuando el citado S. Próspero los efectos de dicha virtud, dice, que hace abstinente, parco, sóbrio y moderado: *abstinentem, parcum, sobrium, moderatum,* Tan abstinente era este Siervo de Dios, tan parco, tan sóbrio y moderado en la comida y bebida, que con poco, ó casi nada se contentaba, como lo dió á entender en la Carta que me escribió, y queda copiada en la Vida Cap. 19. fol. 92. que para ponderar no padecer necesidad, me decia, que teniendo una tortillita (que no pasaba de dos onzas si es que llegara) y yervas silvestres del campo, ¿ que mas nos queremos ? Carne pocas veces la provaba, contentandose con las yervas que acompañaban la racion, y con fruta siempre que la habia, que entonces esto era solo la comida. Y diciendole yo, cómo no comia; me respondia: ¿ *pues y que es lo que hago? Esta y el pescado es la comida que tomaba la Virgen Santísima.* Parece que esa consideracion le causaba una extraordinaria aficion á la fruta y pescado, de modo, que mientras habia pescado comia cómo los demás; pero la carne siempre la miraba con mucha repugnancia, y solia dar por excusa á los que advertian que no la comia, el que no podia mascarla. Jamás se quejó de la comida; nunca dixo si estaba salada, ó dulce, buena ó mala, que parecia á todos carecia de gusto.

Era parco en la comida: estando en el Colegio, muchos

dias á la mitad de la comida se levantaba del asiento y subía al púlpito á leer en la mesa. Y estando en las Misiones guardaba la misma moderacion en la comida, sin comer jamas á deshora, sino en las señaladas, de modo que se le conocia estaba adornado de la virtud de la Templanza por los efectos que de esta virtud se le veían practicar, que en sentir de San Pedro Celestino (Opúsc. 1. part. 5. Cap. 4.) son otras tantas virtudes.

De tal manera, que en todas sus acciones exteriores dió pruebas muy eficaces de ser un Varon adornado de la honestidad y modestia, de sobriedad y abstinencia, de pureza y castidad, recato y pudicicia. Asi lo manifestó en la mortificacion de sus sentidos y potencias, en la pobreza y desnudez de hábito, en la suavidad de sus palabras tan medidas, en sus pasos graves sin afectacion, y en sus ayunos quasi continuos y rigurosos: efectos todo de la Templanza, segun San Próspero, sino es que digamos con el citado San Pedro Celestino y el Angélico Doctor Santo Tomás (2. 2. q. 141. art. 1.) que son otras tantas virtudes, piedras preciosas de que se compone la cerca del espiritual edificio.

No le faltaron á este Siervo de Dios los demás efectos de la virtud de la Templanza que enumera San Próspero, ni las otras partes ya integrales, ya potenciales y subjetivas, que refiere Santo Tomás en el citado lugar. Fué serio desde niño, cuya seriedad conservó toda su vida, de tal modo, que á la vista parecia de un genio adusto y casi intratable; pero lo mismo era comunicarlo y tratarlo, que mudar de concepto, teniéndolo ya por suave, dulce y atractivo, llevándose los corazones de todos para el afecto. Era asimismo muy vergonzoso, principalmente con todos los que no habia tratado; pero habiendo mugeres en su presencia, siempre continuaba la seriedad y modestia, asi en la vista, como en el habla, procurando introducir la conversacion mística y exemplar, refiriendo algunos pasos de las vidas y hechos de ellos, con el fin sin duda de introducir en sus corazones la devocion é imitacion de los Santos, pues estos eran sus fervorosos deseos,

seos, efecto de la Templanza: *desideria sancta multiplicat*, que dice San Próspero. Y no se contentaba el Siervo de Dios de multiplicarlos en sí, sino tambien en los próximos que á él se le arrimaban.

Cuenta el citado San Próspero entre los efectos de la Templanza la penitencia: *vitiosa castigat*; y de tal manera exercitaba Fr. Junípero esta virtud, que para mortificar su cuerpo, no se contentaba con los ordinarios exercicios del Colegio de disciplinas, vigilias y ayunos, sino que á solas maceraba su carne con ásperos cilicios, ya de cerdas, ya de texidos de puntas de alambre con que cubria su cuerpo, como con disciplinas de sangre, á lo mas silencioso de la noche, retirandose en una de las tribunas del Coro. Pero aunque lugar tan secreto, y en hora tan silenciosa, no faltaban Religiosos que oyesen los crueles golpes, ni menos faltó curioso que deseando saber quien era, perdió el tiempo para salir de la dificultad, quedando edificado.

No se contentaba en castigar su cuerpo por las imperfecciones y pecados propios, sino tambien por los agenos, como lo hacia con invectivas que usaba para mover al auditorio á dolor y á penitencia de sus pecados, ya de la piedra con que se golpeaba el pecho á imitacion de San Geronimo; ya á imitacion de su devoto San Francisco Solano de la cadena con que se azotaba; ya de la acha encendida que apagaba en su desnudo pecho, quemando sus carnes á imitacion de San Juan Capistrano y otros varios, todo con el fin, no solo de castigarse á sí mismo, sino para mover á los de su auditorio á penitencia de sus propios pecados.

No fué menor su mortificacion en la privacion del sueño por sus continuas y largas vigilias. Su descanso solia de ordinario reducirse, mientras estuvo en el Colegio, hasta las doce que iba á Maytines, y á las doce y media, que es quando se concluye la oracion, proseguia haciendo sus exercicios, variando todas las noches: una noche los de la muerte, otra los de la Cruz, otra la Via dolorosa, otra el Apošentillo, y otros varios, que solia de ordinario concluir á las quatro de la la mañana, y despues se recogía, no para dormir, sino continuando en oracion hasta la hora de Prima, ó de decir Misa, la que siendo Maestro de Novicios, los dias que no eran de Comunion decia antes de Prima, y en el otro tiempo despues de concluida esta.

Quando estuvo en las Misiones no eran mas cortas las vigilias, como que tenia á su arbitrio toda la noche y segun decian los Soldados de la Escolta, casi toda la noche la pasaba en vigilia y oracion, pues todas las Centinelas que se remudaban siempre lo estaban oyendo, y solian decir: *no sabemos quando duerme el Padre Junípero*, pues solo en las siestas solia tomar descanso, atendiendo á que su Compañero, ó Compañeros estaban velando y zelando. Aun los ratos que descansaba y dormia, parece que velaba su corazon alabando á Dios y orando, pues no pocas veces durmiendo juntos, ó ya en tienda de campaña, ó baxo de enramada, solia prorrumpir con estas dulces palabras: *Gloria Patri, & Filio, & Spiritui Sancto*: y dispertandome con tales palabras le preguntaba: Padre, ¿ tiene alguna novedad? y como nada me respondia, conocia claramente que estaba durmiendo, ó enagenado, ó que era efecto del continuo rezo mental y vocal.

III.
Virtudes Teologales.

HAbiendo visto la profundidad del cimiento del espiritual edificio, que intentó fabricar el Siervo de Dios Fr. Junípero, y las fuertes columnas que levantó de las quatro Virtudes Cardinales, y la union entre estas por otras particulares virtudes y obras de misericordia, que como preciosísimas piedras forman como cerca hermosa y muy vistosa; nos queda que ver lo mas principal del Templo que es como tabernáculo para el *Sancta Sanctorum*, el que forman las virtudes principales, las Teologales, que inmediatamente miran á Dios, y la Religion, que mira al Divino culto, las que practicó y tuvo este Siervo de Dios en grado heroico segun la doctrina

40. de

de las dos doctisimas plumas, el Cardenal Aguirre, y el Señor Benedicto XIV. ya citados. Veamos la primera que es la virtud.

DE LA FE.

ESTA nobilísima virtud, segun S. Pablo (ad Hæb. 11. ℣. 1.) es un solidísimo fundamento de lo que se espera, y una eficaz y cierta persuacion de las cosas invisibles: *Speranda-rum substantia rerum argumentum non apparentium*. A esta definicion del Apostol se reducen todas las demás que de ella dan los Santos Padres que tratan de esta virtud, segun dice el Señor Benedicto XIV. (lib. 3. de Serv. Dei beatif. Cap. 23. §. 1.) fundado en la doctrina de Santo Tomás. Sobre cuya definicion nota el Insigne Misionero Apostólico de Italia nuestro S. Bernardino de Sena (Op. tom. 1. Serm. 2. de Dom. Quinq. in princ. pag. mihi 10 col. 1.) que la llama el Apóstol Sustancia, como un pedestal sobre el que se sustenta lo principal del edificio espiritual.

Estuvo este Siervo de Dios muy adornado de esta solidísima virtud desde que el Señor se la infundió en el Bautismo, y empezó á lucir en él desde que le entró el uso de razon, exercitandose desde entonces en actos heroicos de esta virtud. Fueronsele aumentando desde Novicio en los estudios: concluidos estos, ocupado en ambas Cátedras, en la Teologia instruyendo á sus discípulos en los Misterios mas inefables, arduos é imperscrutables (asi los llama el Apóstol Rom. 11. ℣. 33. segun lee S. Juan Crisóstomo Hom. 4. in Gen.) con toda la claridad que permite el entendimiento humano para la explicacion é inteligencia de ellos, como tambien en la del Espíritu Santo, explicando en los puntos de doctrina estos soberanos misterios de la Fé á los mas rudos é ignorantes, con tanta claridad y expresion, que casi podiamos decir con San Gregorio, que su explicacion era conocida de los ignorantes sin ser molesta á los sabios.

En su laboriosa vida fué de dia en dia añadiendo quilates á esta noble virtud, los que se ven patentes por las señales que se expresan en su vida, que si se reflexa sobre sus tareas

reas apostólicas, veremos con toda claridad que su Fé fué
grande, pues hallarémos las señales que refiere S. Antonino
de Florencia que demuestran una Fé grande: *fides alicujus
magna ostendi potest*; *primo si alta de Deo sentit*. (in Sum.
part. 4. tit. 8. cap. 3. §. 7.) Tan altamente sentia de Dios y
de sus Divinos atributos quan alto era su discurso y rara memoria, de tal manera, que al oirlo hablar de la Sagrada Escritura parecia que la sabía de memoria, y para explicar los
puntos mas recónditos y los Misterios mas imperscrutables,
parece tenia especial don de Dios, valiendose de exemplos,
symbolos y comparaciones acomodadas para los mas rústi-
cos y de menos alcance; en cuyas explicaciones manifestaba
á todos lo que altamente sentia de Dios, y lo manifestaba no
solo por la alta doctrina que enseñaba, sino mas principalmente por el extraordinario gozo y afecto que de ella expresaba, de modo que en estas santas conversaciones y pláticas
parecia se enagenaba, de lo que resultaba ser mas largo de lo
ordinario, que á muchos, principalmente á los poco devotos
de la Divina palabra, parecia molesto, y que no faltaba quien
dixese no se conformaba con la doctrina de N. S. P. S. Francisco. Pero como este zelosísimo Misionero era tan docto y
leido, tendria muy presente la exposicion del Seráfico Doctor S. Buenaventura sobre el Cap. 9. de nuestra Seráfica Regla: *In brevitate sermonis*. » Hæc brevitas excludit verbo-
» rum ambages & sententias involutas, verba etiam ardua su-
» per capacitatem audientium ::::Ista enim abreviatio non
» excludit cum expedit, sermonis prolixitatem, quia Domi-
» nus ipse aliquando prolixè prædicavit, sicut patet in Joan-
» ne (12) & Mattheo (15). »
   Del alto conocimiento que tenia de Dios le vino el desprecio que hacia de las cosas caducas y temporales para
conseguir el premio eterno en el Cielo, que es la segunda señal que pone San Antonino para conocer la grandeza de la
Fé de algun Siervo de Dios: *Secundo si caduca pro præmio
æterno contemnit*. Bastante queda dicho del desprecio que
hizo de todas las cosas caducas de este mundo de honras,
dig-

dignidades y empleos, como tambien el continuo desprecio que hizo aun de aquellas cosas muy precisas para su uso, como libros, ropa &c. de modo que quando murió no se halló en tanto libro que llenaba el estante ni uno siquiera que dixese fuese de su propio uso, sino que en todos ellos se halló de letra de este Siervo de Dios: *pertenece á la Mision de San Carlos de Monterey.* Lo mismo digo de la ropa de su propio uso, que poco antes de morir la mandó lavar, y apartó, quedandose solo con el solo hábito, capilla, cordon y unos solos paños menores, que es lo que le sirvió de mortaja para enterrarlo, manifestando lo amante que era de la santa pobreza, y el desprecio que hacia de las cosas caducas.

La tercera señal que propone el citado S. Antonino para conocer la grandeza de la Fé, es la confianza en Dios en todas sus adversidades: *Tertio si in adversis in Deo confidit.* Ya queda dicho arriba que el V. P. Junípero no miraba á cosa alguna por adversa, sino aquello que se oponia á la propagacion de la Fé, conversion de Gentiles, y reduccion de ellos. En los mayores apuros en que se vió fué el ver que toda la Expedicion queria volver las espaldas del Puerto de S. Diego para la retirada á la Antigua California, no dando mas tiempo para esperar sino hasta el dia de Señor S. Joseph, como queda largamente dicho en la Vida, y en este mayor conflicto puso toda su confianza en Dios, quien lo consoló, como queda arriba insinuado. Casi en igual conflicto se halló en la misma Mision de S. Diego, quanto á la reedificacion y fundacion de San Capistrano, y en otros muchos casos que podria referir en prueba de la confianza grande que tenia siempre en Dios.

Y esta gran confianza en Dios le hizo no volver la espalda atrás, sino seguir siempre en la conversion de los Bárbaros, quarta señal que dá el citado S. Antonino de la Fortaleza de la Fé: *quarto si à bono opere non desistit.* Vióse claro esta gran Fortaleza, con que se resolvió con todo gusto y voluntad el pasar á la conversion de los Indios Apaches del Rio de San Sabá; pues no obstante que veía que los tres Padres

que

que fueron para dicha Conquista, á los dos quitaron alevosamente aquellos Bárbaros la vida, y que al tercero hirieron gravemente, librandose solo de milagro, y que podia rezelar le sucediese lo mismo, no desistió, sino que poniendo toda su confianza en Dios, gustosamente admitió la propuesta del Prelado, y resolvió ponerse en camino para dicha Conquista.

Otras señales pone el Señor. Bened. XIV. (lib. 3. de Servo. Dei Beat. & Can. Cap. 23 num. 4.) para conocer la heroicidad de la Fé, y son, primeramente, la externa confesion de lo que interiormente se cree. Esta señal se vió clara y casi continua en la Vida del Siervo de Dios Fr. Junípero por el exercicio de los actos exteriores que practicaba sobre todos los Misterios que con viva Fé creía en su interior; y si en sentir de Santo Tomás (2. 2dæ. q. 124. art. 5.) qualquiera acto de virtud es una solemne protestacion de la Fé: *omnium virtutum opera secundum quod referuntur in Deum sunt quædam protestationes fidei,* habiendo sido, segun se ve en la Vida, casi un continuo exercicio de actos virtuosos, hallarémos que fué una continua protestacion de la Fé de este fervoroso Siervo de Dios. Segundariamente dice, que se conoce por la observancia de los preceptos, de lo que queda bastante dicho de que no se vió accion alguna que no fuese muy edificante y exemplar. No contentandose con solo esto, sino que zelaba el que todos los que estaban á su cargo y novísimos en la Fé, guardasen puntualmente los Divinos preceptos, corrigiendo y castigando, si necesario era, qualquier desman que en ellos viese; y lo mismo en los preceptos de la Santa Iglesia, quedando en todos ellos tan instruidos, que pasaban ya á escrupulosos, no admitiendo dispensa, si necesario era, ni queriendo valerse de los privilegios concedidos por la Iglesia á los Neófitos, soliendo responder que eran Christianos como los Españoles; y asistian á la Misa, no solo los dias festivos para todos, sino tambien aquellos que no obligaban á los Neófitos, no obstante que estaban bien instruidos, que no les obliga á ellos la Iglesia.

Si

Si ponemos la vista en la tercera señal que pone el Señor Benedicto XIV. que es la oracion á Dios, queda bastantemente expresado, y se verá comprobado con lo que queda que decir en la virtud de la Religion, que era casi continua la oracion de este Siervo de Dios, por lo que se ve la heroicidad de su Fé. Y no es menor prueba la otra señal que pone el citado Pontifice: *Ex fidei dilatatione, aut saltem ejus desiderio.*

Tan temprano le empezaron los deseos de la propagacion de la Fé, que cómo queda dicho, desde Novicio era este su particular anhelo y el derramar su sangre, si necesario fuera, para aumentar los hijos á la Santa Iglesia, rebozandosele el gozo de su corazon en la leyenda de los Santos Martyres que habian muerto en defensa de la Fé, y en la propagacion de ella. Estos mismos deseos tenía y tuvo toda la vida, y estos le hacian atropellar con quantos peligros se vió, y al parecer le quedaba el sentimiento de no lograr lo que tanto deseaba. Asi me lo dió á entender, quando me refirió lo que le habia sucedido quando iba á la fundacion de San Juan Capistrano, que queda dicho en el Cap. 43. fol. 198. que me dixo: ›› ciertamente que crei, habia llegado la hora de ›› conseguir lo que tanto deseaba. ›› La misma expresion hizo quando lo iba á matar el Herege Inglés, Capitan del Paquebot que nos llevó desde Mallorca á Málaga, que queda dicho Cap. 2. fol. 12.

Y siempre que se veía en alguna de estas ocasiones y peligros de derramar la sangre en manos de Infieles, parece que se llenaba su corazon de alegria, como se vió pocos dias despues de lo acaecido en la Mision, de San Diego; que se divulgó entre toda la gente de aquellos Establecimientos la noticia, y entramos todos en rezelo, no sucediese lo mismo en alguna de las demás Misiones; y en la de San Carlos en en la que actualmente me hallaba disponiendome para ir á fundar la de N.P. y la de Santa Clara, con otros tres Compañeros, se levantó entre los Indios Neófitos, de que la Bárbara Nacion llamada de los *Zanjones*, distante como seis leguas

guas de la Mision de San Carlos, intentaban hacer con dicha
Mision, lo que habian hecho los Gentiles de San Diego. No
obstante que á estas voces no se les dava total crédito, no
dexaba de poner en cuidado la Tropa, asi á la de la Escolta
de la Mision, como á la del Presidio de San Carlos.

A los pocos dias vino una India Neófita, toda asustada
y llena de miedo con grande llanto diciendo al Cabo, que ya
venian los Zanjones por la cañada, ponderando que eran muchísimos y armados, que sin duda venian á pelear. En quanto el Cabo oyó la noticia, sin hacer exâmen de ello dió aviso
al Comondante del Presidio, quien luego subió á caballo con
una Patrulla de Soldados, para ir á auxiliar á la Mision. Al
mismo tiempo el V. P. Junípero nos comunicó asi á su Compañero, como á nosotros quatro que estabamos para salir
para las dos Fundaciones dicha noticia; pero tan lleno de
regocijo, que al parecer daba por cierto que aquella noche
le habian de quitar la vida, por las expresiones con que nos
avisó diciendonos: ,, Ea Padres Compañeros, ya llegó la ho-
,, ra, ya estan ay los Zanjones segun dicen, y así no hay mas
,, que animarse y disponerse para lo que Dios fuere ser-
,, vido. ,, Asi lo hicieron algunos que recibieron el aviso en
la Iglesia, reconciliandose unos á otros.

Al salir de ella, hallamos ya al Comandante con los Soldados del Presidio, que se estaban disponiendo para la defensa de la Mision, siendo ya entrada la noche, y habiendo reconocido el peligro que amenazaba por estar los seis Religiosos que estabamos allí en distintas casitas de palos ó madera, techadas algunas de tule, que brevemente arde como
si fuese yesca, propuso al R. P. Presidente que convenia que
durmiesemos todos juntos, para podernos defender en un solo quartito que allí habia de adobes con azotea, que servia de
fragua para el Herrero; y con esto quedabamos bien resguardados de las flechas y lumbre, y que con un Soldado estabamos bien escoltados, y que con los demás repartidos, se podria resguardar la Mision. Convino en ello, y nos metimos
todos en dicho quartito, y en toda la noche no nos dexó dormir,

mir, que la abundancia del gozo no le dexaba cerrar la boca, refiriendonos muchos casos para animarnos, y por la mañana no se halló Indio alguno de los zanjones, de que inferimos, ó que la mucha agua que llovió aquella noche los hizo no llegar, ó que fué aprehension de la India, por el mucho miedo que tienen á aquella belicosa Nacion; pero el susto y temor fué bastante para todos, menos para el Siervo de Dios que no cabia de alegria.

Si reflexamos en este caso, en otros que quedan dichos, y otros muchísimos que podria referir, y cotejamos con el sentir del piadoso autor de las Antiguedades, citado de Nuestro Chronista Gonzalez (6. part. en la Vida de S. Diego Cap. 7.) que dice: ʺ El que una vez consagró la resolucion de su ʺ ánimo, para tolerar para gloria de Dios todas las injurias ʺ y crueldades de los Tiranos, este ya parece Martyr; porʺ que si la suerte no le concede que logre la efectiva pasion ʺ de tormentos, no puede quitarle que haya padecido en el ʺ alma, quantos géneros de muertes trazadas á ideas de la ʺ imaginacion habia ya abrazado la voluntad: ʺ podremos piadosamente creer que si no fué Martyr á violencias del cuchillo; su pronta y resuelta voluntad le consiguió, segun la doctrina del célebre Antoine (de Actib. hum. Cap. 3. art. 7.) el mérito del Martirio, que es lo que la Iglesia Ntrâ. Madre canta de San Pasqual Baylon: *Martyrem non dat gladius, sed ipsum prompta voluntas.*

ESPERANZA.

Vimos ya la firmeza de la Fé del Siervo de Dios Fr. Junipero, de cuya heroicidad se puede inferir qual sería su Esperanza, que siendo en sentir de San Buenaventura (tit. 5. dict. salut. Cap. 4) una fuerte columna, que estriba sobre el pedestal de la Fé, y sustenta lo principal del espiritual edificio, ó como dicen otros, flor de la fé que nace de ella, como el rayo del Sol, podremos inferir con los Santos Gregorio y Bernardo, que quanto mas uno cree, tanto mayor es

su

su esperanza: *quantum quisque credit, tantum sperat* (Bernard. de Dom. in Pas.) Esta que segun Guillelgo Alticiodorense, es una osadia del alma concebida de la largueza de Dios para alcanzar por nuestras buenas obras la vida eterna, dilata su vista y mira con fixos ojos como á su objeto el perdon de los pecados, el premio de las buenas obras en la vida que esperamos, la gracia, la resurreccion de nuestros cuerpos, la asistencia y cuidado de la providencia Divina para favorecernos en los peligros y tropiezos que pueden estorvar su consecucion, y finalmente todo lo que es arduo y dificil, si es para bien nuestro y gloria de Dios.

Esta nobilísima virtud, que recibió con el sacro Bautismo, desde el dia de su nacimiento fué creciendo en este Siervo de Dios con la edad, y en quanto tuvo el uso de la razon, con la instruccion de sus devotos Padres se exercitó en esta virtud, como tambien en la virtud de la Fé y caridad, procurando sus devotos Padres, que las primicias de los actos de su hijo, se consagrasen á Dios como Autor Divino, haciendo que él se exercitase en fervorosos actos de ellas, como lo practicaba desde niño; y como iba aumentando en edad y conocimiento, procuró exercitarse con mas fervor, como se ha visto en el discurso de su exemplar y dilatada Vida. Como era tan alto su alcanze sobre los Misterios de nuestra santa Fé y perfecciones divinas, tenia siempre puesta su confianza en ellas, con la esperanza cierta de que conseguiria del Señor lo que era de su mayor agrado, para mayor gloria suya, ocurriendo siempre al Señor, asi en las cosas arduas, como ya queda insinuado en su Vida, como en cosas aun mas leves, pues para todas Dios era su único refugio, y de ordinario conseguia feliz despacho para sus peticiones. Y si por su humildad recelaba el feliz exîto, invocaba á los Santos de su especial devocion, como sucedió con el Patrocinio del Señor San Joseph, que repetidas veces queda dicho, como tambien de su devoto San Bernardino de Sena, por cuyo patrocinio consiguió para un Indio Neófito de su Mision de San Carlos, librarlo de las fauces de la muerte, quando los

los circunstantes le tenian ya por muerto y aplastado de un grande pino que le cayó encima. Y agradecido N. V. Padre á su Santo devoto y Bienhechor, solicitó le pintaran un lienzo, el que se puso en aquella Iglesia, para mover la devocion en aquellos Neófitos.

Otros varios casos podria referir, los que omito por no ser demasiado largo, pues basta para prueba de su esperanza en Dios lo que queda ya referido de su enfermedad y accidentes continuos del pecho, pie y pierna, en lo que podria aplicarse lo de San Agustin (Conf. lib. 10. cap. 43. tom. 1.) " Merito mihi spes valida in illo est, quod sanabis " omnes languores meos, per eum qui sedet ad dexteram " tuam, & te interpellat pro nobis: alioquin desperarem. Mul-" ti etiam, & magni sunt languores mei, sed amplior est me-" dicina tua. " En fin si se reflexa bien y se atiende á lo que enseña San Buenaventura (in 3. Sent. dist. 26. q. 4.) que todos los actos de las virtudes son otros tantos actos de la esperanza, hemos de decir que su vida fué un continuo exercicio de esta nobilísima virtud, por lo que dixeron los Auditores de la Rota en la Causa de San Francisco Xavier (tit. de Spe) que nada persuade con mas eficacia la esperanza de alguno, como el exercicio de las buenas obras y acciones virtuosas: *Spei argumentum nullum validius, quam quod exercitio ducitur bonorum operum & actionibus virtutum*. Y lo mismo confirma el Señor Benedicto XIV. (lib. 3. de Can. SS. cap. 23. §. 2. num. 16) cuyas son estas palabras: *Omnia opera bona spem arguunt, & omnia opera bona eximia & sublimia, spem demonstrant eximiam, sublimem, & heroicam.*

CARIDAD Y RELIGION.

LA mayor de las virtudes llama San Pablo á las tercera de las Teologales, que es la caridad: *maior autem horum est charitas*. (1. Corint. 13.) Y si en sentir de San Gregorio (in Ezequ. hom. 22.) quanto uno cree y espera, tanto ama, habiendo visto la firmeza de la Fe, y la certeza y confianza de la esperanza del Siervo de Dios, podremos inferir lo ardiendiente de su caridad. A esta virtud, dice San Gregorio, que con razon llama el Apóstol de las Gentes vínculo de la perfeccion, porque las otras virtudes engendran la perfeccion; pero la caridad las ata entre sí, de modo, que ya no pueden separarse del alma del amante: *Charitatem recte Prædicator egregius vinculum perfectionis vocat, quia virtutes quidem cæteræ perfectionem generant, sed tamen eas charitas ita ligat, ut ab amantis mente, dissolvi jam nequeant.* (Greg. regist. lib. 4. ind. 13. cap. 95.)

Vimos ya como las otras dos virtudes Teologales son columna y pedestal de lo principal y mas sagrado del Templo. Y hablando de la Caridad el célebre discipulo de S. Juan Crisóstomo S. Proclo Patriarca de Costantinopla en la Epístola que escribió sobre la Fé á los Armenios (tom. 6. op. SS. PP.) les dice, que la caridad es la cumbre de lo mas santo y perfecto de nuestra Católica Religion: *Charitas sanctæ Religionis nostræ culmen est,* por lo que tenemos que esta virtud de la caridad, es el remate y union que une y corona el estado perfecto del alma.

Las señales para conocer la heroicidad de esta nobilísima virtud, las propone Fortunato Schacco (de not. & sig. Sanct. sec. 3. cap. 3. citado del Señor Benedicto XIV.) La primera es el zelo del culto Divino, á fin de que Dios sea amado y honrado de todos. Bastante queda dicho en el discurso de la vida de este Siervo de Dios, del zelo que tuvo del culto Divino, ya en aquella suntuosa Iglesia que fabricó en la Mision de Santiago de Xalpan de la Sierra Gorda, y el adorno que solicitó para ella, y para la Sacristia, todo dirigido al Divino culto. Lo propio practicó en las Misiones que fundó en ambas Californias, encargando á todos los Misioneros, que siempre en las memorias que pedian de México. jamas dexasen de pedir algo para la Iglesia ó Sacristia. En una ocasion estando yo presente, leyó la memoria de lo que se pedia para una de las Misiones, y acabandola de leer, dixo á los Padres que la habian hecho: *No me quadra esta memoria, pues no leo en ella alhaja que pidan para ador-*

no

no de la Iglesia, lo que luego enmendaron los Padres añadiendo algunos renglones para el Divino culto.

Este zelo, que al mismo tiempo es acto de la virtud de la Religion, bastantemente se ha expresado en su Vida cap. 7. desde el fol. 28. hasta el 25. en donde se expresa él regimen espiritual que observó en la Sierra Gorda, que el mismo en quanto fué posible observó en las Misiones de la nueva California y Monterey, asi en fábricas de Iglesia, segun la posibilidad de cada una, como en adorno para ellas, manifestando grande gusto quando hallaba en sus visitas en alguna de esas Misiones algunos adelantamientos en esto, y luego procuraba comunicarlo á los Padres de las demás Misiones, para animarlos á lo mismo.

Tambien queda dicho en el citado cap. el regimen espiritual que practicó en los Sermones en las solemnidades con que celebraba los Misterios y Festividades del Señor, de la Virgen Santísima y de los Santos, predicando en ellas, para mover á los Neófitos al culto y amor de Dios, siendo en esto tan grande su deseo, que lo extendia á todo el mundo. Bien lo expresó en la fundacion de la Mision de San Antonio, que encendido en estos deseos, y como fuera de sí, repicaba las campanas como queda, dicho, llamando á todos al Divino culto y amor de Dios, deseando que aquellas campanas se oyesen por todo el mundo: señal evidente del fervoroso amor de Dios en que ardia su corazon, pues no solo lo amaba, sino que deseaba que todo el mundo lo conociese y amase,

Otra señal del fervor de la caridad y amor de Dios pone el citado Autor diciendo, que se conoce por el gozo interior manifestado con señales exteriores, quando se habla de Dios y de los Santos. Bien se le conocia en sus Sermones y Pláticas, que parece le rebozava el corazon de gusto y alegria. Quando llegó á su noticia la disposicion de Ntró. Santísimo Padre Clemente XIII, de que todos los Domingos del año que no tuviesen Prefacio propio, se cantase ó rezase el Prefacio propio de la SSmâ. Trinidad, fué tanto su gozo, que no cabia en su corazon, y con mucha ternura decia:

Ben-

Bendito sea Dios, quien conserve la vida á Ntrô. Smô. Padre que ha determinado se reze tan devoto Prefacio. O! y que buena ocasion, para que Ntrâ. Seráfica Religion pidiese á este Smô. Padre, que parece ser devotísimo del Misterio de la Santísima Trinidad, el que nos concediese el Rezo de este Soberano Misterio con Rito de doble de primera clase, con que imitariamos á Ntró Seráfico Padre S. Francisco, de quien decimos: *Trinitatis officium, festo solemni celebrat.*

El mismo gozo expresaba en las solemnidades de la Virgen, en las festividades de sus Misterios, y quando vió á sus hijos Neófitos, que con tanta devocion asistian y cantaban la Sacratísima Corona de MARIA SSmâ. y la Antiphona *Tota Pulchra,* que derramaba lágrimas de ternura y devocion. Igualmente le sucedia quando cantaba la Pasion, y celebraba aquellos Divinos Misterios de la Semana Santa. Y sucedió no pocas veces, no poder proseguir el cantar en el Coro el canto Angélico de la Gloria, el Sabado Santo. Eran tambien abundantes las lágrimas en las Estaciones del Via-Crucis, de cuyo exercicio era devotísimo, y lo instituyó en todas las Misiones, asi de la Sierra Gorda, como de ambas Californias, la que en sentir de los Auditores de la Rota en la Causa de San Andrés Avelino (Tit de Charit.) es señal clara y evidente de la perfecta caridad, y de la heroicidad de esta virtud: *hanc eximiam charitatem Andreæ erga Deum probari censuimus, ex maximo affectu ipsius, erga passionem Domini Nostri Jesu Christi.*

Otras varias señales pone el citado Autor, las que omito por quedar ya comprobadas con los hechos de su Vida, principalmente la caridad acerca del próximo, de la que bastantemente queda dicho. Y como en sentir de San Gregorio la caridad acerca del próximo, nutre y aumenta la caridad y amor á Dios *per amorem proximi, amor Dei nutritur:* (Greg. in Moral.) habiendo visto la gran caridad que tuvo este Siervo de Dios con el próximo, se infiere quan grande sería el amor que residia en su corazon acerca de Dios, y qué admirables efectos causaria en su alma.

Es-

Estos fervorosos actos del amor de Dios y al proximo, junto con los demás de las otras virtudes de que he hablado y he manifestado de este mi amado Maestro, puedo decir que continuaron hasta la muerte, como puede verse en el cap. 58. que es la prueba mas eficaz é infalible de haber sido su caridad y amor á Dios y al proximo santo y verdadero, en sentir de su amartelado devoto San Bernardino de Sena, quien escribiendo de la caridad verdadera y no fingida, dice lo siguiente (tom. 2. Fer. 4. post. Ciner. Serm. 5. cap. 3. pag. 39. col. mihi 2.) » Charitas ficta, sex fornaces » patitur, sed in septima alchymiæ falsitas patet, Primus » namque fornaceus ignis fit in corde, secundus fit in ore, 3. » in opere 4. in imicorun dilectione, 5. in eorum subventio- » ne, 6. in recta intentione, ut scilicet propter Deum hic » omnia fiant, 7. in perseveranti continuatione. Hic sanctus » probatur amor, quoniam si verus non est, citò evanescit. » Todas las otras seis señales que pone San Bernardino, las hallamos muy patentes en la leyenda de su Vida, y la septima y la ultima señal la prueba lo que queda dicho en el Cap. citado. Y si en sentir del Evangelista San Juan, las obras de cada uno siguen á la alma quando se separa del cuerpo, *opera enim illorum sequntur illos,* hemos de creer piamente, que todas las obras que practicó en el exercicio laborioso de su vida, acompañarian á su alma, como tambien los innumerables Indios que convirtió, y que por su Apostólico afan consiguieron su eterna bienaventuranza, le saldrian al encuentro, para ponerlo en presencia de Dios, á que recibiese el eterno premio en el Cielo.

Asi piamente creo habiendo experimentado su fervorosa caridad y amor Divino, tendria las propiedades que dice de ella el Doctísimo Rabano (in Sermon.) » Amor divinus est » ignis, lux, mel, vinum, sol. Ignis in meditatione purifi- » cans mentem à sordibus. Lux est in oratione mentem irra- » dians claritate virtutum. Mel est in gratiarum actione men- » tem dulcorans dulcedine divinorum beneficiorum. Vinum » est in contemplatione mentem inebrians suavi & jucunda » de-

" deleɛtatione. " Todas estas propiedades parece se hallan
en la laboriosa Vida de este Siervo de Dios, y podemos creer
piamente que tambien conseguiria la última en la Patria Celestial: " Sol est in æterna beatitudine mentem clarificans
" serenissimo lumine, & suavísimo calore: mentem exhila-
" rans ineffabili gaudio peremni jubilatione. " Con que concluye las propiedades de la verdadera caridad el dicho Rabano, citado del V. P. Fr. Luis de Granada (in Sylva locorum
communium tom. r. tit. *Amor Dei*) Y yo podria concluir,
que su alma estará descansando, que fueron las últimas palabras que me habló antes de morir, acabando de rezar el
oficio del Sol de la Iglesia San Agustin, diciendome á mí y á
los circunstantes que se hallaban presentes: vamos ahora á
descansar, como queda dicho en su Vida. Y piamente puedo
creer, que su descanso fué y es en el Cielo. Pero como son los
altos juicios de Dios inescrutables, y que puede necesitar de
nuestra ayuda, acompañenme en decir: *Anima ejus requies-
cat in pace.* Amén.

CONCLUSION DE LA OBRA.

Advertencia al curioso Leɛtor, y última Protesta.

Dixe ya al principio el fin que tenia en escribir esta Vida, como tambien que la escribí metido entre aquellas
Bárbaras Naciones, con falta de Libros y de Padres Compañeros con quien consultar; y que habiendome resuelto á
condescender á las súplicas de los devotos y apasionados
del V. Padre que lo conocieron y trataron, dando lugar á
que saliese á luz dicha Vida é Historia, supliqué á algunas
personas doɛtas y que conocieron al Siervo de Dios, la leyeran, y fueron de parecer que bien se podia imprimir, y que
sería su leyenda no solo edificante, sino que moveria á muchos á alistarse para Operarios de la Viña que plantó este
exemplar Misionero. Y diciendome que echaban menos un
tratadito de las Virtudes, me resolví el hacerlo, animandome
el que en esta Ciudad no careceria de Libros, ni de personas
doc-

doctas con quien poder comunicar las dificultades que me ocurriesen: y aunque esto no me ha faltado; pero si me ha faltado el tiempo y sosiego que necesitaba, por haberme ocupado la obediencia en la carga pesada de la Guardianía de este Colegio.

Esta consideracion me servirá para excusarme de qualquiera falta que los curiosos Lectores notaren en el último Capítulo, principalmente de la brevedad de tan principalísimo asunto. Presumo tambien que echarán menos el del don de la contemplacion del Siervo de Dios, revelaciones, profecias, milagros, y todo aquel aparato de las gracias gratis datas que hacen admirable y ruidosa la santidad de algun Siervo de Dios. Pero tengo muy presente, que todas estas gracias, aunque son muy admirables y apreciables, no constituyen la santidad esencial, que se vincula á la gracia santificante.

No el don de contemplacion, pues este como notó San Gregorio (lib. 2. hom. 5. in Ezeq. num. 19. col. 1361. op. tom. 1.) suele concederse asi á los perfectos, como á los no perfectos, y á los principiantes é imperfectos. ,, Non enim ,, contemplationis gratia summis datur, & minimis non da,, tur, sed sæpè hanc summì, sæpè minimi, sæpius remoti::::: ,, percipiunt ,, Y muchas veces sucede, que ni aun á los Santos se concede, como de los ya Canonizados nota Ntrô. Eminentísimo Laurea (de Orat. opusc. 7. cap. 2.) Sin duda por eso en las Causas de Canonizacion no se inquiere de ella, sino en quanto es una especie de hábito adquirido del acto de contemplar y orar, como enseña el Señor Benedicto XIV. (lib. 3. de Beat. & Can. SS. cap. 26. pag. 186.) Pero como ella segun reglas de la Mística, sea un acto compuesto de Fé viva y caridad encendida, quedando probadas estas dos vírtudes de este Siervo de Dios, debemos decir que no le faltó este don de contemplacion.

Tampoco constituyen la santidad esencial revelaciones, profecias, milagros, don de lenguas &c. porque como estas gracias, á diferencia de la santificante, como enseña nues-

nuestro Doctor irrefragable Alexandro de Ales (in 2. part.
quæst. 73.) se dan para utilidad de los otros, pueden hallarse
juntas en un mismo sugeto con el pecado mortal, como con él
enseña el Eximio Suarez (tom. 1. de Grat. prol. 3. cap. 4.
num. 10.) y el docto Viguer (in Inst. Theol. tit. de Grat. Div.
cap. 9. §. 1.) por estas palabras: » Gratia gratis data differt à
» gratia gratum faciente, primo quia hæc potest stare cum
» peccato mortali, & sine charitate &c. » Y á mas, como no
son necesarias para la consecucion de la Bienaventuranza, su
falta no arguye imperfeccion, como enseñan los Salmaticen-
ses (tom. 3. Curs. Theol. in Arb. præd. §. 17. num. 164.)
» Sed quia ad beatitúdinem consequendam necessariæ non
» sunt, idcirco neque illarum defectus defectum sanctitatis os-
tendit. » Y por esto instando Ntrô. Matheuccio, como Pro-
motor que era de la Fé, á los Postuladores de la Causa de S.
Vicente de Paúl, para que propusiesen algo de dichas gracias, ellos como perspicaces, segun dice el mismo Matheuccio (en su Pract, Theolog. Canon. ad Caus. Beatif. & Canon.
tit. 6. cap. 6. num. 20.) respondieron, que aunque no le faltaban al Santo, no eran necesarias para el efecto de la Canonizacion.

Los que conocieron y trataron á N. V. Padre, me acu-
sarán quejosos de haber omitido muchas acciones exemplares; y para cerrarme la puerta á toda excusa, tal vez me ob-
jetarán lo de Casiodoro (in Comp. Rhet.) » Satius est narra-
» tione aliquid superesse quam deesse: nam superflua cum te-
» dio dicuntur; necessaria cum periculo substrahuntur. » Pero á esto debo decirles, que me ha sucedido lo que á los
Pescadores en abundantes placeres de Perlas, donde la pro-
digiosa copia hace que se les escapen de entre las manos
muchísimas. Las virtudes de los Siervos de Dios salen al público medrosas, hasta que la perezosa volubilidad de los
años va limpiando la idea de ciertas materiales impresiones
que le ofuscan el brillante lustre; y el afecto que le profesaba como á mi venerado Maestro, me ha contenido en decir
otras muchas cosas, no se atribuyesen á demasiada pasion,

aun-

aunque siempre es disculpada con la reflexion que *Parentibus, & Magistris nunquam satis*, que decian los Filosofos. Esta máxima parece llevaba consigo San Juan Capistrano, que con tanto anhelo solicitaba los honores para su amado Maestro San Bernardino de Sena, como se puede ver en la Carta que escribió á los magníficos Ciudadanos de Aquila, Patria de su Santo Maestro.

Confieso con toda ingenuidad, que no carezco de este afecto, y que es dificil moderarlo siendo tan debido; pero este filial afecto, no me ha hecho ponderar cosa alguna de las que ví y presencié, ni menos facil en creer muchos casos particulares que omito, por no estar del todo cerciorado de ellos, aguardando que el tiempo dé mas luz, pues con bastante reserva he escrito lo que has leido. Y por si acaso en ello he errado, todo lo sujeto á los pies de la Santa Madre Iglesia Católica Romana, protestando como hijo de tan Santa Madre, y que en serlo tengo mi mayor dicha, que en cumplimiento de los Decretos de Ntrô. SSmô. Padre Urbano VIII. (de felice recordacion) en la Sagrada congregacion de Ritos, y General Inquisicion, y demás Rescriptos Apostólicos que prescriben el modo de escribir las Vidas de los Siervos de Dios que no están Canonizados, no es mi intencion se dé mas crédito á lo que queda referido, que el que se merece una fé puramente humana, y por consiguiente muy falible: y que los epítetos de Venerable y Martyr &c. que en ella se leen, no es mi ánimo que apelen sobre las personas, calificándolas por Santas y Bienaventuradas, sino sobre las acciones virtuosas que refiero.

Tu entre tanto ruega por mí, y si encuentras algun yerro no lo atribuyas á malicia; mas disimula la flaqueza, que estoy pronto á enmendarlo. Y para que consigas la eterna Bienaventuranza te ruego lo que á Licencio hijo de Romaniano y discipulo de San Agustin rogaba San Paulino:

Vive præcor, sed vive Deo; nam vivere mundo
Mortis opus, viva est vivere vita Deo.
Cui soli honor, & gloria in sæcula sæculorum. Amén.

TANTO, QUE SE SACO DE UNA CARTA, QUE EL

Reverendo Padre Fray Alonso de Benavides, Custodio que fué del Nuevo México, embió á los Religiosos de la Santa Custodia de la Conversion de San Pablo de dicho Reyno, desde Madrid, el año de mil seiscientos treinta y uno, citado en el Capítulo segundo de esta Historia.

CArísimos y amantísimos Padres Custodio y demás Religiosos de nuestro Seráfico Padre San Francisco de la Custodia Santa de la Conversion de San Pablo de los Reynos y Provincias de el Nuevo México: Infinitas gracias doy á la Divina Magestad en haberme puesto (aunque indigno) en el número de la dichosa suerte de VV. PP. pues merecen ser tan favorecidos del Cielo, que los Angeles, y nuestro Padre San Francisco les asisten, y personal, verdadera y realmente llevan desde la Villa de Agreda (que es raya de Castilla) á la bendita y dichosa Madre MARIA DE JESUS, de la Orden de la Concepcion, Franciscana Descalza, á que nos ayude con su presencia, y predicacion en todas esas Provincias y Bárbaras Naciones. Bien se acuerdan VV. PP. que el año de mil seiscientos veinte y ocho, habiendo sido Prelado de VV. PP. y Siervo suyo, me determiné acaso (si bien debió de ser particular mocion del Cielo) á pasar á la Nueva España á dar razon al Señor Virey y Reverendos Prelados de las cosas tan notables y particulares que en su Santa Custodia pasaban; y habiendolo puesto por obra, despues de haber llegado á México, le pareció al Señor Virey y Reverendos Prelados, convenia pasar á España á dar cuenta á S. M, como fuente de todo, y á nuestro Padre General; y como tan Católicos y zelosos de la salvacion de las almas, me hicieron mil favores por las buenas nuevas que les dí, asi por el aumento de nuestra Santa Fé, como del Apostólico zelo con que VV. PP. en esas conversiones trabajan, y del aumento temporal, que la Divina Magestad ha descubierto, en pago y premio del zelo con que el Rey nuestro Señor nos favorece, y ayuda.

da. Con esta embio á VV. PP. un Memorial de molde, que presenté á S. M. y Real Consejo de Indias, y fue tan bien recibido en España, que pienso sacar segunda impresion, para consuelo de tantos como lo piden. No me juzguen VV. PP. de corto, que bien sé que lo está mucho el Memorial, para lo mucho que falta, y VV. PP. merecen; pero hizelo asi breve, aunque fuese á costa de no decir lo mucho que falta, por solo obligar á S. M. á que lo leyese; y no solo lo leyó, y los de su Consejo lo leyeron todo; pero les pareció tan bien, que no solo lo han leído muchas veces, y lo saben de memoria, sino que segunda vez me han pedido otros, y en estas demandas he distribuido quatrocientos Libros, y nuestro Reverendísimo Padre General los embió á Roma á su Santidad (fuera de los que digo en el Memorial de molde). Las veces que he hablado á S. M. y á su Real Consejo de Indias, adonde es el ordinario despacho de ellas, he dicho de palabra, y por muchos memoriales de mano de mi letra, lo que por allá pasa: y habia por acá poca noticia del Nuevo México, como si Dios no lo hubiera criado en el mundo: y asi no se agradecia, ni sabia lo que VV. PP. con tan Apostólico zelo han trabajado en esa Viña del Señor; y espero en su Divina Magestad volver entre VV. PP. para gozar de la dichosa suerte de su compañia, aunque confieso no merecerla, y llevar á VV. PP. y á toda esa tierra muy grandes favores de su Santidad, y del Rey nuestro Señor, para consuelo de todos, y aumento del Divino Nombre. Quando llegué á España, que fue á primero de Agosto del año de mil seiscientos y treinta, asi como nuestro Reverendísimo Padre General Fray Bernardino de Sena, (ahora Obispo de Viseo,) que está gobernando la Orden hasta el Capítulo General, digo: asi como supo mi Relacion de la Santa Religiosa, que ai anda predicando nuestra Santa Fé Católica, en la forma que VV. PP. saben, me dixo luego su Reverendísima, que siendo Comisario de España, antes de ser General, que habia mas de ocho años, tuvo noticia que la Madre MARIA DE JESUS, Abadesa de su Convento de la Villa de Agreda (raya de Aragon y Castilla) habia tenido

algu-

algunos aparecimientos y relaciones de la Conversion del
Nuevo México, y con la relacion que le dí, y la que allá nos
habia embiado el Señor Arzobispo de México Don Francisco Manso, en la misma razon, le causó á nuestro Reverendísimo tanta ternura y devocion, que queria ponerse en camino para la dicha Villa de Agreda; porque lo mismo que yo
dixe, se lo habia dicho la misma Madre MARIA DE JESUS los
dichos años antes, entrando personalmente á visitar su Convento; porque está sujeto á la Orden y Provincia de Burgos,
y *os ad os* se lo dixo la misma Madre MARIA DE JESUS á nuestro Reverendísimo, y ahora lo confirmó con lo que yo le dixe;
y porque sus ocupaciones no le dieron lugar, me mandó, que
fuese yo personalmente á ello, dandome la autoridad, para
obligar á la bendita Madre por obediencia, que me manifes-
tase todo lo que sabia acerca del Nuevo México: á cuya comision fuí de esta Corte, y llegué á Agreda último dia de
Abril de mil seiscientos treinta y uno; y antes de decir otra
cosa, digo: Que dicha Madre MARIA DE JESUS, Abadesa, que
es hoy del Convento de la Concepcion, &c. será de veinte
y nueve años, que no los tiene cumplidos, de hermoso rostro,
color muy blanco, aunque rosado, ojos negros y grandes: la
forma de su hábito, y de todas las Religiosas de aquel Convento, que por todas son veinte y nueve, es solo el hábito
nuestro; esto es, de sayal pardo, grueso, á raiz de las carnes,
sin otra túnica, saya ni faldellin, y sobre este hábito pardo,
el de sayal blanco, y grueso con su escapulario de lo mismo,
y cuerda de nuestro Padre San Francisco; y sobre el escapulario su Rosario; sin chapines ni otro calzado, mas de unas
tablas atadas á los pies, ó unas abarcas de esparto: el manto
es de sayal azul, grueso, y velo negro. No me detengo en decir las asperezas de esta Venerable Madre y su Convento,
por decir solo lo que toca al Nuevo México; que yo, quando
merezca ver á VV. PP. que tengo de eso gran deseo y esperanza, entonces diré cosas maravillosas, que nuestro Señor
obra allá. Entre otras virtudes que esta bendita Madre tiene de Dios alcanzadas, es el deseo de la conversion de las
                                                         almas.

almas, que desde criatura tuvo gran lastima de los que se condenaban; y mas de los Infieles, que por falta de luz y Predicadores, no conocen á Dios nuestro Señor. Y habiendola manifestado su Magestad todas las bárbaras Naciones, que en el mundo no le conocen, élla llevada por ministerio de Angeles, que tiene para su guarda, y sus Alas son San Miguel y nuestro Padre San Francisco, personalmente ha predicado por todas las Naciones nuestra Santa Fé Católica, particularmente en nuestro Nuevo México, donde ha sido llevada de la misma suerte; y tambien los Angeles Custodios de sus Provincias venian por ella personalmente, por mandado de Dios nuestro Señor. El hábito que ha llevado personalmente las mas veces, ha sido de nuestro Padre San Francisco, y las otras con el de la Concepcion, y su velo; aunque siempre remangadas las mangas blancas, y encogidas las faldas del blanco, y así se parece mucho el pardo. Y la primera vez que ha ido, fue el año de mil seiscientos y veinte, y ha continuado tanto estas ideas, que ha habido dia de tres y quatro, en menos de veinte y quatro horas; y esto se ha continuado siempre, hasta el año de mil seiscientos treinta y uno. Padres de mi alma, no sé como signifique á VV. PP. los impulsos, y fuerza grande de mi espíritu, quando me dixo esta bendita Madre que habia asistido conmigo al Bautismo de los Pizos, y me conoció ser el mismo que allí vió. Asimismo asistió al Padre Fray Christoval Quirós á unos Bautismos, dando las señas verdaderas de su persona, y rostro, hasta decir, que aunque era viejo, no se le echaban de ver las canas; que era carilargo, y colorado de rostro; y que una vez estando el Padre bautizando en su Iglesia, iban entrando muchos Indios, y se iban amontonando á la puerta, y que élla por sus mismas manos los estaba empujando y acomodando en sus lugares, para que no le estorvasen; y que ellos veían á quien los empujaba, y se reían quando no veían quien lo hacia, y la que á ellos los empujaba, para que empujasen á los otros, &c. Tambien me dixo todo lo que sabémos ha sucedido á nuestros Hermanos y Padres Fray Juan de Salas y Fray Diego Lopez

Lopez en las jornadas de los Jumanas, y que los solicitó é industrió todo este tiempo, para que fueran á llamarlos, como lo hicieron. Dióme todas sus señas, y que asistió con ellos. Conoce muy bien al Capitan Tuerto, dando las señas individuales suyas, y de todos; y élla propia mbió á los Embaxadores de Quivira á llamar á los Padres, todo lo qual dirán los mismos Indios, porque personalmente los habla. Tambien me dixo la jornada del Padre Ortega, que tan dichoso fue en escapar con la vida, por aquellas señales que topó, y todas me las dixo; y luego que volvió del Norte al Oriente, salió de él con gran frio, que llevó hasta topar calor y buen temple, y que por allí adelante (aunque muy lexos) está la grandeza de Reynos; pero que todo lo vence nuestro Padre San Francisco. Son tantas las particularidades que de esa tierra me dixo, que ni aun yo me acordaba y élla me las traxo á la memoria: y preguntandole porqué no dexaba que la viesemos, quando dexaba que los Indios tuviesen esta dicha, respondió: Que ellos tenian necesidad, y nosotros no, y que todo lo disponian sus Santos Angeles; aunque yo espero en la Divina Magestad, que quando esta llegue á manos de VV. PP. alguno, ó algunos la habrán merecido vér, porque yo se lo rogué encarecidamente, y ella prometió pedirselo á Dios; y que si se le concediere, lo hará de muy buena gana. Dixo, que saliendo de Quivira al Oriente, (aunque muy lexos) se pasaria por las señales que vió el Padre Ortega amenazado de muerte por los caminos, para que no pasáse allá nuestra Santa Fé, que asi se lo habia enseñado el demonio, y en el discurso del camino se convertirian muchas gentes, si los Soldados fueran de buen exemplo; (res valdè difficilis, sed omnia Deo facilia) y que nuestro Padre San Francisco alcanzó de Dios nuestro Señor, que en solo vér los Indios á nuestros Frayles, se convertirian. Sea Dios infinitamente alabado por tantos beneficios. Bien quisiera en esta Carta decir á VV. PP. todo lo que la Venerable Madre me dixo; pero no es posible, aunque muchísimo tengo escrito en un libro, que llevaré conmigo, para consuelo de todos. Dixo, que pasados aquellos

largos

largos caminos, y dificultades del Oriente, se daría en los Reynos de Chillescas, Cambujos, y Jumanas, y luego al Reyno de Titlas, y que estos nombres no son los propios, sino parecidos á ellos; porque aunque entre ellos habla su lengua, fuera de allí no sabe, ni se le revela. Aquel Reyno de Titlas, que es muy grande y pobladísimo, es donde mas acudió, y por su intercesion llevó allí nuestro Padre dos Religiosos de nuestra Orden, y bautizaron al Rey, y á mucha gente, y allí los martirizaron. Dice, que no eran Españoles, y tambien han martirizado muchos Indios Christianos, y el Rey tiene los huesos en una caxa de plata en una Iglesia, que allí se edificó; y una vez llevó de acá una Custodia para consagrar, y con ella dixeron Misa los Frayles, é hicieron procesion con el Santísimo Sacramento. Todo esto se hallará allá, y muchas Cruces! y Rosarios que ha dado allí; y á ella martirizaron, y recibió muchas heridas, y sus Santos Angeles la coronaron, porque alcanzó de nuestro Señor el martirio. Asi me parece por mayor bastará esto, para que VV. PP. se consuelen con tal Compañera, y Santa en sus trabajos; y será nuestro Señor servido de llevarme con VV. PP. para que sepan todas las cosas, como ella me las dixo, y se las mostré, para que me dixese si en algo me habia equivocado, ó si era lo mismo que entre los dos habia pasado, y para ello le impuse la obediencia de nuestro Reverendísimo que para ello llevaba, y se la interpuso tambien el Reverendo Padre Provincial de aquella Provincia, que allí estaba, y su Confesor; y por parecerme la respuesta ha de causar á VV. PP. grandísimo consuelo y espíritu, como por acá lo ha causado, que toda España se quiere ir allá, pondré aqui el traslado de lo que ella, por su propia mano y letra, respondió, que queda en mi poder para llevarlo á VV. PP. y para todas Provincias, nombrando á cada uno por su nombre; y tengo el propio hábito con que ella allá anduvo, y del velo sale tanto olor, que consuela el alma.

Tras-

Traslado de las razones, que la Bendita Madre MARIA DE JESUS escribe á los dichos PP. del Nuevo México.

OBedeciendo á la que V. Reverendísima, y nuestro Padre General, y nuestro Padre Fray Sebastian Marcilla, Provincial de esta Santa Provincia de Burgos, y nuestro Padre Fray Francisco Andres de la Torre, que es quien gobierna mi alma, y á V. P. mi Padre Custodio del Nuevo México, en nombre de V. P. me manda diga lo que se contiene en estos quadernos, y si es lo que he dicho, tratado y conferido, que he hablado á V. P. de lo que, por la misericordia de Dios, y de sus justos juicios, que son inmudables, ha obrado en mi pobre alma; que tal vez elige el mas inutil sugeto, incapáz é imperfecto, para manifestar la fuerza de su poderosa mano, y que los vivientes conozcan, que todas las cosas se derivan del Padre de las lumbres, que habita en las alturas, en cuya fuerza, y poder, y con la confortacion de su Alteza, todo lo podémos: y asi digo, que es lo que me ha sucedido en las Provincias del Nuevo México, Quivira, y Jumanas, y otras Naciones, aunque no fueron estos los primeros Reynos donde fui llevada, por la voluntad de Dios, y por mano, y asistencia de sus Angeles, fui llevada donde me sucedió, ví, é hize todo lo que al Padre he dicho: y otras cosas que por ser muchas, no es posible referirlas, para alumbrar en nuestra Santa Fé Católica todas aquellas Naciones: y los primeros donde fui, creo están al Oriente, y se ha de caminar á él, para ir á ellos, desde el Reyno de Quivira; y llamo estos Reynos, respecto de nuestros términos de hablar, Titlas, Chillescas y Caburcos, los quales no están descubiertos; y para ir á ellos, me parece ha de haber grandes dificultades, por los muchos Reynos, que hay antes de llegar á ellos, de gente muy belicosa, los quales no dexarán pasar los Indios christianos del Nuevo México, de quien ellos rezelan lo son, y mucho mas á los Religiosos de nuestro Seráfico Padre San Francisco, porque el demonio los tiene engañados, haciendoles creer, que está el veneno donde está la triaca, y que

43   han

han de estár sujetos, y esclavos, siendo Christianos, consistiendo su libertad, y felicidad en esta vida. Pareceme, que como lo podrán conseguir, será pasando los Religiosos de nuestro Padre San Francisco: y para su seguridad, y guarda se podia ordenar los acompañen Soldados de buena vida, y costumbres, y que con apacibilidad sufran las contumelias que se les pueden ofrecer, y con el exemplo y paciencia todo se podrá tolerar, que el exemplo hace mucho: y descubriendo estas Provincias, se pondrá grande obra en la Viña del Sr. Los sucesos que he dicho, me han sucedido desde el año de mil seiscientos y veinte, hasta este presente de mil seiscientos treinta y uno, en el Reyno de Quivira, y Jumanas, que fueron los últimos á que fuí llevada, que dice V. P. han descubierto con su buena inteligencia, y las personas mismas de aquellos Padres Santos, á quienes ruego, y de parte del Señor amonesto y anuncio, que trabajen en obra tan dichosa, alabando al Altísimo por su buena suerte y dicha, que es muy grande; y que pues su Magestad los hace Tesoreros y distribuidores de su preciosa Sangre, y les pone en las manos el precio de ella, que son las almas de tantos Indios, que por falta de luz, y quien se las administre, andan en tinieblas y ceguedad, y carecen de lo mas santo y deseable de la Ley inmaculada, suave y deleytable, y del bien y gloria eterna. Mucho deben alentarse esos dichos Padres en esta heredad del Señor, porque la mies es mucha, y pocos los Obreros, á dar la mayor gloria y agrado al Altísimo, y á usar de la mas perfecta caridad, que puede haber con estas criaturas del Señor, hechas á su imagen, y criadas á su semejanza, con alma racional para conocerle. No permitan, Padres y Señores mios, que los deseos del Señor, y su voluntad santa se frustre y malogre, á trueque de muchas contumelias y trabajos, pues dirá su Alteza tiene sus regalos y delicias con los hijos de los hombres: y pues á estos Indios los hizo Dios idoneos y capaces para servirle y reverenciarle, no es justo carezcan de lo que los demás Fieles Christianos tenémos y gozamos. Alegrense VV. PP. Padres mios, pues el Señor les ha dado la

opor-

oportunidad, ocasion y suerte de los Apostoles; no la pierdan, por entender y pensar el trabajo: acuerdense de lo que les toca obedecer al Altísimo, y dilatar y sembrar su Ley santa: quantos fueron los trabajos y persecuciones que padecieron; imitando á su Maestro.

Lo que aseguro á VV. PP. es, que sé con cierta ciencia y luz, que los Bienaventurados los embidian, si es que en ellos la puede haber; (que es imposible) pero lo declaro asi, á nuestro modo de entender: que si pudieran, dexáran la gloria que tienen, por acompañarlos en esas conversiones, lo hicieran: y no me admira, que como vén en el Señor, que es la principal causa y el objeto de su gloria, y es espejo voluntario donde todos le conocen, y como vén la particular que los Apostoles tienen, y en lo que se señalan mas, que tienen los demás Santos, por lo que padecieron por la conversion de las almas, asi es cierto, que dexáran de gozar de Dios, por convertir una alma. Razon será, para que VV. PP. pues tienen esa oportunidad se aprovechen de ella; y confieso que asi pudiera comprarla con la sangre, vida, y crueles martirios, que lo hiciera, que se la embidio á VV. PP. que aunque el Altísimo me concede que puede conseguir este fruto en vida, no es por camino que padezca tanto como VV. PP. ni merezca nada, porque mis imperfecciones lo impiden; pero ya que no puedo nada, ofrezco de todo mi corazon y alma ayudar con oraciones y exercicios, y los de esta Santa Comunidad. Suplico á mis Padres carísimos merezca mi buena voluntad y deseo, y me hagan participante de alguna de las menores obras y trabajos, que VV. PP. hacen en esas conversiones, y lo estimaré mas, que quanto por mi hago, que recibirá el Señor mucho agrado de la conversion de las almas. Y esto mismo he visto en el Altísimo, y lo he oído de sus Santos Angeles, que me han dicho que tenian embidia de los Custodios de almas, que se ocupaban en convertir; y como son Ministros, que presentan al Altísimo nuestras obras, aseguran ser las que su Magestad recibe con mas agrado, las que se obran con las conversiones del Nuevo México: y me dió por razon el el Santo Angel, que como la Sangre del Cordero era suficiente à todas las almas, y que padeció por una lo que padeció por todas, que sentia mas el Señor, que una alma, por falta de luz de nuestra Santa Fé, se perdiera, que padecer tantas pasiones y muertes, como ha criado almas. Esto puede alentar á tan santa ocupacion, y padecer mucho por conseguirla, por ser verdadero todo lo que queda dicho de mi letra, y de la de mi Padre Custodio del Nuevo México; y por mandarlo la obediencia, lo firmé de mi nombre: y suplico á VV. PP. todos los que aqui he nombrado, se sirvan por el Señor mismo á quien servimos, y por quien se lo manifiesto, estos secretos se oculten y guarden en custodia, pues lo pide el caso, sin que lo véa criatura. De esta Casa de la Concepcion Purísima de Agreda, quince de Mayo de mil seiscientos treinta y uno. = *Sor Maria de Jesus.*

MUcho quisiera, Padres y Hermanos mios, poder escribir en esta, para mayor consuelo suyo: las muchas cosas que tengo escritas, asi de mi letra, como de esta Santa Madre que nuestro Señor ha obrado por ella á nuestro favor y ayuda en esas conversiones; pero son mas para guardarlas en el corazon, que para escritas: y me parece, que con las razones sobredichas, que son todas de su letra y firma, que quedan en mi poder, se consolarán VV. PP. pues su estilo y pensamiento bien se vé ser Evangélico. Yo le pregunté si ibamos acertados en el modo de proceder en las conversiones, asi en fábricas, como en las sementeras, y lo demás que se hace para sustento y amparo de los Indios: dixóme, que todo era muy grato á nuestro Señor, pues se encaminaba al fin de las conversiones, que es la mayor caridad. Ha tomado muy à su cargo encomendar á Dios á VV. PP. y la paz y gobierno entre Gobernadores y Religiosos, y el tratar de las conversiones, y asi, encomienda á todos muy deveras á Dios, para que Religiosos, Gobernadores, Españoles, é Indios unánimes y conformes, adoren y alaben al Señor; y sobre todo, se empleen en dár luz de nuestra Santa Fé Católica á todas esas

Bar-

Bárbaras Naciones; y pues su Divina Magestad nos tiene en esa santa obra, no nos atajemos, y frustremos en no sufrir todas las cosas, y ocasiones, que se nos dieren de pleytos. Tambien conozco, Padres mios, que en todo mi tiempo yo no merecí, por mis imperfecciones y defectos, gozar la paz, como la deseaba; pero espero en la Divina Magestad ir á acabar los dias, que fuere servido de darme, en la compañia y servicio de VV. PP. Sabe muy bien su Divina Magestad, como lo deseo. A todos esos Señores Españoles me encomendarán VV. PP. mucho; y porque siempre he conocido la voluntad que me han tenido, la pago muy bien en manifestar (como he manifestado) á su Real Magestad, y á su Real Consejo de Indias, que son verdaderos Soldados Apostólicos, asi por su valor, como por el buen exemplo con que proceden en nuestra compañia, de que S. M. se dá por bien servido. Prometió hacerme toda merced, que de su parte le pidiere, y lo principal deben tenerse por dichosos de ser patrocinados de la bendita alma de MARIA DE JESUS: los ha visto, y encomiendalos á Dios, y asi les doy mil gracias, y á Dios de que lo hayan merecido; y lo mismo he dicho á la Madre de la Christiandad y virtud, de todas esas Españolas, y á la humildad y cuidado que tienen en la limpieza de los Altares; y dicho todo, los encomienda á Dios nuestro Señor, y pido tambien las oraciones de todos. A todos los Indios tambien doy mil parabienes, pues merecen su principal amor; y porque vá tambien de estos Reynos á esos tan remotos y apartados, y que como á hijos espirituales, á quienes ha predicado nuestra Santa Fé Católica, y alumbrado en las tinieblas de la Idolatria, y los tiene muy en la memoria, para no olvidarlos jamás en sus oraciones. Bendita sea tal tierra, y dichosos sus habitadores, pues merecen tantos favores del Cielo. De VV. PP. humilde hijo, y Siervo Fray Alonso de Benavides. Nuestro Reverendísimo Padre General desde acá echa á todos VV. PP. su bendicion con la de nuestro Seráfico Padre San Francisco; pues como tan verdaderos hijos suyos acuden á obra tan Apostólica, y asi me mandó lo escribiese á VV. PP.

Pag.

PAGINA.	LINEA.	ERRATA.	CORRECCION.

Pag. 3. lin. 30. . . . . . *emplado* — empleado
Pag. 5. lin. 29. . . . . *veeremos* — veremos
Pag. 7. lin. 10. . . . . *tocase* — tocasen
Pag. 8. lin. 8. . . . . *tocase* — tocasen
Pag. 8. lin. ult. . . . . *que por* — por
Pag. 9. lin. 14. . . . . . . *la* — lo
Pag. 10. lin. 31. . . . . . . *poocos* — pocos
Pag. 13. lin. 2. . . . . *de* — del
Pag. 14. lin. 10. . . . . . . *graciay* — gracia y
Pag. 20. lin. 22. . . . . *(que como* — que (como
Pag. 21. lin. 1. . . . . *y tiempo* — á tiempo
Pag. 22. lin. 15. . . . . . . *Siera* — Sierra
Pag. 22. lin. 18. . . . . . . *Guandian* — Guardian
Pag. 27. lin. 12. . . . . . . *Padre* — R.
Pag. 27. lin. ibid. . . . . . . *Paternidad* — Padre
Pag. 28. lin. 22 y 23. . . . . *(por:::Colegio)* — por:::Colegio

NOTA. Ibid. desde la linea penultima lee: ,, y asi se empezó á rezar con ,, los Indios en su lengua natural alternando por dias con la Doctrina en ,, Castellano. ,,

Pag. 29. lin. 17. . . . . . . *baste* — basta
Pag. 29. lin. 20. . . . . . . *Campaña* — campana
Pag. 30. lin. 8. . . . . *Puelo* — Pueblo
Pag. 31. lin. 18. . . . . . . *tiena* — tierna
Pag. 33. lin. 14. . . . . . . *mantencion* — manutencion
Pag. 34. lin. 11. . . . . . . *mam posteria* — mamposteria
Pag. 35. lin. 30. . . . . . . *en el* — el.
Pag. 37. lin. 2. . . . . . . *esparcidos* — esparcidas
Pag. 39. lin. 8. . . . . . . *Diligencias* — diligencias.
Pag. 40. lin. 2. y en otros lugares. *Sabá* — Saba
Pag. 42. lin. 5. . . . . . . *en quanto* — quantos
Pap. 44. lin. 14. . . . . . *Solano.* — Solano)
Pag. 48. lin. penult. . . . *dixera* — dixo.
Pag. 49. lin. 2. . . . . . *con lo que cesó* — y ya no se experimentó
Pag. 49. lin. 32. . . . . . *Haustaca.* — Huasteca

NOTA. No obstante que su pronuncia es como si se escribiera como en las Paginas 23 y 24. en lugar de *Guasteca* corrige *Huasteca*

Pag. 50. lin. 5. . . . . . . *purificion* — purificacion
Pag. ibid. lin. 11. . . . . . *vasija* — vinagera
Pag. ibid. 33 y 36. . . . *desaire* — desayre
Pag. 52. lin. 33. . . . . *Comunicabale* — Comunicabalo
Pag. ibid. lin. 35. . . . . *buscandota* — buscandole

Pag. 54. lin. 1. . . . . . halla	hallaba
Pag. ibid. lin. 2. . . . . . sacrificio	servicio
Pag. ibid. lin. 21. . . . . . huvo de escribir	escribió
Pag. 55. lin. 10. . . . . . obededezcan	obedezcan
Pag. 56. lin. 18. . . . . . versá	verá
Pag. 58. lin. 33. . . . . . neceserio	necesario
Pag. 59. lin. 33. . . . . . y no le	y no lo
Pag. 60. lin. 27. y otras. . Faxes	Fages
Pag. ibid. lin. 28. y otras. Constanzó	Costanzó
Pag 61. lin. 6. . . . . . por alli	alli
Pag. ibid. lin. 33. . . . . Vizcayno	Bizcaíno
Pag. 62. lin. 17. . . . . descargandose	descargandole
Pag. ibid. lin. ibid. . . . registrandose	registrandole
Pag. 64. lin. 9. . . . . . depravadas	belicosas
Pag. ibid. lin. 15. . . . . para ir	á este para ir
Pag. ibid. 21. . . . . . otras	otros
Pag. 74. lin. 11. . . . . emplastro	emplasto
Pag. 75. lin. 26. . . . . con	como
Pag. 76. lin. 1. . . . . . determinó	se determinó
Pag. 80. lin. 12. . . . . Capitana	Capitanía
Pag. 82. lin. 21. . . . . tratado	Capítulo
Pag. 88. lin. 12. . . . . y que	siendo asi que
Pag. 97. lin. 8. . . . . Capítulo 12.	Capítulo 16.
Pag. 98. lin. 12. . . . . no llegó	no se llegó
Pag. 99. lin. 8. . . . . . ocho	ochenta
Pag. ibid. lin. 19. . . . . eschela	esquela
Pag. 101. lin. 19. . . . horroroso	hermoso
Pag. 105. lin. penult. . . Nordest	Nordeste
Pag. 108. lin. 18. . . . participesen	participasen
Pag. 109. lin. 21. . . . . Paquepot	Paquebot
Pag. 110. lin. 13. . . . Perez.	Perez
Pag. 118. lin. 18. . . . se convino	convino
Pag. 125. lin. 8. . . . . como veinte	como veinte y cinco
Pag. 133. lin. 30. . . . veerá	verá
Pag. 139. lin. 28. . . . Concedasnoslas	Concedanoslas
Pag. 140. lin. 19. . . . Correo)	Correo,
Pag. ibid. lin. 22. . . . veinte	veinte y cinco
Pag. 141. lin. 8. . . . . mantencion	manutencion
Pag. ibid. lin. 33. . . . entretando	entretanto
Pag. 142. lin. 10. . . . Presidos	Presidios
Pag. ibid. lin. 18. . . . cinco	cincuenta
Pag. ibid. lin. 19. . . . Noroest y veninte	Noroeste y veinte
Pag. 146. lin. 1. . . . . que esperaba	que esperaba,

Pag. ibid. lin. 23. . . , . . *tratolo*	Tratolo
Pag. 152. lin. ult. . . . *cargado*	cargados
Pag. 160. lin. 9. . . . . *Expepedicion*	Expedicion
Pag. ibid. lin. 12. . . . *Capítulo* 30	Capítulo 35
Pag. ibid. lin. 28. . . . *convertian*	convertirian
Pag. 164. lin. 21. . . . *En quando*	En quanto
Pag. ibid. lin. ult. . . . *Gurumete*	Grumete
Pag. 169. lin. 2. . . . *Comante*	Comandante
Pag. ibid. lin. 27. . . . *no*	ni
Pag. 173. lin. 23. . . . *Cinaloa*	Sinaloa
Pag. 174. lin. 1. . . . *Catecumeros*	Catecumenos
Pag. 175. lin. 8. . . . . *acrecentan*	acrecientan
Pag. 175. lin. 11. . . . *Doctrinas*	Misiones

Y lo mismo en la Pag. 72. lin. 18. Pag. 75. lin. 18. Pag. 82. lin. 17.
Pag. 89. lin. 14. Pag. 96. lin. 27. Pag. 110. lin. 20. Pag. 112.
lin. penult. Pag. 120 lin. 10. Pag. 132. lin. 32.

Pag. 177. lin. 14. . . . *otro*	otros
Pag. 178. lin. 16. y 17. lee así: ,, Convocaronse mas de mil Indios, mu-,, chos de ellos entre sí no conocidos, ni jamas vistos, sino convidados ,, de otros.	
Pag. 180. lin. 26. . . . *enviaran*	enviarian
Pag. 185. lin. 11. . . . *conocemos*	conocimos
Pag. 192. lin. 28. . . . *otra*	obra
Pag. 194. lin. 15. . . . *insinuado*	instruido
Pag. 196. lin. 9. . . . *suspendiese*	se suspendiese
Pag. 200. lin. 29. . . . *doscientas y setenta*	doscientas
Pag. 202. lin. 11. . . . *y que*	y para
Pag. 203. lin. 18. . . . *en la*	la
Pag. ibid. lin. penult. . *Cartabria*	Cantabria
Pag. 204. lin. 28. . . . *Cap.* 36. *fol.* 157.	Cap. 41. fol. 186.
Pag. 208. lin. 29. . . . *Berrendos*	Verrendos
Pag. 213. lin. 34. . . *Puerto,*	Puerto:
Pag. 218. lin. 14. . . *los sembraron*	se sembraron
Pag. 227. y 239. lin. 21. y 12. *Paternidad*	Reverencia
Pag. 232. lin. 4. . . . *en pie,*	á pie
Pag. 252. lin. 5. . . . *Maravilla*	Manzanilla
Pag. 263. lin. 26. . . . *confimar*	confirmar
Pag. 281. lin. 1. . . . *el dia* 5	el dia 4
Pag. 305. lin. 6. . . . *lo impedia*	le impedia
Pag. 307. lin. 3. . . . *non adversu*	*non adversis*
Pag. 308. lin. 5. . . . *Barcos*	Bárbaros
Pag. 309. lin. 19. . . . *ay*	aí
Pag. 320. lin. 22. . . . *le consiguió*	lo consiguió

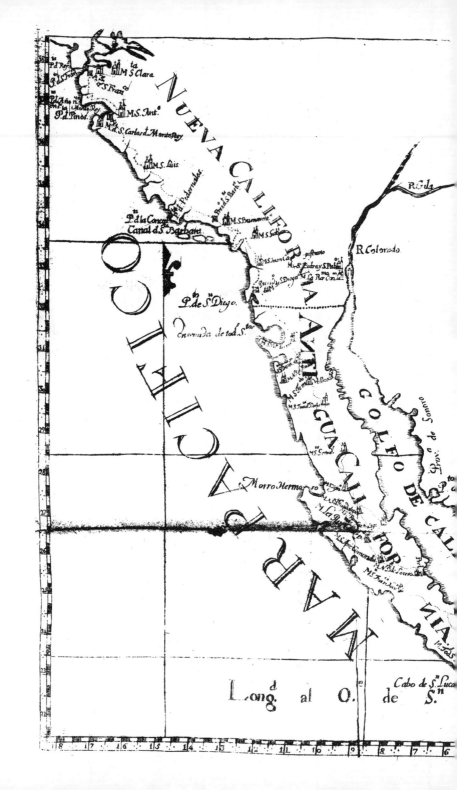

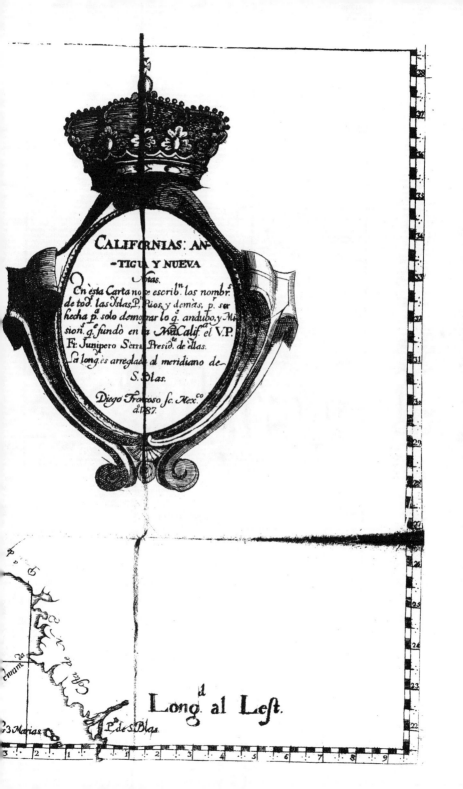

CALIFORNIAS: AN-
-TIGUA Y NUEVA

Notas.

En esta Carta no se escriben los nombres
de todas las Islas, Puntas, Rios, y demàs, por ser
hecha pa. solo demostrar lo que andubo, y Misiones que fundò en la Nueva California el V.P.
Fr. Junipero Serra Presidte. de ellas.

La long. es arreglada al meridiano de
S. Blas.

Diego Troncoso sc. Mexco.
a.1787.

Long. al Lest.

Tr̃es Marias

Pta. de S. Blas.